S0-BFE-976

THERESA MAY

特蕾莎·梅

THE ENIGMATIC PRIME MINISTER

谜一般的首相

[英] 罗莎·普林斯（Rosa Prince） 著

周旭 张广海 译

图书在版编目（CIP）数据

特蕾莎·梅：谜一般的首相 / (英) 罗莎·普林斯著；周旭，张广海译. -- 北京：文化发展出版社有限公司，2017.8

书名原文：THERESA MAY:THE ENIGMATIC PRIME MINISTER

ISBN 978-7-5142-1869-5

Ⅰ.①特… Ⅱ.①罗… ②周… ③张… Ⅲ.①特蕾莎·梅—传记 Ⅳ.①K835.617=6

中国版本图书馆CIP数据核字(2017)第192162号

版权登记号：01-2017-5635

特蕾莎·梅：谜一般的首相

著　　者：（英）罗莎·普林斯

译　　者：周旭 张广海

出 版 人：武　赫

策 划 人：一　晨

责任编辑：尚　蕾

责任印制：邓辉明

责任校对：岳智勇

装帧设计：唐以琛　田　松

出版发行：文化发展出版社（北京市翠微路 2 号　邮编：100036）

网　　址：www.wenhuafazhan.com

经　　销：各地新华书店

印　　刷：北京顺诚彩色印刷有限公司

开　　本：889mm × 1194mm　1/16

字　　数：350千字

印　　张：25

印　　次：2017 年10月第 1 版　2017年10月第 1 次印刷

定　　价：69.00 元

I S B N ：978-7-5142-1869-5

◆ 如发现任何质量问题请与我社发行部联系。发行部电话：010-88275710

目录

特蕾莎梅——谜一般的首相

前 言

特蕾莎·梅在接待室做着准备工作的时候，她最得力的助手菲奥娜·希尔拿着电话走了进来。打电话的这个人带来了一条劲爆的消息，而这应该是梅生平听到的最重要的消息。这一天是2016年7月11日，星期一的上午10：00，时任英国内政大臣的特蕾莎·梅正积极准备竞选保守党党魁一职。一旦获得成功，她将登顶英国政坛，成为大不列颠及北爱尔兰联合王国的首相。梅所在的接待室位于英国第二大城市伯明翰市中心的奥斯汀庄园，这里是上层人士举办婚宴或会议的场所。陪同梅一同前来的有她的丈夫菲利普·梅以及多年的老友利亚姆·福克斯，福克斯是前任国防大臣，多亏了他的引荐，梅才得以步入政坛。希尔不同寻常的神情以及所说的话让在场的三个人大吃一惊，她告诉梅，她竞选党魁的最后一位对手安德烈娅·利德索姆希望能马上与她通话。

梅看了看身边的两个人，神情淡然地示意他们离开接待室。希尔将电话递给了她的良师益友，现在也是她顶头上司的梅之后，也离开了接待室，现在接待室里只剩下梅一个人。在接下来漫长的几分钟里，对于门内发生的事情，门外的三个人并没有将他们的推测宣之于口，但内心早已翻江倒海。就在4天前，形势表明，保守党党魁的竞争最终将变为利德索姆和梅之间的正面交锋。前段时间，英国就是否留在欧盟进行了全民公投，支持留欧的一派以微弱的劣势落败。面对这个出乎意料的结果，支持留欧的首相戴维·卡梅伦于6月24日引咎辞职，保守党党魁的竞选旋即拉开序幕，到此时已经过去了16天。这16天见证了一场头破血流的竞争，随着主要的竞争者和热门人选的失败，梅和利德索姆两人脱颖而出。在保守党进行党内投票之前，她们还要进行为期九周的竞选活动，竞选结果将于9月9日宣布。

特蕾莎·梅来到伯明翰正式开始竞选活动，就在三天之前，利德索姆在一次采访中暗示，比起竞争对手，她对选民关心的事情体会更深，因为和梅不一样，她是一个母亲。此言一出，利德索姆就受到了激烈的批评，时事评论员和政坛的同僚纷纷质疑她的判断力，而她坚持认为是媒体断章取义，误解了自己的意思。事件发生后不久，她被迫向她的竞争对手屈辱地道歉。对于利德索姆的竞选团队来说，这可谓是出师不利，胜利的天平开始倾向于梅，梅自始至终拒绝回应此事，从而维护了自己的尊严。现在，利德索姆出人意料地给她的竞争对手打来了私人电话——那些在外面焦急等待的人只能凭空猜测她的意图。

几分钟之后，梅打开了房门，让菲利普和福克斯进来。对于交谈的内容，她只字未提，而他们也没有询问发生了什么。梅看上去泰然自若，和往常没什么两样。像平时一样，她每次出现在公众面前总是衣着得体：上身为一件带拉链的深蓝色夹克衫，下面配着一条短裙。她的鞋子一如既往地成为众人关注的焦点，红色的天鹅绒面配有金色的装饰。她的耳朵和脖子上都戴着珍珠饰品。如果梅的竞选伙伴一直在猜测利德索姆打这通电话的意图，虽然他们已经进入房间见到了梅，却依旧没有任何头绪，因为梅的神情并没有透露出任何信息。在接下来的20分钟内，三个人小声地谈论着，用最后几分钟的时间敲定了梅的演讲稿。大约上午10: 30，菲奥娜·希尔回来叫他们进入主厅，竞选演讲马上就要开始。在福克斯进行简短介绍的时候，菲利普在第一排找了个座位坐了下来。

在快要11: 00的时候，梅上台发表了演讲。她用一句话开启了自己的竞选演讲，这句关于英国脱欧公投的话后来变得妇孺皆知："脱欧就是脱欧。"接下来，她描绘了英国未来的蓝图，暗示将秉持与她的前任戴维·卡梅伦截然不同的政治理念，设计一种“全新的保守主义”。如果当选，她将实行新的产业战略，切实推行房屋建造计划，抑制企业垄断。她警告说：“在财富分配上，伦敦已和其他各郡存在巨大的鸿沟。”20分钟的演讲过后紧接着就召开了新闻发布会，在新闻发布会上，梅阐述了关于自己计划的更多细节。期间，BBC[1]的政治副主编约翰·皮纳尔问她，如何看待利德索姆的道歉。她回应说：“我接受她的道歉，实际上，今天召开这个新闻发布会的目的，就是要向大家宣布，如果当选保守党领袖和英国首相，我将会采取的措施。”在整个演讲过程中，甚至后来简短的新闻发布会上，她都三缄其口，丝毫没有暗示他人，她的身份已经从一名候选人变为候任首相。

新闻发布会结束后，梅就要准备大批记者一对一的访问。首先是《伯明翰邮报》的记者乔纳森·沃克，但在他们进行会谈之前，那些仍聚集在大厅里的记者的电话纷纷响起来了。他们所在的采编部发来急电，要求他们向梅求证一系列消息的准确性。原来BBC的政治主编劳拉·金斯贝格通过社交平台推特发布了一系列消息。第一条发布于上午11:27，内容是安德烈娅·利德索姆将在12:00发布声明。仅仅6分钟之后，她又发布了一条消息：威斯敏斯特[2]方面关于利德索姆的声明的谣言愈演愈烈，大家纷纷猜测其声明的内容。最后，在11:35，金斯贝格发布了一条让大家目瞪口呆的消息：线人告诉我，利德索姆将在12:00发布声明，宣布退出首相角逐，消息尚未得到证实。梅的助手和其他记者一样，也被这条新闻惊呆了，梅急忙返回了休息室。

当梅与她的丈夫以及利亚姆·福克斯单独相处时，她终于证实了过去90分钟内他们的怀疑。利德索姆已经通过电话告诉梅，她决定退出首相竞选，并真诚地祝福她担任英国首相后，有一个美好的未来。不过她要求梅暂时不要将她退出角逐的消息透露出去，因为她想在恰当的时机亲自向公众宣布。梅信守了承诺，没有向她亲密

---

[1] BBC，英国最大的新闻机构，1992年成立，曾长期垄断英国的电视、电台。译者注，下同。

[2] 英国国会大厦，又称威斯敏斯特宫，位于伦敦威斯敏斯特市内，这里代指英国议会。

的战友福克斯透露只言片语，甚至在面对她挚爱的丈夫菲利普，这个世界上最亲近的人时，她也守口如瓶。在过去的一个半小时里，她一直不动声色，什么也没说，也没有任何表情，保守着这个惊天喜讯：她正以惊人的速度成为英国历史上第二位女首相。这是她长久以来梦寐以求的荣誉，但她做梦也没想到，这个梦想以这种方式变成了现实。就在获得成功的那一刹那，她惊人的自控力不允许自己流露出半点喜悦。

如果你即将成为你所热爱国家的首相，获得了从青少年时期就苦苦追寻的荣誉，而在长达90分钟的时间内，不告诉任何一个人，这得需要多么非凡的毅力啊！但对于特蕾莎·梅来说，她已经对安德烈娅·利德索姆做出了承诺，无论任何情况下她都必须守口如瓶。想要知道她在获得重大成功时，如何能够做到镇定自若的，我们有必要回溯历史，了解教养和家风是如何在潜移默化中将荣誉感和钢铁般的自控能力灌输给她的。

>>> 01

生而为民

为公众服务的理念生来就融入了特蕾莎·梅的血液之中，出生于牛津郡一个乡村牧师家庭，她从小就被教育，帮助他人是她义不容辞的责任。在自己的父母身上，她看到了他们对服务社区理念的践行。父母对父亲所在宗教团体的虔诚信仰和无私奉献为特蕾莎·梅照亮了前行的明灯，指引着她为帮助他人而奉献自己。由于没有其他兄弟姐妹，梅和父母的关系亲密无间。在成长的过程中，她也意识到了小团体的价值和力量。她认为和一大群人不加区分地做朋友并没有什么好处，更喜欢和为数不多的真正的挚友交往。回忆自己的童年时光时，梅讲述了一个典型的事件：她和父母前往父亲所在的教堂，发现空荡荡的教堂里只有他们三个，三个人蹲下来，一起唱赞美诗：爸爸、妈妈、孩子，团结、自我满足，随时准备帮助他人。[1]

投身公共事务的理念在梅的家族中历代传承，表现形式多种多样。她自己也屡次强调这一理念。2016年6月，她在宣布参与保守党领袖选举的演讲中曾说："我成长于这样一个家庭，我的父亲是一名乡村牧师，我的祖父是一名准尉。为公众服务的理念从我记事开始就深深地印在我的脑海中，成为我的一部分。"从某种角度来说，特蕾莎·梅宣称她的家族致力于服务他人并不夸张：她的奶奶和外婆都曾在维多利亚时代为大户人家做过女仆，她的曾祖父当过管家。她卑微的出身和前任首相戴维·卡梅伦形成鲜明对比，卡梅伦的先祖应该是雇用仆人的人，而不是做仆人为他人服务。若以财富而论，梅的祖先并不显赫，但从她的家谱上，你能感受到先辈们光耀门楣的决心。那些普普通通的劳动人民，正是她在担任首相期间要服务的对象。

特蕾莎·梅原名特蕾莎·布拉西耶，她父亲的家族可以追溯到17世纪晚期。他们生活在萨里郡东部一个名为利姆普斯菲尔德的小村庄里，这个地名首次出现于1086年的《末日审判书》[1]中，据记载坐落于北部丘陵的山脚下。如今，这座小村庄有4000多个居民，不过仍有90座古老的建筑留存下来，记录着梅的先祖们生活在这儿的时光，其中就包括特蕾莎家族的祖屋。谱系学爱好者，以前担任过记者的罗伊·斯托克迪尔经过实地考察认为，布拉西耶家族迁到这个小村庄的历史可追溯到1690年。[2]根据他的调查，和特蕾莎·梅有直接血缘关系的人是一对名为理查德·布拉西耶和安妮·布拉西耶的夫妇，他认为，他们是梅的曾曾曾曾祖父母。1722年6月，他们在附近的奥克斯特德为自己的儿子詹姆斯举行了洗礼仪式。整个18世纪和19世纪，理查德、安妮和詹姆斯的后代就将布拉西耶家族的血脉传承了下来。他们的生活并不富裕，但也不至于穷困潦倒。这个家族的男人们就去当木匠、工匠和建筑工人，女人们就去做裁缝。当然其中也有例外，有一个人曾担任过教师。这证明早在维多利亚时代，布拉西耶家族就攒下了足够的钱，并且家里的人足够开明，能够让家族中的女性接受教育。

19世纪晚期，一个名为詹姆斯·布拉西耶的人离开了利姆普斯菲尔德，和他的妻子莎拉·简迁到了伦敦西南方向，距离温布尔顿30英里的地方。这个家族在那里传了几代，紧邻他们家的就是温布尔顿公园。一个多世纪之后，他们的曾孙女特蕾莎·梅在这里出生，并在日后成为一名议员。梅的祖父汤姆及他的五个兄弟姐妹都出生在温布尔顿的克鲁克德比利特地区，她的祖父是家中的幼子，1880年出生。

当兄长们像他们的先辈那样成为木匠或建筑工人的时候，汤姆选

---

[1] 1086年，英国国王征服者威廉一世下令对全国土地和人口进行清查，调查结果汇编成两大册，原书名意为《土地清丈册》。此次调查精细严格，记录巨细靡遗，强调权威性和最终性，好比世人在接受末日审判一样，因此又被称作《末日审判书》。

择了入伍，成为了一名军人。他服役近20年，一直表现优异，在即将退役时参加了第一次世界大战。梅在她那激动人心的就职演讲中也曾讲到过这位祖父的故事。据罗伊·斯托克迪尔推测，汤姆还参加过1899—1902年在南非爆发的布尔战争，依据是1901年英国全国人口普查的花名册中，并没有出现他的名字。[3]1911年全国人口普查时，汤姆在驻扎于印度杰格拉达的皇家步枪团第四营服役。梅的祖父是驻扎在那里的几千名英国士兵之一，尽管殖民时代的荣光已渐渐褪去，但他们依旧忠心耿耿地为王权服务。一战之前，和他们统治的印度本土人民水深火热的生活相比，驻印英国士兵的处境要好得多。他们可以参加各种社团和社会活动，进行短途旅行和体育运动，还可以参观阅兵式，在阳台上喝鸡尾酒时，会有大批当地的仆人为他们添加杜松子酒和苏打。作为一个中士，汤姆·布拉西耶没有太多机会接触上层社会，他的生活也不像高级军官那样奢华，不过依然比留在家中的兄弟姐妹的生活要优渥得多。这也许就是他选择带着家人在兵营生活的最主要原因。当1911年人口普查进行时，汤姆的妻子艾米刚刚诞下一个男孩，他们为他取名詹姆斯。

梅的祖母艾米·布拉西耶似乎是一位颇有进取心的年轻女性。她的父亲戴维·帕特森在温布尔顿一个大户人家当管家，恰巧和布拉西耶家族为邻。这个职位其实颇有声望，但1892年，戴维在42岁时壮年早逝，使得这个处于世纪之交的家庭只能勉强度日。也许正是出于这个原因，几年之后，20岁上下的艾米远离故土，来到12000英里外的新西兰，她女承父业，为在基督城生活的一户人家提供家政服务。她在新西兰坚持了两年，思乡之情愈演愈烈，20世纪到来的时候，她动身返回英格兰。在回乡的船上，她遇上了一位温布尔顿的青年才俊——汤姆·布拉西耶，当时他已经在驻印皇家步枪团中服役。艾米当时身材高挑，留着一头黑色的秀发，非常引人关注，她很快就吸引了汤姆的目光。由于他们对温布尔顿有着共同的回忆，因此一路上两个人相谈甚欢，借此消磨海上无聊的时光。当船在印度靠岸，汤姆就要返回兵营的时候，两个人擦出爱情的火花，坠入了爱河。[4]

这段感情经历了长达9年的两地分离，汤姆当时依旧在印度服役，而艾米则在伦敦西部的拉德布罗克街找到一份新的家政工作。这条街后来成为诺丁山地区的权力中心，大批富有的政治家聚集在这里。她的孙女逐步接近这个阶层，并最终战胜了他们。其实在艾米生活的年代，拉德布罗克街已经很繁华了，她在一座四层大别墅里担任客厅女侍，是四个客厅女侍之一。这栋别墅属于富有的中年寡妇卡罗琳·亨德森以及她的两个成年的女儿。也许是出于对现实和经济状况的考虑，两个人直到1909年才举行婚礼。当时汤姆已经从印度返回英格兰，住在汉普郡温彻斯特的军械库附近。婚礼在弗利特小镇的一座新教徒教堂中举行，艾米在这个小镇上居住，距离汤姆的兵营大约25英里。婚后艾米继续在亨德森的别墅内工作，不到两年，汤姆再次返回印度，这次他的妻子艾米选择随行。或许是因为长久的婚约让她倍感痛苦，又或许是她对自己比丈夫年龄大这件事特别敏感，不管出于什么原因，在1911年的人口普查中，艾米谎报了自己的年龄，减了整整10岁，她宣称自己只有24岁，但实际上，当时她已经34岁了，丈夫汤姆32岁。

在印度的那段时间里，艾米共生了两个儿子，这是她和汤姆抚育的五个孩子中最大的两个。不过不幸的是，1914年第一次世界大战爆发，她返回英格兰时，只剩下一个孩子还存活于世。一返回故土，她就在伦敦西南旺兹沃思的绍斯菲尔德定居了，她居住的地方离她在温布尔顿的亲戚家很近。汤姆在战争中表现突出，被提拔为军士长，并因作战英勇而获得勋章。不过在1917年，梅的父亲休伯特出生了，此时距离第一次世界大战结束还有一年。汤姆选择了退伍，并在旺兹沃思做了一名办事员，1951年在那里去世，终年70岁。

艾米以88岁高龄去世，梅的堂兄艾伦·布拉西耶曾经谈到过奶奶艾米：就像所有人都知道的那样，她是一个善良、诚实、直爽的人，自己非常有主见。而且如果她心情很糟糕，她也会不露声色，你必须千方百计地试探，才能知道她的想法。[5]另一个表兄安迪·帕罗特则认为，和她的儿子休伯特以及孙女特蕾莎一样，艾米非常认真地履行帮助他人这项责任：

> 她经常寄出支票……虽然她自己也没有多少钱，但她依然关爱他人。在汤姆去世之后，她曾在萨里我父母的家中和我们生活了几年，那个时候我还在上学。她每天都戴着我父亲为她配备的耳机收听BBC的家政服务节目，然后编织羊毛方巾寄往非洲或其他贫困地区。[6]

梅的外祖母瓦奥莱特·巴恩斯，不是“外婆”，坚持让她的外孙女用更正式的“外祖母”称呼她。[7]和梅的奶奶艾米一样，瓦奥莱特在20世纪初的几年间也曾从事家政服务。瓦奥莱特的父亲威廉·韦兰在一家商店做行李搬运工。在瓦奥莱特还是个小孩子的时候，他把家从德文郡迁到了伯克郡的雷丁市。年仅十几岁的时候，瓦奥莱特就为一位富裕的大学教授沃尔特·达菲尔德和他的妻子多丽丝当女佣。多丽丝此前居住在澳大利亚，最近才来到雷丁市。瓦奥莱特身材娇小，身高还不足5英尺，不到20岁就和雷金纳德·巴恩斯谈恋爱。雷金纳德出生于汉普郡的米尔顿市，是一位旅行推销员兼皮革工人。其他人都喊她维，她称呼自己的丈夫雷吉，与汤姆和艾米一样，维和雷吉的爱情也必须接受异地分离的考验。第一次世界大战爆发后，雷吉参了军，在陆军辎重部队里做了一名二等兵，被派往东非作战。[8]在雷吉参与海外作战时，瓦奥莱特送给他一张自己的照片，这张照片流传了下来，现在依然保存完好。她在照片的背面写下了一段感人至深的话：维送给雷吉这张照片，里面饱含真挚热烈的爱，希望你在东非好运，胜利而归。横亘在我们之间的海洋是我们的宿命，难道我们没有办法再相见了吗？因为爱情，千万不要忘记我。[9]

瓦奥莱特热切地盼望着雷吉从战场平安归来，上天也没有辜负她。他没有忘记她，他们终于重逢了。从战场上平安归来的他于1917年迎娶了她，不过他们的幸福生活维持了还不到一年。第一次世界大战虽然结束了，但随之而来的是众所周知的大规模流感。这场流感造成了500万人死亡，是第一次世界大战期间死亡人数的三倍。1918年，在不到一周的时间里，威廉·韦兰和他的儿子，也就是瓦奥莱特的父亲和哥哥相继离世。[10]除了要面对失去两位至亲的情感创伤之外，韦兰家族还因为失去了两个主要的负担家计的人而背上了沉重的经济包袱。威廉去世之后，夫妇俩搬去和瓦奥莱特的母亲一起生活。《每日邮报》的编辑杰弗里·利维曾对梅的家谱做过大量细致的调查，他认为，贫困的生活不仅促使他们搬去韦兰家族的房子中居住，而且还让他们迟迟不敢要第一个孩子。第一个孩子降生时，维已经33岁，在当时已经算高龄产妇了。[11]韦兰家的连栋房屋本来就很小，几年之后，瓦奥莱特的另一个姐妹也搬了进来，使得原本狭窄的空间更加逼仄。

梅的母亲扎伊德出生于1928年，她的哥哥莫里斯于四年前出生。关于这个充满异国情调的名字，坊间早已有诸多揣测。实际上这个名字主要源自瓦奥莱特倔强的个性，与任何外国因素无关。梅曾这样评价她的母亲：

> 她的哥哥首先降生，外婆想为儿子取名为肯尼斯，但外公为他取名莫里斯。所以外婆说，如果女儿降生的话，由她来取名字。外婆为她取名扎伊德，这个名字从何而来我不清楚。在遇到我的父亲之前，她就已经定期去教堂做礼拜了。[12]

实际上，瓦奥莱特也经常去教堂做礼拜，和她未来的女婿休伯特一样，她是一位虔诚的国教教徒。她很可能是在《圣经》中找到了这个名字：扎伊德是“公主”的意思，在《旧约全书》中，扎伊德是亚伯拉罕的妻子。

特蕾莎·梅出生的时候，瓦奥莱特和雷吉都还在世。雷吉于1970年去世，终年78岁。瓦奥莱特一直活到94岁，直到她的女儿扎伊德去世几年后，她才离世。在她寡居的许多年里，瓦奥莱特只能靠轮椅行动，还因接种天花疫苗而忍受着种种不良反应。格林斯·巴恩斯嫁给了梅的表兄艾德里安·巴恩斯，她说虽然瓦奥莱特的身体状况不容乐观，但她从不让自己闲下来，“她虽然身材娇小，但行动非常敏捷，做事也相当果断，并且非常、非常坚强”。[13]很明显，特蕾莎·梅继承了她那从事家政服务的祖母和外祖母的坚强性格。

从瓦奥莱特·巴恩斯为自己女儿起的名字上，可以清楚地看出她那虔诚的奉献精神。汤姆·布拉西耶和艾米·布拉西耶是否经常去教堂做礼拜，我们并不确定。实际上，在维多利亚时代和爱德华时代，他们应该和教会有一些联系。他们选择在新教教堂结婚，很有可能是出于便利的考虑，因为这个教堂离艾米居住的地方很近。这表明他们的信仰更倾向于低教会派的宗教观点，他们更注重个人品德和以家庭为中心的理念，而反对那种教会权力过大的组织机构。他们的儿子，梅的父亲休伯特的信仰却与他父母的截然不同。

休伯特天赋异禀，1928年，他通过了旺兹沃思学校的入学考试，这是一家在绍斯菲尔德的文法学校[1]，离他家不远。这改变了他的人生轨迹，旺兹沃思学校是整个郡最好的公立学校之一。休伯特因此受到鼓舞，申请进入大学继续深造。在当时，对他所属的那个阶层来说，这完全是一条不同寻常的路。特蕾莎·梅之所以长期关注英国的文法学校为低收入家庭的孩子提供的教育机会，也许很大程度上就源于她的父亲在旺兹沃思学校的经历。休伯特在学校中的表现获得了老师的认可，在最后一年，他被选为男生代表。无巧不成书，女子学校选出的女生代表是18岁的玛乔丽·梅菲尔德斯·斯威廷，后来她成为梅在牛津大学的导师。2014年，为了向斯威廷表示敬意，牛津大学举行了一次盛大的宴会，梅在这次宴会上讲述了父亲和老师之间发生的故事。在两个学校举行的联合晚会上，按照传统，男生代表应该向女生代表献花。休伯特表现得有点没有风度，他给玛乔丽了一束菜花。[14]

[1] 在英国中等教育体系中，学校可以大致分为公立的文法学校、综合学校和私立的公学。文法学校历史悠久，课程侧重人文学科，大部分学生将来会升入大学。

大约在青少年时期，休伯特就对宗教产生了深厚的兴趣。从旺兹沃思学校毕业两年后，也就是20岁的时候，他入读利兹大学，成为神学院的一名学生。这是一所红砖大学[1]，由约克科技学院和利兹医学院在1904年合并而成。在利兹，休伯特在一栋由附近的复活天主教学院运营的大学生宿舍里居住，开始逐渐转变为一名国教神职人员。这所学院于1903年在米菲尔德小镇附近成立，如今，这所学院自称是"一所与众不同的神学院"，信奉高教会派的信条。相比汤姆和艾米举行婚礼的新教教堂所秉持的教义，英国国教的传统截然不同。这所学院与天主教团体复兴运动的联系颇为密切，而这场运动与19世纪英国国教中萌生的基督教社会主义和复兴天主教主义密切相关。学院要求所有的学生一周内必须有六天进行晨祷和晚祷。学院选择建在英国北部的工业区也经过了深思熟虑，这个团体的创建者一直致力于在贫困社区开展牧师工作，学院建造在这个地方就是为了给当地贫困的人们提供宗教指导——或许这也是休伯特决定在此接受教育的原因之一。休伯特似乎也接受了该学院的宗教精神，特别是奉献精神，或许最重要的是为公众服务的精神。在利兹大学求学的最后一年，他当选为学生代表，在米菲尔德做礼拜期间，休伯特得以结识当时的外交大臣哈利法克斯勋爵，他定期来这里进行忏悔。此外，他还认识了一位德国牧师迪特里希·朋霍费尔，他带领自己的信徒和纳粹作斗争，在第二次世界大战爆发之前，他一直在学院里待着。后来他被绞杀在福洛森堡集中营，那时距离1945年战争结束仅有两周时间。

1940年春天，休伯特从利兹大学毕业，获得了神学专业一等荣誉学位，那可能是战争中最黑暗的时期。英国独力抵抗纳粹德国，在此之前，德国法西斯在欧洲大陆发动了闪电战，在仅仅6周时间内，比利时、荷兰和法国相继沦陷。美国那时尚未参战，欧洲前途未卜。面对

[1] 19世纪末至20世纪初，在英国重要工业城市建立的伯明翰大学、曼彻斯特大学、布里斯托大学、谢菲尔德大学、利兹大学和利物浦大学获得皇家特许，这六所大学被称为红砖大学。

这种绝望的局面，新任首相温斯顿·丘吉尔在全国颁布征兵令，要求36岁以下的男人全部入伍参战。在战争开始的头一年，休伯特当时还是个学生，因此没有参军入伍。毕业那年他23岁，选择了一份不需要服兵役的职业——牧师。和他当兵的父亲汤姆不同，在战争期间，他决定在后方为人民提供精神支持，以这种方式为自己的祖国略尽绵薄之力。然而，第二次世界大战和其他战争不同，后方的平民也不能幸免于难，每天都承受着恐怖、暴力和极端绝望的折磨。有时，无论是男人、女人还是孩子，每天都面临着死亡的威胁。作为一名牧师，休伯特见到的惨状并不比他的父亲汤姆在战场上见到的少。

1942年，休伯特在米菲尔德取得神学硕士学位后，在圣安德鲁使徒教堂担任助理牧师，这个教堂位于伦敦西南卡特福特的萨瑟克主教区内，由英国国教徒在世纪之交建立，这一地区也是伦敦最贫穷的地区之一。休伯特来到这里时，当地民众已经见识到闪电战的可怕。就在他入职圣安德鲁使徒教堂6个月之后的1943年1月20日，休伯特在后方亲眼目睹了最悲惨的灾难，当地一所位于桑德赫斯特路上的小学被德军的战斗轰炸机击中。实际上，在闪电战最频繁的1940年和1941年，首都伦敦的所有学生都已经转移到了安全地带。尽管在战争中期，人们仍然面临着突如其来空袭的威胁，但许多父母忍受不了分离的痛苦，他们做出了一个艰难的决定，将自己的孩子接回伦敦。因此包括桑德赫斯特路上的小学在内，一些学校重新开放。

中午12：30，一枚重1100磅的SC500炸弹在学校上空抛下。这个时候，许多老师和学生都在餐厅吃午饭，餐厅瞬间就变成了一堆瓦砾。当地的空袭警报响起的时候已经太迟了，也就是说，学校里的人根本没有得到预警。后来德军宣称，德国战机飞行员误把此处当成了平地上的居民区，他们故意将此作为袭击目标。众所周知，这是一个完全不合法的袭击目标，但德军此举是为了报复三天前英国皇家空军对柏林的袭击，这也是希特勒制定的“恐怖性空袭”战略的一部分。[15]总共有三分之二的学生和六位老师在这次袭击中丧命。他们中的大多数人都被埋葬在平民死难者公墓——西塞尔绿叶公墓，葬礼由萨瑟克区的主教伯特伦·辛普森主持。休伯特当时也在场，在接下来的5年中，他一直待在距离那所学校仅100码的圣安德鲁使徒教堂，竭尽所能地安慰那些因失去孩子而悲痛欲绝的父母。

这场灾难发生后几个月，休伯特就被萨瑟克大教堂正式任命为牧师。众所周知，许多“米菲尔德人”，也就是从那所学院毕业的学生都自愿宣誓终身不娶，成为一名修士，他们将自己的生命献给自己的同胞，来帮助更多的人。虽然布拉西耶神父没有选择成为一名修士，[16]但米菲尔德对他的宗教观点的影响却贯穿一生。2014年，特蕾莎·梅在《荒岛唱片》节目上选择了英国国教高教会派祈祷时的一首圣歌《我们在他面前弯腰，尊崇这伟大的圣礼》。英国国教牧师和新闻工作者贾尔斯·弗雷泽谈到这首圣歌时说：

> 这的确是一个极好的选择，首先，一个不经常去做礼拜的人不会熟悉这首歌；其次，这显示出她那秉持高教会派教义的父亲对她的宗教观点的影响。赐福、圣礼崇拜——或者像新教徒嘲弄者所说的“圣饼崇拜”——这表明他是一个铁杆的国教教徒。[17]

实际上，休伯特直到1955年才结婚，那时他已经37岁，在一个人们通常在25岁之前解决婚姻问题的年代，这也许意味着这位年轻人的确曾经考虑过独身生活。

扎伊德·巴恩斯比她的丈夫小十多岁，26岁步入婚姻殿堂。1948年，休伯特前往赖盖特的圣卢克教堂担任牧师，赖盖特是萨里郡比较繁华的一个小镇，仍隶属于萨瑟克主教区。5年之后，他再次搬到了苏塞克斯郡东部的滨海小镇伊斯特本，为居住在疗养院的基督徒担任牧师。和她居无定所的未婚夫不同，在步入婚姻殿堂之前，扎伊德一直生活在一个地方——南安普顿街156号，“雷丁的有轨电车会在她居住的连栋房屋前轰隆隆地驶过，厕所就在后院”。[18]这对夫妇在扎伊德居住的街区教堂里按照英国国教的习俗结了婚，扎伊德那虔诚信教的母亲瓦奥莱特对自己的女儿选择了一位国教牧师作为丈夫非常满意。婚后，扎伊德跟着自己的丈夫搬到了伊斯特本，住在基督徒医院为牧师提供的居所里。

伊斯特本所有的基督徒都集中居住在美丽、繁华的米德斯地区。他们居住的房屋是1867年修建的哥特式建筑，信奉国教的修女负责照看疗养院中居住的国教徒。如今，这个教堂已经成了婚礼举办地，疗养院也改造成了豪华公寓。这家疗养院因为缺乏足够的修女来照顾病人，也没有足够的资金来维持运营，因此1959年被纳入国家医疗服务体系，2004年停止接收病人。在1959年之前，休伯特夫妇一直待在那里。1956年10月1日，在她的父母结婚一年多之后，特蕾莎·玛丽·布拉西耶在伊斯特本阿平顿街的一家产院里出生了。她的父亲打算以阿拉维的圣女特蕾莎的名字为她命名，17世纪时，这位加尔默罗修会的修女致力于提倡静观祈祷和教会改革。

在特蕾莎·梅的生活中，宗教和公共服务在她心中占有重要的地位，而她父母的宗教信仰在这方面对她的影响持久而深远。与英国国教高教会派成员的生活相比，她的生活似乎更加传统，她对国教的信仰似乎也更加坚定。在谈到她的宗教信仰时，特蕾莎·梅这样说道：

宗教对我来说非常重要。我仍在不断加深对国教的认识，现在我无法像以前那样参与宗教活动，但我依然定期领受圣餐。最重要的一点是，它已经成为我生命的一部分，宗教能告诉我自己是谁以及为人处世的方式。

梅曾表示，虽然她从未怀疑过自己的宗教信仰，但在青少年时期，她非常喜欢和父亲进行冗长的辩论。他们也许讨论了她抛弃国教高教会派的教义，采取一种更温和、更低调的方式的倾向。她说：

这种辩论非常有趣，因为……我没有什么机会讨论宗教问题。我想部分原因是我的父母并没有将他们的宗教信仰强加给我。毋庸置疑，我早年在教堂里长大，经常去教堂做礼拜，但需要强调的是，如果不想去，我完全可以拒绝。因此我很清楚，我不必受任何形式的束缚。[19]

作为一名议员，特蕾莎·梅的抉择有时会让父母感到与他们的宗教信仰有所冲突，但她从不回避做出自己的选择，包括采取激进措施使同性恋婚姻合法化。她拒绝透露父亲是否赞同她的做法，英国国教的某些教义似乎也不太适合梅的性格。很难想象，大不列颠的第二位女首相，过去十年一直孜孜不倦地鼓励妇女进入议会，同时支持许多国教成员（虽然没有在米菲尔德学院接受过教育）依旧支持的教义——避免任命女性牧师。

1997年，特蕾莎·梅成为梅登黑德地区的议会代表，她经常去古老的教区教堂——圣安德鲁教堂做礼拜。这个教堂是一个漂亮、典型的英国国教教堂，部分建筑可以追溯到中世纪，靠近梅在桑宁的原选区。她静静地保持着自己的信仰，一般不向外人谈及。虽然未向外人谈及，但她恪守着对宗教的承诺。撒马利坦会在威斯敏斯特经营着一家收容所，2014年，当梅担任英国最具挑战性的职位——内政大臣时，曾为该收容所的居民做过午饭，这件事她也没有对外宣扬。[20]她的这种质朴、低调的慈善行为已经足以让父母引以为傲。

在谈到梅的政治哲学时，不管是现在还是以前的同事都会讲到她的宗教信仰，前威尔士事务大臣谢里尔·吉兰在议会供职时曾与梅共事近20年，她说：

她对于宗教的信仰总是不露声色的，她不会表现得太明显，因为她不是福音派的信徒。不过她一直坚守自己的宗教信仰，并有着坚实的基础。你能够感觉到，这种基础能为她提供非常强有力的道德指南。我认为她完全不需要卖弄，她只是在付诸实践，她经常去教堂。

自20世纪80年代后期便与梅在莫顿地方议会共事的约翰·埃尔维

奇也说：

在她的政治哲学背后，有一股强大的道德力量。那个时候，我对她的父母以及家庭背景一无所知，但是，很明显就能感觉到，这是那股力量的来源。显而易见的是，她始终秉持着一种团结、为公众服务的意识，这并不完全是一种政治策略，“她已经取得了极高的政治成就”，只要在那个职位上，她真的想做些事情。

这是保守党人典型的信仰：低调、传统、稳定、拒绝任何卖弄。一言以蔽之，特蕾莎·梅对宗教的虔诚促使她在政治领域采取具体措施，来为她的追随者服务。她的批评者和追随者可能对她的成功颇有争议，但却没有一个人质疑她的虔诚。

>>>

1.采访，特蕾莎·梅，《荒岛唱片》，BBC第四频道，2014年11月23日。

2.https://roystockdillgenealogy.com/theresa-may/。

3.同上。

4.《揭秘：特蕾莎·梅的奶奶和外婆都从事过家政服务》，杰弗里·利维，《每日邮报》，2015年2月24日。

5.同上。

6.同上。

7.同上。

8.《揭秘：特蕾莎·梅的奶奶和外婆都从事过家政服务》，同上。

9.同上。

10.同上。

11.同上。

12.《特蕾莎·梅将成为下一个撒切尔夫人》，西蒙·沃尔特斯，《星期日邮报》，2016年9月2日。

13.《揭秘：特蕾莎·梅的奶奶和外婆都从事过家政服务》，同上。

14.《泰晤士日报：教皇震动麦迪逊广场公园，特蕾莎·梅讲了个笑话》，帕特里克·基德，《泰晤士报》，2015年6月17日。

15.《英国上空的纳粹德国轰炸机：闪电战，1942—1943年》，克里斯·戈斯，克雷西，2003年版。

16.《牧师的社会实践助力通往唐宁街的路》，艾伦·马林森，《泰晤士报》，2016年7月23日。

17.《郊区牧师的女儿——圣徒特蕾莎的欢喜和哀愁》，贾尔斯·弗雷泽，《英国卫报》，2016年7月14日。

18.《揭秘：特蕾莎·梅的奶奶和外婆都从事过家政服务》，利维，同上。

19.《荒岛唱片》，同上。

20.《宗教的深远影响：信仰、希望和仁爱》，吉纳维芙·罗伯茨，《独立报》，2015年11月20日。

>>> 02

在郊区牧师的住宅里度过的童年

在第二次世界大战结束十多年之后，休伯特·布拉西耶才晋为人父，但他和自己的同辈——婴儿潮一代的父母们关注的问题却没什么不同。他们这代人都经历过20世纪30年代的贫穷以及第二次世界大战的恐慌，因此休伯特和他的妻子扎伊德都尽全力保证自己的孩子生活得更加舒适和安逸。这个无可厚非的愿望促使这对夫妇为他们唯一的女儿营造了一个安全可靠的环境，煞费苦心地确保她的政治观、哲学观和宗教观和他们的大致相同。尽管在他出生的1917年，休伯特的父母汤姆·布拉西耶和艾米·布拉西耶的生活已经达到了当时的平均水准，但是长大之后居住在旺兹沃思的时候，休伯特还是在许多邻居那里见识到了真正的贫穷。在一所以基督教社会主义理念为根基，以将穷人家的子弟培养成牧师为任务的学院里，休伯特接受了专业的神学教育，自此之后，他对穷人的生活有了更加深刻的理解。在第二次世界大战期间，他亲眼目睹了赤裸裸的穷困场景，在卡特福特的郊区，他又亲身体会了贫穷的滋味。扎伊德家的三代人都挤在雷丁一所连栋房屋里，当然理解什么叫作捉襟见肘、入不敷出。

布拉西耶夫妇因此下定决心，他们年幼的女儿特蕾莎不能再经历这种生活，事实上她的确没有经历这种生活。她在繁华的牛津郡两个田园牧歌式的小村落里度过了一个幸福的童年。虽然他们从未过上富裕的生活，但作为成年人，布拉西耶夫妇从未像他们的先辈那样为了金钱而发愁。他们在银行里为特蕾莎存了足够的钱，如果他们认为有必要，还能为她请家庭教师。童年时期安静的环境使得梅比她的父母更加传统，更加保守，可能随着时间的推移会在社会事务方面略微自由化，但是她的思想还是有鲜明的边界，而且她也不怕别人给她打上右派分子的标签。利亚姆·福克斯后来成为梅在内阁中的战友，他在总结梅的家庭和环境对她的影响时说："就像外界评价的那样，她是一个教区牧师的女儿，观点非常传统和保守。"

1959年，随着基督徒疗养院的关闭，休伯特夫妇也搬离了伊斯特本，当时梅只有两岁。她的父亲的新职位是恩斯通教区的牧师，恩斯通教堂位于科茨沃尔德，这是一个具有中世纪风格的小镇，小镇风景如画，镇上的茅草屋甚至可以追溯到撒克逊时代。小镇距离奇平诺顿市镇只有5英里，四周围都是玉米地。休伯特从居住的地方步行前往村里的教堂只需要几分钟。休伯特到达恩斯通5年之后，他的教区就扩展到附近的海斯洛普，传奇的海斯洛普狩猎之乡。从那以后，他每隔一周还要去圣尼古拉斯教堂履职，这是另一座可以追溯到诺曼征服时代的大教堂。

梅说，她在很小的时候就已经意识到，自己父亲的首要职责就是为教区内的居民服务：

很显然，一切事情都要以教堂事务为中心。在我幼年的记忆中，我想，当我需要父亲的时候，他却不能总在我身边；又有很多时候，当其他父母不会待在孩子身边时，他又会出现。通常情况下……一些人可能会说，作为一个教区牧师的女儿，人生会有起伏，但实际上，在我的童年时代，我感到自己享受到极大的特权。[21]

还有一次，她说：

我记得有一次，圣诞节期间发生了一起车祸，村子里有两户人家在车祸中失去了亲人。那个圣诞节，我的父亲在做完例行工作之后，前去拜访了他们，并为他们带去了礼物。那个时候我大约9岁，就是因为他去拜访那两个家庭，导致我直到当天晚上6点才收到自己的圣诞节礼物。[22]

对于一个孩子来说，如果她意识到，自己的需求总是排在她父亲的教区居民的需求之后，她性格中自私自利的倾向就能得到有力的纠正。在一个教区牧师的家庭中长大，使她获得了另一种人生体验，她曾说：

在教区牧师的家庭中长大，其中一个显而易见的优势就是，你能看到来自各行各业的人，尤其是在村子里，你能了解各种各样不同背景的人……各种各样的情况，不管是有利的还是不利的，在这种环境下长大的结果是，我获得了一种为公众服务的意识。[23]

梅同样意识到，她父亲在教区中的角色也寄托了对她的期望，她认为，自己之所以行事审慎，部分源于她童年时受的影响。也就是说，鉴于她父亲在教区中的角色，她不能做出对她父亲影响不好的行为。“那个时候，你可能想不到这些，但是作为教区牧师的女儿，你一定得承担一定的责任。”她曾经说：“人们都认为你应该以特定的方式行事。”[24]此外，梅补充说：“你不能只考虑你自己，你必须在乎其他人的看法。”[25]休伯特认真对待他作为牧师的职责，2016年，梅的一位表兄接受采访时说：

小时候，我印象最为深刻的是，休伯特叔叔对于教区居民的关心远远超过他自己，相比于日常事务，比如修剪草坪，他更关注如何提高教区居民的福祉，满足他们的精神需求。他非常聪明，而且思维很敏捷，每当我与他交谈的时候，他总是显得知识很渊博。我想，这就是特蕾莎从他身上继承的特质。[26]

梅曾这样评价她的父亲：

他完全不擅长做饭或接通插头之类的工作，但始终对牧师的工作怀有一份敬畏之心。有一次，他寻访一户人家，在门还没开之前，他就听到屋内传来一阵噪声。他进屋坐下之后，直接越过扶手椅，把手伸向一碗果冻和冰激凌。那户人家刚才一直坐在那儿，希望在牧师到来之前，把那些果冻和冰激凌吃完。[27]

休伯特教区中的居民既有当地农场的工人，也有富裕的人，他们居住的宽敞的别墅在这一区域内星罗棋布。如今，恩斯通教堂位于奇平诺顿圈子[1]的中心，戴维·卡梅伦的原选区和深受追捧的隐居地索霍农场都在方圆5英里内。许多士绅的别墅也被富人修建在这里的备用房屋所取代。但是在20世纪60年代，当梅还是个孩子的时候，这里仍是一片荒野。当地居民约翰·索德说："当梅在这里生活的时候，这里还很偏僻，完全是一片田园风光，现在成为人们追捧的居住地。"[28]另外一个居民约翰·瓦特对布拉西耶夫妇的记忆还很清晰，据他的描述，小时候的特蕾莎是一个特别腼腆、彬彬有礼的小姑娘，他那里还有一对特蕾莎玩过的旧玩具汽车，这是梅的父母送给他的孩子的礼物。他说："20世纪60年代，长大了的特蕾莎梅不再玩玩具汽车，她的父母把这些玩具送给了我的两个儿子。特蕾莎是一个非常讨人喜欢，非常有礼貌的孩子，作为教区牧师的女儿，她背负了太多的期望。"[29]

搬来恩斯通教区几年后，在快要5岁的时候，梅进入海斯洛普公立小学读书。入学的第一天并不十分美好，"我记得第一天入学的时候，我大喊大叫，因为我不愿意离开妈妈，"她写道，"因此学校的女校长不得不抱着我进入教室，她还向班里的其他同学喊：'看我们班来了一个多傻的小姑娘。'"[30]40年之后，这种被单独拎出来的羞辱感依旧深深地印在梅的脑海里，不过，在学校这一方小天地里，她很快就变得如鱼得水，她写道：

[1] 奇平诺顿圈子指的是由媒体、政治和演艺圈名人组成的小团体，他们都在英国牛津郡奇平诺顿镇附近有自己的住宅。

海斯洛普小学是一所很小的学校，全校只有27个孩子。当我离开那儿的时候，只剩下11个学生。威廉姆斯夫人，既是学校的校长，也是那里唯一的老师。我依旧清楚地记得，当太阳升起来的时候，我们需要把课桌搬到外面去。有时候，冰激凌车会从学校门口经过，如果我们表现良好的话，每个人都会获得一个冰激凌。[31]

每逢假期，梅都会度过一段非常幸福的时光，后来她回忆起全家一起在湖区过暑假的情形。“我记得8岁的时候，我们全家去过博罗代尔，”她说，“我们住在一座乡间木屋里，每天早上，我都会穿过一片田野，去农场收集新鲜的牛奶。”[32]没有兄弟姐妹，梅学着变得神通广大。“因为是家中唯一的孩子，”她说，“你感受不到在大家庭中生活的孩子的需求，至少，你和有许多人围绕着长大的孩子有着不同的生活方式。你总是被灌输一种观念……不是‘按照自己的方式行事’，准确地说是要更多地依靠你自己。也许是这样的。”

她喜欢阅读：《燕子号与亚马逊号》以及帕特·斯迈思的小说都是她的最爱。

从海斯洛普小学毕业后，1968年9月，还有几周就要过12周岁生日的时候，特蕾莎·梅前往专门为女孩子设立的圣朱利安那修道院接受中学教育。圣朱利安那修道院距离恩斯通教区大约10英里，休伯特和扎伊德决定把梅送到那儿读书，而不是附近的文法学校，诸如查尔伯里的斯彭德洛夫文法学校或者威特尼的亨利·伯克斯文法学校，他们的意图是显而易见的。就像这所学校的名字所揭示的那样，圣朱利安那中学是一座天主教徒的女修道院，不过，可以确定的是，在20世纪60年代，进入这所学校读书的学生三分之二都是新教徒，另外，作为一名国教牧师，休伯特的选择暗示他依旧秉持高教会派的教义。这所学校里大约一半的教师都是来自圣母忠仆会的修女，校长就是圣母忠仆会的会长。虽然梅是一位走读生，但圣朱利安那中学也接收每天去教堂做礼拜的走读生。每天早上，学生们都会集合在一起做祷告，唱赞美诗。最虔诚的行为就是在课外时间穿过几条街，到修道院教堂里聆听拉丁文弥撒。牧师有时会进入学校，对他们进行宗教教育，在午饭前后用拉丁文为她们讲述上帝的恩典。

虽然收费比较低，但圣朱利安那中学还是收费的。一位在20世纪60年代早期进入该校学习的学生记得，曾经有一段时间，学校每学期的学费是25英镑，相当于今天的457～545英镑。1982年，一位曾在这里就读的学生打算将自己的女儿送入这所学校，当时询问的价钱是每学期182英镑，现在的学费是每学期640英镑。对于天主教徒的家庭来说，这所学校的收费相对较低。在入职议会的第一年，梅并没有将在圣朱利安那中学求学的经历写入简历，她只在那里待了两年左右，随后就转到了另一所文法学校，这所中学变成了一所综合学校。当这个漏洞被发现之后，她因此受到非难，这时她才将在圣朱利安那求学的经历公开。

现在，梅接受的多样化教育带给她一个优势，她有在私立学校、公立中学、综合学校求学的经历，使得她在体验式教学方面与众不同的观点愈加突出，也使她在令人棘手的教育选择问题上更具话语权。“在我成长的过程中，我真的非常幸运，”她写道，“我接受的教育多种多样，我求学的中学后来变为一所综合学校，曾经有一段很短的时间，我还进入过私立学校学习……我希望每个孩子都能像我一样，拥有这么多机会。”[33]

1984年，圣朱利安那中学因为“缺乏修女”而被迫关闭，之前在这里求学的学生似乎都很喜欢这所学校。一位老校友在脸书上为自己的母校创建了主页，介绍学校时这样写道：“这或许是世界上最好的修道院。”在梅入读这所学校之前毕业的一位学生回忆说，学校的校规非常严厉，“但只有一两个学生会扰乱校规，”她说道。

如果她们的行为继续扰乱课堂的话，老师就会让她们在走廊罚站，或者送到校长，也就是圣母忠仆会会长那里。有时候，学校也会通知家长，或让学生放学后留在学校。当我在圣朱利安那中学读书时，最严厉的处罚是开除了四名寄宿生，她们晚上的时候擅自离开宿舍。因为当天有同学告诉她们，亚当·费丝（20世纪60年代末期的流行歌手）在伍德斯托克的贝尔酒店，我们再也没有见过她们。

圣朱利安那中学鼓励学生在广阔的运动场开展体育运动，每逢星期六，学校那支相当厉害的手球队还会和其他学校比赛。周日的时候，一名老师还会带着女孩们去附近欣克西的游泳池里游泳，她们穿着修女的衣服走在泳池边上，并大声喊出口号。曾在圣朱利安那中学读书的学生回忆说，该校的教学宗旨是"启迪并让学生享受学习"。学校还特别重视地理学科的教学，梅作为其中的一名学生，早期对地理的兴趣就是这样培养起来的，并在大学期间继续学习。

在圣朱利安那中学读书的时候，梅即将步入青少年时期，也就是在这段时间，她对政治产生了浓厚的兴趣，她长时间地沉迷于时政新闻。在她很小的时候，休伯特和扎伊德就像对待成年人一样，和小特蕾莎平等地交谈。她还是孩子，就已经和父母一起讨论国际局势。"我从小就读了很多书，而且在很小的时候，我就和我的父亲探讨、争论。"梅说，"我想，作为家中的独女，我在很小的时候就更多地接触到了成人的世界。"[34]年龄稍长一点，她和休伯特之间的谈话完全变成了一场辩论。"我的父亲并不是让我坐在那里，然后训斥我一通，而是两个人之间正常的交流，"她曾经说道，"我在一个牧师家庭中长大，谈论时政新闻是再正常不过的事情。和其他人一起工作和交谈是我父亲的职责之一，在这种环境下，步入仕途是自然而然的事情。"[35]

20世纪60年代后期，特蕾莎·梅的政治意识开始觉醒，而这段时间的世界局势也陷入混乱。1968年5月，法国巴黎爆发学生运动；一场大屠杀在越南美莱村上演，暴力冲突不断升级；美国民权运动风起云涌，马丁·路德·金和肯尼迪总统接连遇刺。在英国国内，北爱尔兰也是麻烦不断，伊诺克·鲍威尔著名的演讲《血流成河》引发了种族冲突。工党领袖哈罗德·威尔逊已经入主唐宁街五年有余，曾经许诺掀起一场科技革命以应对不断加快的社会变革。不过，世界的混乱似乎和沉睡中处处都是田园风光的牛津郡没有什么关系，像周围的人一样，梅从一开始就决定成为一名保守党人。她很早之前就抛弃了社会主义思潮，并把这归因于她的父亲。她说："我不是不假思索就成为了一名保守党人。我选择右翼的理由是个人自由。我想独立自主是我父亲服务公众精神的一部分。"[36]

梅对于政治的兴趣愈发浓厚，她向父亲提出了加入保守党的愿望。虽然休伯特担心宗教事务会因此政治化，但在给了她一些中肯的警告之后，依然同意她加入地方党派。"我的父亲非常清楚……从他的角度出发，因为他是整个教区的牧师，所以我不能抛头露面，参与各种政治游行。"梅说，"对他来说，我能够参与政治运动是很重要的，但他希望我能够秘密地参与。"[37]现在，梅每个星期六都会待在保守党的办公室里，[38]或者乖乖地待在休息室里，不对公众露面。

在梅12岁的时候，她已经下定决心更加深入地介入政治领域。未来她将成为下院议员。"很年轻的时候，我就想成为下院议员了。"她说。

我想成为下院议员的原因很简单，我想成就一番事业。实际上，我一直想从事一份工作，这份工作让我做出的决定可以切实提高人们的生活水平。人们可以因此过上更好的生活，我想这就是推动我步入政坛的根本原因。[39]

政治吸引了我，她继续说道。

我认为，那是因为我想改变人们的生活。这听起来非常俗套，但步入政坛、成为议会议员，特别是成为首相是一种无上的荣誉和光荣。不过在获得巨大特权的同时，也意味着必须承担起非凡的使命和责任……我想参与到辩论中去。[40]

在教区牧师的居所内，生活并不只是枯燥的辩论，家庭成员之间非常亲密友爱，厨房内的氛围尤为舒适温馨。扎伊德手把手地教年幼的特蕾莎做饭，这后来成为梅终身喜爱的一门艺术。她尤其对妈妈做的烤饼赞不绝口，成为首相后，在第一次精心安排的报纸采访中，她分享了这个食谱。[41]休伯特对做饭一窍不通，“我只记得他做过一次煎蛋卷，但完全不能够正确地翻过来，”梅说。[42]住所的周围有一条狗和两个石磨，优美的古典音乐时常从后院传出。扎伊德是一位优秀的音乐家，梅说，拒绝让母亲教她弹钢琴是至今最大的遗憾。[43]梅和父亲之间谈论的也并不全是严肃的话题，梅继承了休伯特对板球的热爱，在盛夏漫长的下午，两个人会聚精会神地通过无线电收听国际板球锦标赛的赛况。他们还会激烈地争论，谁是英国迄今为止最伟大的击球手，梅支持杰弗里·博伊克特，约翰·埃德里克则是她父亲的英雄。这是梅一生都感兴趣的运动，在威斯敏斯特处理政务时，她也会抽出时间观看比赛。博伊克特依旧是她心中的英雄，她曾努力争取（没有成功）授予博伊克特骑士称号。2013年，当博伊克特邀请她前往黑丁利观看约克郡的比赛，她还兴奋不已。通过梅对博伊克特的崇拜，一些采访者多少看到了梅身上坚忍不拔的毅力。在谈及英国的运动员时，梅曾说：“杰弗里·博伊克特是我一生的偶像，正是他身上这种坚忍不拔的毅力，他才能在自己的事业上取得如此巨大的成功。”[44]

1970年，梅13岁，休伯特成为惠特利教区的主教，这是一个位于牛津郡东部，距离恩斯通教区20英里的大村庄。他的新教堂是圣玛利亚教堂，这座教堂修建于19世纪中期，是一座哥特式复兴风格的建筑，而且众所周知的是，这也是一座秉持高教会派教义的教堂。[45]以前教区的居民还非常怀念休伯特，直到1981年车祸去世，他一直担任惠特利教区的牧师。一块纪念他的牌匾被挂在圣玛利亚教堂的墙上。当时宗教团体的一位成员认为，在教区牧师住宅里度过的时光塑造了梅的性格。“她那时就是一位非常认真的年轻女性，精神世界非常充实，而且恪守自己的信仰。”[46]梅已经足够勇敢，她可以独自过乡村生活，参加当地的哑剧表演，每到星期六还去面包店打工挣零花钱，大部分零花钱都用来买衣服了。梅对于时尚的着迷就是从那个时候开始的。她曾说："我想，那应该是喇叭裤和吊带衫的时代，那个时候就流行喇叭裤，女士衬衫都流行肥大的袖子。我就曾经买过一件黄色的衬衫，它有两个非常、非常肥大的袖子。"[47]她有一次还谈到，她经历了一次"服装风格的尴尬"，自己还是一个十几岁孩子的时候，就穿上了一双石灰绿的厚底鞋。[48]

布拉西耶夫妇现在住在惠特利的牧师住宅里，就位于霍尔顿·帕克女子中学的拐角处，这所学校非常有声望，因此休伯特和扎伊德决定让女儿接受公立学校的教育。梅在圣朱利安那读书时，学校的地理教育给她留下了深刻的印象。梅通过了这所学校的入学考试，并直接进入初三学习。校舍原来是一个庄园主的宅邸，这个庄园主曾经非常富有。学校的运动场上有一栋罗马风格的建筑，现在已经用作网球场，场内还有一棵900年的古树，被称为"末日橡树"，之所以取这个名字，是因为这棵树的历史可以追溯到《末日审判书》颁布的时期。据说奥利弗·克伦威尔的女儿布里奇特曾于牛津大学的保王党人失败的前几天，在这栋建筑里结婚，那时是1646年，英国内战正进行得如火如荼。1944～1945年间，这栋建筑被美军当成了疗养所，收容那些在诺曼底登陆中受伤的士兵。梅在这所学校上学期间，操场上还有半活动的营房。第二次世界大战结束三年后，这栋建筑被当地政府买下，原来的东牛津郡女子文法学校迁到了这里，并改名为霍尔顿·帕克女子中学。接下来的岁月里，一代代的女孩子中流传着这样的故事：各式各样的鬼魂会在走廊上出没。

梅曾经说过，她对这段求学经历有着"美好的回忆"。[49]2011年，牛津郡的历史学家玛丽琳·尤尔丹正在写一本有关霍尔顿·帕克中学和其他文法中学的著作，她联系上了梅，希望梅能够为这本书做点贡献，梅很爽快地答应为这本书写序言。"这本书唤起了太多回忆，从户外喷泉到科罗娜，从汤米·斯蒂尔到卡尔斯，从装满的布丁到维斯塔咖喱，不过这本书中并没有提到学校的教育，"她写道。[50]在成为首相的几天前，约翰·沃森学校的孩子们创建了一个花圃，邀请她前去参加奠基仪式。活动的主办方本以为她会因公务而拒绝，但出乎意料的是，梅参加了这个仪式。约翰·沃森学校是一所特殊学校，建在原来霍尔顿·帕克中学广阔的操场上，现在霍尔顿·帕克中学改名为惠特利·帕克中学。

梅在霍尔顿·帕克中学的新同学很快就注意到她保守的性格，她干什么事情都全神贯注，学习特别努力，最忍受不了那种在学习上走捷径的同学。“我是这样一种学生，热爱阅读，认真完成作业。”[51]她说。罗莎琳德·希克斯–格林曾与梅一起在霍尔顿·帕克中学读书，在谈到这位老同学时，她说：

她做事非常专注，是那种只要我们和历史老师谈及一点无关的话题，她就会指责我们的那种人。她会变得有点儿不耐烦，因为她想谈论正常的话题。她非常安静，学习特别刻苦，她是那种每次都按时完成作业，上课之前都会做充分准备的人。[52]

也许是因为十几岁的时候，梅就超出了她那个年龄的平均身高，所以，她像她的父亲一样有一点驼背。她承认，自己更喜欢待在幕后。“我可能有点自命清高！”她说。[53]

就在梅入读霍尔顿·帕克中学一年后，也就是1971年，根据英国上一个十年就开启的教育体系改革的规定，这所学校要被取缔。牛津郡议会颁布法令，取消所有的文法学校，将这些学校全部纳入普通综合中学的体系。霍尔顿·帕克中学和当地的一家男子中学——肖特欧瓦中学合并，改名为惠特利·帕克中学。这所学校旨在培养学生的综合能力，同时招收男女生。在霍尔顿·帕克中学的原址上建高中部，初中部就迁往肖特欧瓦中学，这意味着梅可以继续待在那里读书。在惠特利·帕克中学看管档案室的凯文·哈里塔格谈及这件事时说，这个巨大的变化影响深远，可能引发了梅对英国教育的反思：

我认为这是一个巨大的变化……她待在这儿的那段时间，可能是教育方针转变最艰难的时期……我想，她看到了这种改革带来的各种负面影响，这也许就是她认为文法学校好，而综合性学校不好的原因之一。[54]

以前在那里读书的同学都认为学校处于“一片混乱”，[55]而对原来在文法学校就读的女生来说，这次合并的影响已经降到了最低限度，大多数原来在霍尔顿·帕克学校读书的学生还像以前一样接受教育。她们依旧在原来的教室里上课，而且课堂还和原来一样只有女生。在梅毕业一年之后入读这所学校的马丁·鲁滨孙说：

文法学校原来的校长和高层领导依旧管理着这所学校，高年级的教学也还是由原文法学校的老师负责……特蕾莎并没有受到这次混乱的影响，她并没有和后来入读的学生一起接受教育，还是待在原来的教室里，在之前老师的教导下，按照文法学校原来的方式学习。因此，她并没有受到这次“综合”的影响。[56]

出现在校园里的男生当然没有让十几岁的特蕾莎·布拉西耶感到害怕，男孩子们组织了一次出游，他们决定参加国际板球大赛。当特蕾莎得知自己被排除在外时，她非常不满。休伯特向女校长安德里亚·米尔斯反映此事，特蕾莎最终得以参加这次比赛。她说：“我父母的宗旨是不管你做什么，一定要力争做到最好。从来没有人因为我是个女孩子，就禁止我做什么事情。”[57]

1972年9月，梅刚刚15岁的时候，她进入六年级学习。去年夏天，她已经通过了11次普通考试，由于聪慧和勤奋，她被允许跳一级。她现在努力学习，希望能通过三次甲级考试和一次特级考试，一般只有表现优异的学生才有资格参加考试，他们通过这种途径进入牛津大学或剑桥大学。梅在内阁的同事纷纷评价她坚忍不拔，为达目的决不罢休，而她的这种品性到目前为止开始显现出来。2016年，在她成功当选英国首相几天后，她的一位老同学帕齐·戴维斯（旧姓托利）在给《卫报》的信中写道：

20世纪70年代早期，我和某个叫特蕾莎·布拉西耶，现在叫特蕾莎·梅的人是同班同学。当她告诉我们的班主任蒙哥马利先生，她想成为首相的时候，我们都暗中嘲笑她。现在，我们都不敢窃笑了……在普通考试通过后不久，我就离开了那所学校，到别的学校念书去了。为什么呢？因为年仅15岁的特蕾莎，就成功劝服校长重新分配高级考试的名额，来适应她的选择。[58]

对于梅青年时期就想成为首相这件事（梅自己已经否认了其中的一些细节），其他人也曾谈到。她的堂弟安迪·帕罗特说：

我记得，我的父母曾给我放过一盘磁带……我认为，这盘磁带是特蕾莎在六年级的时候录的。她说，她想成为大不列颠第一位女首相，我的父母都引以为傲，他们觉得她的想法太美妙了！[59]

帕罗特说，他的父母并没有认为特蕾莎的早熟完全没有意义，或者认为她的话很狂妄，与之相反，这个大家庭一直以她为傲。

不幸的是，梅打算在政治上一展宏图的愿望一开始并不顺利，虽然她非常自信，但仍有些保守，甚至可以说是害羞。她在公众面前的第一次演说最终以悲剧收场。她说：

当我还在学校读书的时候，我们有位历史老师决定成立一个辩论协会……有一天，他叫其中的一些同学到某间教室去，我们到了那间教室之后，只见他拿着几张纸，纸上写着不同的辩论题目。每个人都要上台抽一张纸条，然后就纸条上的题目讲两分钟……说来奇怪，虽然我之前经常在家中与父母辩论，当……我走上讲台，拿起那张纸条时，我竟哑口无言，脑袋里一片空白，因此，我的辩论以沉默告终。[60]

她的境遇并没有太大改善，直到那一年晚些时候，惠特利·帕克中学为了迎接1974年2月的大选举行了一次模拟选举，梅作为保守党的候选人参加了这次模拟选举。这是一场激烈的辩论赛，梅做了充分的准备，表现突出。惠特利·帕克当时的校长凯特·柯蒂斯曾说："学校举行那次模拟选举的时候，特蕾莎小姐作为保守党候选人参加了辩论。她站在学校古老建筑的入口处，进行了一次让人记忆犹新的演讲。"[61]她的对手是自由党候选人罗莎琳德·希克斯-格林，她是学校的女生代表，而且也取得了最终的胜利。格林说，虽然选民们都认为梅的政策更加合理，但她缺乏赢得选票的个人魅力。在梅的早期议会政治生涯中，这是困扰她和她的保守党的最残酷的现实。

为了出现在公众面前时显得更加时髦，梅付出了很多努力。到现在为止，她还标榜自己为"特里"·布拉西耶。希克斯-格林曾说："我想，她在学校里这样称呼自己是为了让自己显得更亲民。实际上，战胜特蕾莎并不是什么难事儿，因为她不是一个拥有超凡魅力的人。"[62]此外，希克斯-格林还说，她非常严肃，而且特别保守，也许这会对她产生不利影响。不过，虽然她沉默寡言，做事非常专注，但当她想让别人倾听她的观点时，她可以轻而易举地做到这一点。[63]回忆特蕾莎的演讲，希克斯-格林这样说道：

我自认为，那是一次非常典型、非常保险的保守派风格的演讲，她肯定对保守党那个时候秉持的政策进行了细致的调查，做了大量的功课……虽然她非常安静，非常刻板，不是一个很有魅力的人，但你可以绝对相信她说的话，绝对地信任她。[64]

下个星期，《牛津日报》就在头版头条刊登了一张照片，下面写着一个大标题"新任首相！"。照片中的梅看着希克斯-格林在胜利庆典上挥手致意，露出了勇敢的笑容。不幸的工党候选人——在竞赛中垫底的瓦尔·福蒂斯丘看着镜头微笑。虽然竞选失败了，但学校的老师却对梅印象深刻。当时的科学老师罗丝玛丽·韦恩说："我清清楚楚地记得，当时站在这里听到宣读结果，让我记忆犹新的还有，在选举结束之后，我们回到办公室依旧热烈地讨论，她给了大家一场多么精彩的演讲啊！虽然那一天她失败了，但我清楚地记得她的名字。”[65]

这次失意的选举过去6个月之后，才刚满17岁的特蕾莎·梅离开了惠特利·帕克中学，前往牛津大学主修地理专业。教区牧师的女儿是时候展翅高飞了！

>>>

21.《荒岛唱片》，同上。

22.关于特蕾莎·梅的采访，埃莉诺·米尔斯，《泰晤士报》，2016年11月27日。

23.同上。

24.特蕾莎·梅的采访，《我可能在学校中自命清高》，艾利森·皮尔森，《每日电讯报》，2012年12月22日。

25.《特蕾莎·梅将成为下一个撒切尔夫人》，西蒙·沃尔特斯，同上。

26.《科茨沃尔德的乡村杂货店影响了特蕾莎·梅……她那当教区牧师的父亲鼓舞了她》，奥利弗·哈维，《太阳报》，2016年7月15日。

27.《是的，没有孩子对我们产生了一些影响……不过，我们接受了这个事实。》，西蒙·沃尔特斯，《星期日邮报》，2016年7月3日。

28.哈维，同上。

29.同上。

30.特蕾莎写给学前教育活动中心和学前教育学习联盟的论文，2000年5月。

31.同上。

32.《去向何方？》，对保守党领袖特蕾莎的采访，汤姆·切斯伊尔，《泰晤士报》，2002年12月12日。

33.《我会给每一个孩子机会》，特蕾莎·梅，《星期日邮报》，2016年9月1日。

34.《荒岛唱片》，同上。

35.《特蕾莎·梅将成为下一个撒切尔夫人》，西蒙·沃尔特斯，同上。

36.《自由主义斗士决定回击横行霸道的行为》，安妮·帕金斯，《英国卫报》，1998年6月8日。

37.《荒岛唱片》，同上。

38.《是的，没有孩子对我们产生了一些影响……不过，我们接受了这个事实。》，西蒙·沃尔特斯，同上。

39.特蕾莎的采访，《今日秀》，BBC第四频道，2016年10月2日。

40.《荒岛唱片》，同上。

41.《猫头鹰取代了唐宁街10号的波斯猫》，蒂姆·希普曼，《周日时报》，2016年10月2日。

42.“秩序！秩序！政治家们在任期内总是谴责橡皮鸡巡回，但看看他们离开议会后又做了什么？”文森特·格雷夫，2008年5月25日。

43.对特蕾莎·梅的采访，罗斯安娜·格林斯特里特，《温莎、梅登黑德与阿斯科特杂志》，2005年，2016年8月重印。

44.特蕾莎·梅的采访，《我可能在学校中自命清高》，艾利森·皮尔森，同上。

45.《世界纵览》，BBC第四频道，2016年10月2日。

46.《特蕾莎到底在想什么？》，尼克·鲁滨孙，BBC第四频道，2016年10月1日。

47.《荒岛唱片》，同上。

48.格林斯特里特，同上。

49.《内政大臣的母校举行建校40周年庆典》，利亚姆·斯隆，《这就是牛津》，2011年7月19日。

50.《校园歌曲和无袖制服，20世纪五六十年代的文法学校》，玛丽琳·尤尔丹，历史出版社，2012年版。

51.《荒岛唱片》，同上。

52.《每周世界》，BBC第四频道，2016年10月2日。

53.特蕾莎·梅的采访，《我可能在学校中自命清高》，艾利森·皮尔森，同上。

54.《特蕾莎到底在想什么？》，尼克·鲁滨孙，同上。

55.《特蕾莎·梅到访我的学校》，马丁·鲁滨孙，https://martinrobborobinson.wordpress.com/2016/07/17/theresa-may-went-to-my-school/。

56.同上。

57.米尔斯，同上。

58.《同班老友特蕾莎可能要打破规则》，帕齐·戴维斯，《卫报》，2016年7月18日。

59.《特蕾莎到底在想什么？》，尼克·鲁滨孙，同上。

60.《荒岛唱片》，同上。

61.《特蕾莎到底在想什么？》，尼克·鲁滨孙，同上。

62.《特蕾莎·梅？我击败了“特里”成为英国首相》，帕特里克·埃文斯和弗朗西斯卡·尼格尔，BBC新闻网，2016年7月14日。

63.《我击败了特蕾莎·梅成为首相》，斯蒂芬妮·林尼希，《每日邮报》，2016年7月18日。

64.同上。

65.《特蕾莎到底在想什么？》，尼克·鲁滨孙，同上。

>>> 03

牛津大学
——结识菲利普

贝娜齐尔·布托在大学期间崭露头角，1973年，20岁的布托风华正茂，刚刚从哈佛大学毕业就来到当时只招收女生的玛格丽特夫人学堂继续深造。布托充满了异国风情，美丽而自信，她的父亲佐勒菲卡尔·阿里·布托之前担任巴基斯坦的总统，最近刚刚就任总理。他曾在牛津大学专修历史专业，后改修政治学，贝娜齐尔也追随父亲的脚步进入牛津大学深造，她后来的人生经历表明，和父亲一样，她的人生也充满了骚乱，布满了鲜血。在她执政期间，巴基斯坦因取得了长足进步而引起全世界的瞩目，特别是在妇女工作方面。但直到2007年12月她被暗杀为止，长期以来关于她腐败的指控就没有停止过。她在拉瓦尔品第举行的政治集会上遭遇了枪杀和自杀式炸弹袭击。早在20世纪70年代中期，布托就受到了第一次指控，罪名是腐败，以及在4000英里外的牛津大学动用裙带关系。

在牛津大学求学即将满一年的时候，布托开始将她的目光锁定在赢得牛津辩论社[1]主席一职的竞选上。这个职位每学期都会更换人选，而且竞争异常激烈。如果能成为这个社团的主席，几乎意味着在现实生活中也能获得权力。第二次世界大战之后，许多政治名流都曾担任过这一职务，例如迈克尔·福特、杰里米·索普以及迈克尔·赫塞尔廷。在参加竞选活动期间，布托经常和她的支持者——后来成为保守

[1] 牛津辩论社成立于1823年，是牛津大学的一个辩论社团，也是英国第三古老的大学团体，许多政治领袖和社会名流都在此发表过演讲。

党领袖的艾伦·邓肯一起，驾车在牛津大学的校园里闲逛，竭力争取其他成员的选票。另一个校友，现在成为记者的迈克尔·克里克说，布托习惯性地讨好她的同学，她就像那些精力旺盛的政治家一样，丝毫不顾及他们之间的党派关系。有一次，布托还邀请他共进午餐，努力（但没有成功）想获得他的选票。"一些人认为，她利用自己的家族关系和金钱购买了这一职位。"他说。[66]芭芭拉·罗奇曾于1999~2001年在托尼·布莱尔领导的工党政府中担任部长之职，布托也曾争取过她的选票，有同样经历的还有一位来自偏远牛津郡一所普通文法学校的小姑娘——特蕾莎·梅。

梅是1974年10月入读牛津大学的，比布托晚一年。她入读的是圣休学院，和玛格丽特夫人学堂一样，也只招收女生。圣休学院创建于1886年，1959年与其他四所女子学院一同被授予与大学同等的地位。1986年，这所学院才开始招收男生。著名校友有诺贝尔奖获得者、缅甸实际领导人昂山素季，工党的内阁大臣芭芭拉·卡斯尔，鼓吹妇女参政的艾米丽·迪金森。在牛津大学，在英语、历史、法律和物理专业上取得最好成绩的女生都来自圣休学院。在过去的演说中，梅强调了在一个男性统治的世界里，女性一直在努力维护着自己的权利，在这样的时代中，女子学院在促进女性进步方面发挥了不可比拟的作用。[67]梅的新宿舍距离她的父母在惠特利的家不足10英里，但她的生活发生了翻天覆地的变化。梅对待学习非常认真，在圣休学院，她找到了一群志同道合的女同学，"我们没有那么孩子气，"其中的一个人说。[68]她们通常穿着正式的、黑色的学生装，而只有当举行正式的晚宴，需要喝从学院的地窖中拿出来的葡萄酒时，其他学生才会穿这种衣服。梅选择了地理专业，这个专业不像政治学、哲学、经济学那样耀眼，许多立志将来成为政治家的学生一般都会选这三个专业。尽管如此，梅对政治的兴趣却愈发浓厚了。她很快就加入了牛津辩论社和牛津大学保守党协会。说起来还多亏了贝娜齐尔·布托，后来就是在她组织的一次迪斯科舞会上，梅遇到了自己未来的丈夫、人生的挚爱——菲利普·梅。

1976年秋天，梅开始了她在牛津大学第三年也是最后一年的学习。那个时候，她已经成为学校政治场合中的常客。与她相反，菲利普比她低两届，而且比她小11个月，相对来讲，还是一位毫不起眼的新人。不过，因为在牛津辩论社中取得了大一新生辩论赛的冠军，他引起了贝娜齐尔·布托的注意。那个时候，菲利普刚满19岁，在林肯学院修历史专业。在迪斯科舞会上，当布托和她安静的朋友梅坐着聊天的时候，菲利普从她们身边走过。梅叙述了她和未来丈夫的第一次会面："实际上，应该是在保守党协会举办的一次迪斯科舞会上，我记得事情的经过是，我正坐着和贝娜齐尔聊天，这时候菲利普走了过来，然后贝娜齐尔对我说，'你认识菲利普·梅吗？'剩下的事情应该众所周知了。"[69]"他长得英俊潇洒，我第一眼就被他吸引了，"梅说，"我想，我真的很喜欢他，我们对政治有着同样浓厚的兴趣，我们的相识是在保守党协会上，所以，我们是在共同兴趣爱好的基础上开始交往的。"[70]

这对璧人很快就发现，除了政治之外，他们还有好多共同的爱好——包括两个人都非常热爱板球运动。他们讨论杰弗里·博伊克特的成功以及特蕾莎的新偶像——西印度群岛的快投手托尼·格雷。虽然在许多牛津大学同学眼里，梅有些不苟言笑，但稳重幽默的菲利普却能让梅笑口常开。后来担任内阁大臣的达米安·格林在牛津大学时就结识了菲利普夫妇，他说："一旦他们两个成为情侣，就会情比金坚。"[71]

和特蕾莎一样，菲利普入读的是利物浦郊区西柯比的嘉德格兰奇文法学校，菲利普本来出生于诺福克，在他很小的时候，举家迁到了利物浦。和他未来的爱人一样，他也来自中产阶级家庭。他的父亲约翰为一名鞋子批发商做推销员，他的母亲乔伊是一名兼职法语老师。随着时间的推移，菲利普的父母对自己儿媳妇取得的政治成就越来越感兴趣，言谈之间尽显自豪，这对父母不在身边的梅来说非常重要。或许同样重要的是，约翰深谙鞋类生意，梅对花哨鞋子的喜爱众所周知，这或许是受到了他的鼓励，而且约翰对此也颇为得意。根据约翰夫妇以前的邻居彼得·柯蒂斯的描述，20世纪90年代，菲利普的父母有一本报纸剪贴簿，将报纸上关于他们那前程似锦的儿媳妇的报道全都收集起来。“他们让我看了那本剪贴簿，看完之后，约翰就告诉我，特蕾莎将会成为下一任首相。”柯蒂斯说：“那个时候，我并不认为她能做到这一点。她当时好像只是一个议会议员。”[72]约翰·梅于2002年去世，他的妻子就搬到南部和她的儿子和儿媳妇住在一起，他们的关系越来越亲密，乔伊于2015年9月去世。柯蒂斯说，2016年1月，在默西赛德郡举办的追悼会上，他看到特蕾莎对乔伊表示了沉痛的哀悼。显而易见的是，她也时时挂念着自己的父母。柯蒂斯曾说：“我们到追悼会现场的时候，特蕾莎正亲自为宾客端茶和咖啡。我们问她，干吗要自己端饮料，她回答说，作为一名教区牧师的女儿，现场的绝大多数人都没有她端的茶和咖啡多。”[73]

在她没有遇到菲利普之前，她已经在牛津大学度过了两年时光。虽然经常和圣休学院的研究生、新闻工作者佐伊·布伦南一起吃午饭，但特蕾莎并没有正式的男朋友。1997年，布伦南也进入了议会工作。“当时，名义上是不允许学生带男友进入宿舍的，梅经常会分享一些带男性朋友进入寝室的趣事。”[74]梅在大学期间的一位闺中密友艾丽西亚·柯林森曾说“梅经常和男性朋友出去，但其中没有任何一个人是她真正喜欢的。他们都不是梅的特别之人，在毕业的那一年，菲利普出现了，自此之后，她身边除了菲利普就没有其他人了。”[75]

相比于追求浪漫和刺激，梅更专注于自己的学业和政治活动。虽然大部分同学都坚持认为，梅很会享受生活，但有些人认为，她过着一种几乎苦行的生活。每逢周日，这位教区牧师的女儿总是风雨无阻地去教堂做礼拜。那个时候，还没有出现十年后布灵顿俱乐部成员戴维·卡梅伦和鲍里斯·约翰逊习以为常的吸毒和酗酒等行为，即便有什么闹剧，也没有太出格的。

“我和特蕾莎那时特别喜欢看《伪君子》（一部由蒂姆·布鲁克·泰勒、格雷姆·加登和比尔·奥迪主演的喜剧小品），”梅在大学里的一位朋友回忆说，“那就是我们的幽默感。”[76]梅在圣休学院的同学帕特·弗兰克兰说道：

她很幽默，但在大家面前不会表现出来。这是一种冷幽默，在这一点上，梅和她的父亲一模一样。我经常回忆起，当我们从宴会上回来时，一起在拉特克利夫图书馆外面围墙的墙头上走。我敢说我们并没有喝醉，因为我们没有钱酗酒，我们只是有点儿高兴，精神有些亢奋而已。[77]

像许多入读牛津大学伊始就立志从政的政治家们一样，梅开始向一些团体靠拢，而这些团体在她今后政治生涯的大部分时间里，都追随其左右。她的圈子里有艾伦·邓肯，他与梅在圣休学院的好友艾丽西亚·柯林森是情侣；还有达米安·格林，梅在2016年组建内阁时由他出任内阁大臣。谈到在牛津大学共度的时光，格林说道：

18岁的时候我们就认识了，特蕾莎是一个特别风趣的人。我们俩是四十年的老友，特蕾莎最大的优点就是表里如一。她的魅力之一就是，她在公众面前从不遮遮掩掩。公众眼中的她非常勤奋、非常聪慧、恪尽职守，而现实生活中的她就是如此，而且她一贯如此。她总是能做到表里如一。[78]

格林和梅是在牛津大学保守党协会结识的，在他们要毕业的那一年，他担任了协会的主席。这个协会表现很活跃，在现实政治生活中，他们也抓住威尔逊政府的行业动荡问题和持续恶化的通货膨胀问题大做文章。他们在牛津大学的生活舒适而安全，学生政治家可以完全不受外界混乱的影响。格林认为，“他和梅这一代人都非常抵触20世纪60年代盛行的左翼风潮，我们这一代人成为撒切尔夫人的继承者。那时工党政府正走向末路，保守党协会的力量异常强大。”[79]

艾丽西亚·柯林森说，从进入牛津大学的第一天起，梅就丝毫不掩饰她的政治抱负。她和梅是在1974年10月入读牛津大学的，那个时候，哈罗德·威尔逊刚刚赢得首相大选。在学校的餐桌上，政治是经常谈论的话题。“我记不太清楚了，但应该是1974年进入牛津大学的第一个学期，”柯林森说，“当时我们正在吃早饭，她就告诉我，她将来想成为首相。”[80]帕特·弗兰克兰也说，梅对于自己的政治目标，包括自己对首相职位的渴望一清二楚。

我是在入学的第一天或第二天认识她的，我注意到，她很早就已经有政治抱负了。她经常拉着我去听政治演讲，我们在牛津大学读书的时候，她就立志成为英国第一位女首相。得知玛格丽特·撒切尔在她之前实现这一目标时，她非常恼怒。就像是“我本来想第一个到达，结果却被她占了先”。[81]

艾玛·桑德斯于1974年秋天入读圣休学院，据她回忆，梅非常专注于政治事务。我记得她说过：“总有一天，我要成为保守党的领袖。”凭着这股坚定的信念，特蕾莎的政治科目取得了优异的成绩。[82]和梅一起修地理专业的丹尼丝·帕特森也曾提到：“特蕾莎以一种沉默、严肃的方式热爱着政治，虽然她很低调，但却秉持着一种炽热的信念。”[83]梅经常向圣休学院同学讲的那些自信的话，显示了早期她对自己政治目标的矢志不渝。不过，他们提到了一个有趣的现象，她只是向她的女性朋友和菲利普提到过自己的政治抱负，所有男性朋友记忆所及，并没有意识到她有志于追求更高的政治职位。

梅、柯林森、帕特森和这个圈子里的第四位成员路易丝·罗都在约翰·帕腾老师那里学习政治地理学。帕腾后来和罗结婚并在约翰·梅杰政府担任教育部长。帕腾的政治理念偏向于保守主义，梅经常来拜访帕腾，向他请教和讨论一些时政问题。虽然梅和往常一样专注于学习，但和她的同学相比，她并不算最聪明的，因此在第一学年的第一次考试中，她获得了二等学分。

随着1975年2月玛格丽特·撒切尔成为保守党党魁，梅成为保守党第一位女领袖的愿望破灭了。随后，她更加积极地参与牛津辩论社的活动。沉默寡言的性格让所有人都认为她很“酷”，但这种性格并不利于她在政治领域登顶。迈克尔·克里克曾说：“在牛津大学所有立志于投身政治的人当中，她看上去是最不可能成功的一个。”[84]她在议会任职后期，有关她演讲的报道最后往往集中在她的仪表上。在她步入政坛的第一个十年里，因为仪表不佳，她经常被形容为“穿着红色连衣裙的雕塑——布拉西耶小姐”。[85]梅自己也说，在牛津辩论社的经历对她在议会的政治生涯很有帮助：“牛津辩论社为我提供的辩论机会，在某种意义上说，为我步入政坛、进入议会下院做了充分的准备。”[86]

如果在牛津辩论社的同学眼中，她不算是一颗未来之星，那么她在牛津大学的另一个辩论社——埃德蒙·伯克社团里却脱颖而出。这个社团的辩论题目一般都比较诙谐。就在大学毕业那一年，她担任了这个社团的主席。她习惯用砸肉的榔头代替指挥棒来掌控辩论的局面。辩论每周日晚上在莫里斯大厅举行，届时会提供足量的波特酒，参加者可以斟在小玻璃杯中饮用。作为主席的梅经常会发明一些有趣的辩题，诸如“这座大厅替小姑娘们谢谢上帝”“象棋的生命太短暂了”。

后来成为斯里兰卡作家和政治家的拉吉瓦·维杰辛哈在牛津大学读书时结识了菲利普夫妇，同时他也是牛津辩论社和埃德蒙·伯克社团的成员，他说：

> 我非常喜欢特蕾莎·布拉西耶，她有着令人愉快的幽默感，在牛津辩论社中发挥着至关重要的作用。不过，我从未想过她能成为首相。在这个金发碧眼、沉默寡言、彬彬有礼的小姑娘身上，任何人都没有发现政治明星的潜质。她在牛津辩论社中是一个很好的辩手，在……埃德蒙·伯克社团……表现得也很积极。40年前，我做梦都不会想到，她会成为我们这一届学生中最成功的政治明星……那个时候，特蕾莎·梅用异常平静的口吻嘲笑着绝大多数事情，这也许是她不会对她的男朋友——菲利普·梅言听计从的原因之一。他们真的很

合拍，比那时所有的政治夫妻都要好得多。我发现，她的良师益友艾丽西亚·柯林森和男朋友达米安·格林在一起时更加有趣，但艾丽西亚的性格有时候过于锋利，树敌颇多，特蕾莎就不会出现这种问题。[87]

忙于牛津辩论社和埃德蒙·伯克协会的事务，和菲利普感情甜蜜，梅在牛津大学的最后一年是她人生中最惬意的一段时光。如果要结束这种幸福的生活，她一定会非常不舍。然而1977年5月，她在刚满20岁的时候以二等成绩从牛津大学毕业。她很快就在位于伦敦针线街的英格兰银行找到了一份实习生的工作。她依然心系牛津大学，频繁地回去看望菲利普和他们的朋友们。菲利普在大二的时候接替梅成为埃德蒙·伯克社团的主席，1977年冬天，达米安·格林又代替了菲利普成为该社团的主席。在菲利普任职期间，他曾提出了一个辩题"性虽好……但成功更重要"，梅作为反方代表返回牛津大学参与了辩论。菲利普在梅之后发言，他宣称自己要做的就是驳斥梅的一切观点。在牛津辩论社，菲利普也继续担当领导角色，1978年6月，他向辩论社提交了一个辩题"卡拉汉政府的工业战略会摧毁英国的工业"，8个月之后，英国爆发了一连串的罢工事件，史称"不满的冬天"，在罢工风潮最严重的时候，菲利普在"私有企业拖垮了英国的经济"这一辩题中，抨击全国矿工协会主席阿瑟·斯卡吉尔。不过，人们依旧认为他缺少一点锐气和热情。牛津大学的学生在自己创办的报纸《彻韦尔》中，称他的演讲稿"枯燥无味"，他因被别人诟病为"傀儡"[88]而被罢黜了领导职务。

到了接下来的那个冬天，菲利普在牛津大学的生活只剩下了最后两个学期。《彻韦尔》在八卦专栏发表了一篇文章，这篇文章的言辞颇为恶毒，言之凿凿地称，梅已经向菲利普下了最后通牒，要么结婚，要么分手，就像学校里其他热门情侣一样。"我想，如果菲利普对是否结婚依旧犹豫不决的话，那么我们或许将面临分手的命运。"[89]报纸上这样写道。梅是否真的下了最后通牒，我们不得而知，不过，1979年春，菲利普向梅求婚。根据梅自己的说法，"当我的丈夫向我求婚，而我说出'我愿意'的时候",那是她一生中所做的最重要的决定。[90]令人颇感意外的是,菲利普现在竟然当选为牛津辩论社的主席,在那场激烈而又有些暗箱操作的竞争中获胜(牛津辩论社每年进行三次选举),因为一些低级的政治伎俩把他的假想敌都打败了。

那个时候,即便是都秉持保守主义,在牛津辩论社中也分成了若干派别。"莫德林派"因莫德林学院而命名。还有一个派别自称"迪纳姆的支持者",他们是根据前主席维维安·迪纳姆命名的,据说此人几年之前遭到过贝娜齐尔·布托的"迫害",被迫退出竞选。[91]这个派别的成员包括达米安·格林和查纳卡·阿玛拉通加,查纳卡在1996年车祸身亡之前,一直是斯里兰卡自由党的创始人。在阿玛拉通加出人意料地转而支持"玛格达伦派"心仪的候选人艾伦·邓肯之后,"迪纳姆的支持者"掀起了一场明争暗斗。结果在1979年冬天,各种派别纷纷在混乱中黯然离场,对于下学期的竞选,都没有推举出具有明显优势的候选人。

和40年后他的妻子面临的境况惊人地相似,一旦所有的互相残杀结束,一切都尘埃落定之后,谦逊低调、不搞任何派系斗争的菲利普·梅安然度过了这场混战,他只要以微弱的优势击败工党候选人就可以获得主席之职。拉吉瓦·维杰辛哈曾说:"菲利普是显而易见的选择,在我的印象中,没有一个候选人像他那样几乎全票当选主席。"[92]邓肯对这次选举同样记忆犹新,在他的眼中,他的继任者是一个"稳重、逻辑性极强的演说家;是一个喜怒不形于色,做事非常周密,又非常惹人喜爱的人,他具有北方人特有的那种不露声色的幽默感,大部分时间他只会咧嘴微笑,而不会捧腹大笑。"[93]

在菲利普担任主席期间,特蕾莎·梅仍会参与牛津辩论社的辩论,在一本列有辩论进程的小册子中,她被简单地介绍为"主席助理"。[94]菲利普曾邀请政坛上赫赫有名的人物来牛津辩论社演讲,其中就包括黯然下台的美国总统理查德·尼克松。菲利普在告别辩论时选择了体育职业化这个题目,他和特蕾莎联合起来批判英格兰足球队的队长博比·查尔顿和一位来自澳大利亚的年轻学生——马尔科姆·特恩布尔，现在已经成为澳大利亚的总理。

菲利普夫妇从牛津大学毕业后认识的人会惊讶地发现，菲利普的大学生活似乎更加风生水起，他们奇怪为什么菲利普不选择在政治领域进一步发展。约翰·埃尔维奇在20世纪80年代末期结识这对夫妇，当时他们正在为温布尔顿当地的保守党团体积极奔走。他说："菲利普绝对是更有魅力的一个，而且为人非常谦逊，很久之后我才知道，他原来担任过牛津辩论社的主席。或许是因为他已经决定进行幕后工作，所以才有意为之。"艾伦·邓肯也曾暗示说，虽然在担任牛津辩论社主席期间，菲利普取得了巨大的胜利，但他好像并不习惯这种时时被人关注的生活，这让他很不自在。"他秉持一种截然不同的生活方式，特蕾莎随时准备好进入大众的视线，受到万人瞩目，而菲利普更喜欢待在幕后，就是这么简单。"[95]

桑德拉·比尔林是特蕾莎夫妇的朋友，那个时候，特蕾莎正努力争取在即将到来的1992年大选中获得一个议会席位。她认为，在20世纪80年代早期，菲利普已经尝试赢得议会之职，但却以失败告终。议会议员基思·辛普森说，他也听说过这个消息。

我记得达米安·格林多年前告诉过我，因为菲利普在大学校园政治中非常活跃，原计划中他才是那个尝试成为议员的人。他们俩都将为议会中的职位而奋斗，但她先去了伦敦金融城赚钱。

比尔林接着说道：

20世纪80年代晚期，我们认识这对夫妇的时候，菲利普是当地保守党的主席，梅已经赢得了议会选举，成为一名议员。菲利普应该之前就参加过选举，我猜，他们已经私下达成了共识，或者事情就这样发生了。我想，这就是命中注定。

关于谁来实现令人瞩目的政治目标的问题，梅自己否认了她和菲利普私下达成共识的说法。“没有，我们没有达成任何共识。我的意思是，是的，他担任过牛津辩论社的主席，对于政治也有浓厚的兴趣，不可否认，这是一个巨大的优势——这意味着他了解竞选的规则以及相关事宜，但是并没有，事情就这样发生了……”

1979年5月，菲利普从牛津大学毕业，他前往伦敦与梅会合。在一家名为佐特&贝文的股票经纪公司找了一份工作。1980年9月，这对情侣在惠特利的圣玛丽教堂举行了婚礼，特蕾莎的父亲休伯特·布拉西耶主持了婚礼。梅穿着白色的婚纱举办了一场传统的婚礼，在还有几周就满24岁的时候，她穿着一袭华丽的、合体的白色礼服，戴着洁白的面纱，手捧红色的玫瑰步入了婚姻殿堂。少年时代，她经常来这个教堂做礼拜，无数次听到父亲在这里布道，现在教堂里坐满了亲戚和从牛津大学赶来的朋友，他们见证了她人生中最重要的时刻。

在梅即将离开惠特利前往牛津大学求学的时候，她的母亲开始出现多发性硬化症的症候，这是一种能够影响中枢神经系统的自身免疫性疾病。在谈到母亲的病时，梅说：“多发性硬化症的特点是稳定一段时间，然后急剧恶化。因此到最后，我和菲利普结婚的时候，她只能坐着轮椅出席婚礼。”[96]梅结婚时的照片显示，扎伊德坐在轮椅上，穿着一身粉红色的礼服，拿着一顶大大的帽子，微笑着看着镜头。在她身后，休伯特站在梅的一边，休伯特有些驼背，看上去比他的实际年龄苍老得多。梅的另一边站着菲利普和他的父亲约翰，两人带着几乎一模一样的微笑，穿着传统的灰色礼服。乔伊·梅穿着黄色的礼服，这可能是全家人在一起照的最后一张合影。

梅结婚一年多后，也就是1981年10月，就在快要过25岁生日的几天前，随着她挚爱的父亲在车祸中丧生，她那亲密的家庭破碎了。布拉西耶牧师当时驾驶着他的莫里斯·玛丽娜汽车前往圣尼古拉斯教堂主持晚祷，这座教堂就在距离惠特利不到两英里的福里斯特·希尔村，位于繁忙的A40双线车道对面。A40与M40公路共同连接起牛津和格洛斯特，驶近A40时，他将车缓缓地驶入中间的隔离带，接着撞上了迎面而来的路虎，这辆路虎车的时速在70英里以上，司机是伦敦的一位股票经纪人德斯蒙德·汉普顿。休伯特的头部和脊椎损伤严重，在送到医院几个小时之后就去世了。验尸之后，牛津的验尸官尼古拉斯·加德纳宣布他死于车祸。当地的报纸在做了一系列的调查之后，这样描述了那夺命一刻到来之前的场景："我看到玛丽娜停在中间的隔离带上，而且在那里停了相当长的时间。"报道援引汉普顿的话说。

这辆车行驶得很慢，接着好像有点犹豫。"我开始刹车并准备驶入左侧车道。"（汉普顿补充说）路虎车撞到了前面越过中线的玛丽娜……加德纳先生说，布拉西耶先生好像是从旁边的支线横穿而来，正在路虎车的前面想要横穿A40公路。布拉西耶先生很难看到迎面而来的路虎车。他谈到这个十字路口不仅有当地缓慢行驶的车辆，还有高速行驶的长途汽车。"从交通安全的角度来讲，这的确是一个不利因素。"[97]

事故发生时，艾玛·汉普顿和她的父亲、母亲基蒂、妹妹瓦内萨都在车里，最近，她在谈起那场车祸时说：

在看望完爷爷奶奶之后，我们一家人经由双线车道从格洛斯特返回伦敦。当时，我和我妹妹在后面睡着了，当我醒来的时候，车祸就发生了……我知道对方是当地的一位牧师，他当时正赶往教堂做晚祷，我并不知道那是特蕾莎·梅的父亲，真是太可怕了！[98]

在大部分时间里，即便是对最亲密的朋友，特蕾莎也不愿意提及父亲的去世，她把这件事看成是极度隐私的事情。直到好几年之后，艾丽西亚·柯林森才弄清楚了那场车祸的具体细节，而梅的下属们都认为，那是一个禁忌的话题。

几个月之后，也就是1982年伊始，扎伊德也死于多发性硬化症。现在梅成了一名孤儿，她的亲人本来就不多，现在只剩下了菲利普，不过这就足够了！这对夫妇的感情愈加亲密，他们的婚姻也越来越牢固。许多认识这对夫妇的人都说，他们是政治领域内最模范的夫妻。菲利普成了梅的家人，在失去父母又没有孩子的情况下，菲利普成了她后半生唯一的亲人。虽然梅还有很多朋友、堂表兄弟、叔叔、阿姨，但直到她50多岁遇到两个甘心为她付出的下属——尼克·蒂莫西和菲奥娜·希尔之前，她从未与其他人真正亲近过。休伯特和扎伊德去世后那段黑暗的日子，都是菲利普陪她一起熬过来的，所以她非常信任菲利普。“我想，我的丈夫给了我莫大的支持，”她说，“这对我来说至关重要，他是我坚强的后盾。自从我们结婚之后，他一直给我莫大的支持，特别是那个时候，我在相当短的时间内接连失去了双亲，那种痛苦难以用言语表达。”[99]梅至今仍记得失去双亲的痛苦，她告诉记者说，她很遗憾父母没有等到她成为首相的那一天。“我多么希望父母能看到这一切，”她说，“我收到了很多祝贺信，其中有我认识多年的朋友，也有过去认识我父母的朋友。他们都说了同一句话：我的父母一定会以我为傲。我也真心希望，他们能以我为傲。”[100]

>>>

66.《牛津大学的同学对布托的活力和野心记忆犹新》，格雷姆·韦尔顿，《英国卫报》，2007年12月28日。

67.《特蕾莎·梅，杰出的女思想者》，佐伊·布伦南，《旁观者报》，2016年8月2日。

68.同上。

69.《荒岛唱片》，同上。

70.《荒岛唱片》，同上。

71.《一个有社会公德心的果断的女人》，多米尼克·肯尼迪和露西·班纳曼，《泰晤士报》，2016年7月9日。

72.《特蕾莎的公公如何预测了她的成功》，埃莉诺·巴罗，《利物浦回声报》，2016年7月12日。

73.同上。

74.布伦南，同上。

75.《地理班杰出人物志》，罗伯特·梅迪克，《星期日电讯报》，2016年7月17日。

76.《特蕾莎·梅，公众想象之外的另一面》，伊丽莎白·戴，《观察家报》，2015年7月24日。

77.《特蕾莎立志成为英国第一位女首相》，马修·韦弗，《卫报》，2016年7月12日。

78.采访，达米安·格林，BBC新闻频道，2016年7月13日。

79.肯尼迪和班纳曼，同上。

80.《牛津大学的浪漫指引着特蕾莎·梅从灾难走向胜利》，罗伯特·门迪科，《星期日电讯报》，2016年7月9日。

81.同上。

82.同上。

83.同上。

84.《克里克的失态失去了朋友——以及影响》，《伦敦标准晚报》，2013年6月7日。

85.《牛津大学的浪漫指引着特蕾莎·梅从灾难走向胜利》，罗伯特·门迪科，同上。

86.《荒岛唱片》，同上。

87.《特蕾莎、菲利普和牛津辩论会》，拉吉瓦·维杰辛哈，《今日锡兰报》，2016年7月21日。

88.《菲利普的学生时代显示了投身右翼的政治热情》，亨利·泽夫曼，《泰晤士报》，2016年10月5日。

89.《牛津大学的浪漫指引着特蕾莎·梅从灾难走向胜利》，罗伯特·门迪科，同上。

90.《世界取决于……特蕾莎·梅》，《独立报》，2004年5月24日。

91.《特蕾莎、菲利普和牛津辩论会》，拉吉瓦·维杰辛哈，同上。

92.同上。

93.肯尼迪和班纳曼，同上。

94.《菲利普的学生时代显示了投身右翼的政治热情》，亨利·泽夫曼，同上。

95.《菲利普即将成为撒切尔身后的丹尼斯》，杰弗里·利维，《每日电讯报》，2016年7月12日。

96.《荒岛唱片》, 同上。

97.《牛津大学的浪漫指引着特蕾莎·梅从灾难走向胜利》, 罗伯特·门迪科, 同上。

98.《当得知受害者的身份后，车祸中的另一方当事人表达了自己的震惊》, 简·阿特金森,《太阳报》, 2016年7月17日。

99.《荒岛唱片》，同上。

100.《猫头鹰取代了唐宁街10号的波斯猫》, 蒂姆·希普曼，同上。

>>> 04

从伦敦到地方议会

20世纪70年代晚期，当特蕾莎和菲利普来到伦敦的时候，这座城市正经受着一场骚乱。那正是卡拉汉政府垂死挣扎的时期，在二战后，英国一直奉行凯恩斯主义经济学，彼时，卡拉汉政府和凯恩斯主义经济学都发出了临死之前的呻吟声。工党的两届政府面对产业动荡和通货膨胀持续恶化的问题，都未能提出行之有效的措施。1976年，就在年轻的特蕾莎·梅将要作为实习生进入英格兰银行工作之前，卡拉汉被迫“毕恭毕敬”地向国际货币基金组织请求23亿英镑的救援贷款，以缓解英国日益严重的债务危机。作为回报，工党政府不得不削减公共开支。这种不得不忍受外界对英国经济政策指手画脚的屈辱感，产生了深远的影响。这种影响不仅表现在这个国家的政治家身上，有时甚至更表现在英格兰银行的经济学家身上。第二年，梅开始在针线街上的英格兰银行工作，这家银行创建于1694年，这时通货膨胀率仍维持在15.8%，虽然比1975年的24.2%低了不少，但经济仍疲软无力。

对一个地理专业毕业的学生来说，英格兰银行并不是一个明智的职业选择。但鉴于梅对政治的兴趣越来越浓厚，也鉴于经济在政治生活中居于中心地位，因此梅的这一选择也不失为一条捷径。她一开始先从初级分析师做起，在银行工作的初期，她的老板们都集中大部分的精力应对国际货币基金组织引起的震动。梅被分配到威尔逊委员会，这是一个由前首相哈罗德·威尔逊领导的团队。他们负责监督伦敦金融体系的运行，认为金融体系占用了“制造业所需的资金”，[101]从而使制造业毫无起色。到1980年6月，委员会发布他们的调查报告时，英国的经济形势已经发生了巨大的变化。

1979年5月，菲利普从牛津大学毕业，准备在佐特&贝文股票经纪公司大展拳脚之际，保守党在与卡拉汉政府的竞争中大获全胜。在朋友以及经济导师基思·约瑟夫的指导下，新任首相玛格丽特·撒切尔掀起了一场自由市场改革，彻底改变了英国的经济走向。在过去的35年里，凯恩斯的传统理论一直占据主导地位，现在被一种新的经济手段——货币主义所取代，这一改变使得人心备受鼓舞。7年之后，也就是1986年10月27日，随着撒切尔政府放松金融管制，在一夜之间开放了伦敦金融城（史称“金融大爆炸”），菲利普的工作环境也发生了翻天覆地的变化。这是充满戏剧性的一段时间，梅曾说：“当我在伦敦工作的时候，金融服务业发生了令人欣喜的变化。”[102]因此，在伦敦漫长而混乱的历史中，菲利普夫妇得以近距离观察这座城市最令人兴奋的一段时期。他们用冷静和缜密的头脑思考和观察着，并没有在全民亢奋的环境中失去理智，落入金钱和地位的陷阱，成为肆意挥霍、追赶时髦的年轻人。他们这段时间在国家的金融中心目睹的这一切，对于他们政治、经济观点的形成产生了深远影响。

到20世纪80年代早期，尽管没有任何经济学的教育背景，梅已经获得了一项声誉——英格兰银行里最专业的年轻分析师之一。随后，她被派遣到金融政策小组，当时，由于新的保守党政府采取了完全不同的经济政策，英格兰银行正在努力适应新政策带来的影响，因此，这对于梅来说是一次充满挑战的经历。查尔斯·古德哈特当时在金融政策小组里带领着四五个人，他后来成为英格兰银行金融政策委员会的一员，现在是伦敦经济学院的教授。他还记得协助自己研究的梅，在英格兰银行漫长的职业生涯中，他遇到过许多年轻人，梅属于最聪明的那一群。谈到他们在金融政策小组的工作时，古德哈特这样说：

这是一份实践性的工作，而不是理论性的工作。我们预测到，和当时政府奉行的凯恩斯传统理论不同的是，下一届政府将实行一种完全不同的经济政策。保守党试图通过控制货币的发行来控制经济，扭转通货膨胀的局面。因此，在这一时期，英格兰银行和保守党政府之间存在着很多矛盾。

古德哈特说，虽然梅在大学期间没有学过经济学相关知识，但她并没有因此而显得外行。“她能胜任这份工作，非常值得信任。她不仅性格沉稳而且非常聪慧。”

她是一个非常、非常优秀的助理研究员，我非常佩服她。很显然，她是我在银行工作这么多年所遇到的最得力的助手之一。能干、可靠、沉稳、成熟、镇定。我认为她是一个非常优秀的人，和她在一起工作我很惬意。

古德哈特说，当他们分析政府经济计划的原始数据时，发现一场政治闹剧开始上演。当时的财政大臣杰弗里·豪向政府提交了一份近代政治史上最具争议的预算案。对于长期以来滞胀持续、经济不景气的问题，他主张完全用货币政策来解决（通过提高税率和削减公共开支来控制货币供给量），364位经济学者联名向《泰晤士报》发表了一封公开信，批评这一预算案。不过，豪依旧将自己的预算案提交到了议会，下院中的保守党议员为表示反对愤而离席。反对党领袖迈克尔·福特也回应了这一预算案，他说，这份预算案“将导致300多万人失业”，这一预言不到两年就得到了证实。

“如果你无法看透执政党和即将执政的政党的政治立场，你就无法分析他们所实施的经济政策和货币政策。”古德哈特说，“有时候，这两者很难区分。”对于年轻的特蕾莎·梅来说，因为一直醉心于政治，所以能有机会在执行政府全新的经济政策方面发挥作用，她一定非常兴奋。古德哈特虽然很清楚这一点，但是他的小组成员过于关注他们的工作，以至于没有机会讨论他们的见解。古德哈特和梅也没有私交，这并不奇怪，一方面，他比年轻的梅足足大了25岁；另一方面，在英格兰银行工作的初期，梅时常惦记着回牛津大学，后来她又忙着在她和菲利普的新家所在地温布尔顿开展政治活动，因此，她似乎没有多余的时间与银行里的人交朋友。尽管如此，古德哈特坚称，梅是一个有趣的人。“无论如何，她不是一个古板的人。”当古德哈特离开英格兰银行时，梅还写了一首诗给他，作为“离别的礼物”。这首诗是关于当时非常滑稽的货币政策的——给M3货币的“任性的女主人”的一首颂诗。经济学家用M3货币来形容广义的货币供给。[103]

20世纪80年代，菲利普在伦敦也混得风生水起，1983年，他从佐特&贝文股票经纪公司跳槽到了英国保诚资产配置公司，作为基金经理，主要负责大公司退休基金的投资以及维护客户关系。当时有一批招摇的新交易员非常成功，虽然从未被同事看作其中一员，但他默默地成为了赢家，获得过有金融城奥斯卡之称的EXTEL奖。菲利普一直在保诚公司待到了2000年，他负责的部门被卖给了德意志资产管理公司，他又在那里工作了五年。在过去的十年里，他一直供职于美国基金管理公司资本集团，从那时起，他就不直接涉足金钱业务了，而主攻客户关系的维护。最近，一位同事这样评价菲利普：“在办公室里，他是一个非常谦逊的人。有些陈腐的投资经理非常自大，他从不那样。他非常正直，从不利用自己妻子的名义获利。”[104]

重新回到20世纪80年代，此时的特蕾莎开始开创另一番事业。1985年，一些大银行，包括英格兰银行联合成立了付款清算服务中心，目的是监督国内外资金的流动，其中包括银行间的清算业务、借方和贷方的交易、支票以及电子转账等。加入这一新组织伊始，梅的角色是金融顾问以及国际事务资深建议师，最后晋升为欧洲事务联合会的经理，在当时主要负责英镑和其他欧洲货币的兑换业务。

不管是在英格兰银行工作，还是后来再次步入政坛，梅都是这两个领域内为数不多的女性之一。桑德拉·比尔林在20世纪80年代晚期成为梅的朋友，她说在那个时代，像梅这样的女性有时候也会觉得不安：

我们经常在一起吃午饭，因为她在金融城里工作，而我就在金融城附近。我们经常谈论的一个话题是，作为一个女人，当你在一个领域竭尽全力做到最好时，那会是什么样子？

不过谈起在金融城工作的时光，梅是这样说的：

我的两份工作传统上都属于男性占主导的领域，一开始我在银行工作，后来又转战政坛。在这两个领域内，我都不会拿自己的性别当借口，或者让它成为我事业的障碍。当我在金融城工作的时候，我希望自己成功的原因是能力，而不是性别。[105]

梅在付款清算服务中心工作时，她获得了与欧洲其他国家谈判的宝贵经验，在人生的这个舞台上，她享受着与欧洲大陆的邻居们一起共事的挑战。1993年4月，她在这里的工作引起了别人的关注，她的名字第一次出现在国家级的报纸上。《卫报》在一篇题为“在国外转账”的文章中提到：“欧洲的银行系统正在努力构建一个更加便捷的跨境支付体系”，虽然有些不太起眼，但她的名字在这篇文章中被提及。[106]虽然关于她的报道只有短短14个字，但她的公婆也将这篇报道剪了下来，粘在剪贴簿上。她在付款清算服务中心的职务比她在英格兰银行的职务高得多，但显而易见的是，这份工作并不能唤起她的激情，鉴于她的政治活动现在慢慢铺开，所以这也许并不是一件坏事。

在他们结婚后不久，梅夫妇就在温布尔顿的赖普林格汉姆街购置了一套新屋，距离特蕾莎的父亲休伯特和爷爷汤姆长大的地方很近。也许一方面是由于这种家族联系；另一方面，这对年轻的新婚夫妇对于伦敦并不是很熟悉，因此他们就选了温布尔顿作为定居点。他们的新屋大小适中，所处的地段在温布尔顿来说也不是那么繁华。不过这个地方上班很方便，10分钟就能走到绍斯菲尔德地铁站，可以直达伦敦金融城。到20世纪80年代末，多亏了这两个人都比较能挣钱，他们得以搬到一间更大的房子里，新家位于多拉路上。据朋友们说，能拥有这间新屋，他们感到高兴和骄傲。他们雇用了一个建筑师，把第一层改造成了一个大大的厨房，特蕾莎可以经常宴请附近的朋友，刷洗餐具的事情当然由菲利普来完成了。

1980年搬到温布尔顿后不久，夫妇两人就加入了当地的青年保守党。1983年大选前不久，他们因积极参与党派内部的活动，政治事业得以起步。不过他们的政治事业并不是在温布尔顿起步的，而是在附近的议会选区——米彻姆和莫登。那时，温布尔顿在议会中的席位一直被保守党把持，从1970年开始，这个席位就被迈克尔·哈弗斯爵士占据，每次选举大约都能获得10000张选票的优势。

大选的前一年，也就是1982年6月，保守党出乎意料地夺取了米彻姆和莫登在议会中的席位。在这次选举的最后阶段，人们受到了马岛战争的影响，激发出一股对撒切尔政府的爱国热情和信任。工党议员布鲁斯·道格拉斯–曼改变想法，加入社会民主党，从而引发了这场竞选。曼决定退出大选，参加补选，他认为自己能够轻而易举地在补选中获得胜利，他的保守党对手也这样想。不过，双方都没有考虑到马岛战争的因素，因为工党和社会民主党分散了中间偏左选民的选票，所以，保守党候选人安吉拉·朗博尔德以4000张选票的优势赢得了选举。米彻姆和莫登是政府在补选阶段获得的最后一个席位，保守党希望能够在1983年的大选中继续保持优势，而菲利普夫妇就是要帮助他们完成这个目标。

现任普利茅斯·萨顿和德文波特议会议员的奥利弗·科尔维尔，曾经担任过安吉拉·朗博尔德的竞选经理，梅夫妇进门的时候，他正坐在竞选办公室里，那里原来是一家男子服饰店。他说：

她和菲利普一同走了进来，他们说，“我们是来……帮忙的”。我当时正把脚搭在桌子上，快速翻看着《太阳报》。我记得自己当时说的是：“哦，好的，你们看一下放在那边的宣传单吧。”我不知道她将来会成为首相——她当时只是作为义工来帮忙的。

短短几天之内，科尔维尔就发现了菲利普夫妇身上的闪光点，他说：

我们成了相当好的朋友，我们都是年轻人，那个时候，我二十二三岁，我们身边经常会有一些执拗、易怒的人，能有一些完全不同的人待在身边是多么美妙啊！他们非常勤奋，而且充满热情。

他接着说道："能和一些正常的人交朋友，那种感觉也很好。"

朗博尔德在轻松获得选举之后，和梅夫妇保持了长久的友谊，她和特蕾莎更加亲近一些。十几年之后，在她的帮助下，梅获得了自己在议会中的席位。朗博尔德于2010年去世，科尔维尔这样评价说："她和特蕾莎非常亲密，我认为，她们无话不谈。她……能够给特蕾莎一些很好的建议，我认为，特蕾莎和她待在一起的时间非常重要——她的精力非常充沛。"

那时候，朗博尔德和科尔维尔都鼓励梅夫妇更加深入地介入地方政治事务，以此开展他们在保守党内部的事业。菲利普成为邓福德议会选区的保守党主席，梅打算竞选默顿在议会中的席位。与此同时，她还担任了一些其他职务，例如社交委员会的主席。菲利普夫妇现在都成了候选人，他们每周末都会挨家挨户地敲选民家的门，向他们拉选票。作为一个虔诚的领受圣餐者，梅还在旺兹沃思教区会议上担任秘书，负责协助这一地区的宗教管理。

奥利弗·科尔维尔说，他记得梅夫妇非常"善于社交"，他们的活动主要集中在政治领域。有时候，他星期日会在梅夫妇家中用午餐，但去酒吧或餐馆的时候就很罕见。这对夫妇有时还在客厅举办党派集会，温布尔顿附近的保守党人都记得，他们家的客厅里堆满了板球杂志《维斯登》，他们会边喝饮料边聊天，主题全是关于政治的。科尔维尔说，"他们非常坚定，但这只是20世纪80年代发生的一小部分事情，坦白讲，大部分时间还是很轻松的，就连脾气暴躁的人都能被逗乐。撒切尔夫人马上就要开始她的第二届任期，梅夫妇肯定能在默顿政坛大展拳脚。”在她那挂满了近两个世纪伟大板球运动员的舒适客厅里，梅扎实地迈出了她在政坛的一大步，最终，她入主了唐宁街10号的首相官邸。

1986年5月8日，梅获得了自己踏入政坛的第一个胜利，获得了邓福德选区在默顿议会的席位。她那个时候还未满30岁。这场竞选非常激烈，相比她的工党对手，她多出的选票还不到100张。总的来说，保守党和工党为争夺对默顿议会的控制权展开了激烈的争夺，最终，保守党以仅仅一票的优势获得了对议会的控制权。梅辛苦获得的胜利对她的党派来说至关重要，这样一来，保守党就能够维持与工党的权力均衡。默顿是一个很有趣的地方，在温布尔顿议会附近豪华的别墅和宽敞的独立住宅旁边，还零星分布着一些贫民区。默顿议会的议长约翰·埃尔维奇说：

默顿的面积很大，温布尔顿不仅有全英国最好的网球俱乐部，还有价值几百万英镑的房屋。但是它也包括米彻姆最贫穷的地方。如果你在议会工作，会收到很多信件。来信不是抱怨这个，就是抱怨那个。

梅1986年第一次入职默顿议会的时候，带着一丝迷人的魅力。1997年，西沃恩·麦克唐纳在米彻姆和默顿击败安吉拉·朗博尔德，这位未来的工党议员初遇梅的时候只有26岁，但那时她已经有了四年议会工作的经验。她说在自己眼中，这个稍微年长的女人简直就是一个外星人，在麦克唐纳看来，她们之间的年龄差距导致梅看起来就像是另一个世界来的人。梅给这位工党议员留下了深刻的印象，她经常穿着一双高跟鞋，本来她5英尺8英寸的身高已经足够挺拔。根据麦克唐纳的叙述，无论是办事的老练，还是处理社会关系时体现出的智慧，梅在种种事情上的表现都与众不同。“她的着装非常、非常得体，而且比我有钱得多。”虽然她们比其他议员小几十岁，但这两个年轻的女人并不合拍，“她不喜欢闲聊。”麦克唐纳如是说。

她比我大四岁，我那时更关注于纠正错误。对于保守党来说，这是女权运动刚刚兴起的一段时间。他们认为对妇女的歧视或者任何形式的积极差别待遇都是令人厌恶的。她曾经发表过一次奇怪的演讲，内容是经济如何好转以及女生裙子的下摆线提高了。我记得自己当时边看着她边想："你真想在这里讲这些废话吗？"我认为她是一个不折不扣的保守党分子……我想，在她眼里，我也是一个蠢货。

在这一时期，不管是朋友还是同事都记得，每次出席议会的会议，梅总是"穿着得无可挑剔"，她所穿的衣服大部分都是她最喜欢的颜色——红色，然后再配上深红色的口红。她结束在金融城的工作后，就直接乘地铁到默顿市政大厦开会。有时候，她穿着细条纹的套装，衬衫上装饰着大大的蝴蝶结，这是20世纪80年代流行的样式。麦克唐纳接着说："在我的记忆里，她经常穿着时髦的衣服，但她的心态又和那些追求时尚的年轻人完全不同。虽然她的性格不允许她这样做，但她的选择却非常不雅。或许，有时候她需要让自己的生活看上去有那么一点奔放和充满激情。"在谈到当时的仪表时，梅自己这样说道："20世纪80年代，当我在银行工作的时候，当时的风尚是专业化的穿着。而现在的时尚是越自然越好，我想我的风格是随着时间的推移而不断变化的。"[107]

奥利弗·科尔维尔记得，从一开始，梅就从众多议员中脱颖而出。"很显然，她充满了活力，是一颗冉冉升起的新星。"麦克唐纳补充道："不过，议会中的所有人，包括梅身边的人都没有意识到她的政治野心。""我想，她做任何事情都很真诚，但是入主默顿议会并不是她的终极政治理想，这只是她向上攀登的一个跳板而已。"麦克唐纳说，"她曾引起过其他人的反感，默顿是一座非常保守的城市，议员的年龄都偏大。作为1986年入主议会的保守党成员，她看起来和其他人格格不入，而其他的保守党成员大部分来自当地的各种机构。"麦克唐纳记得曾有这样一个场景：一位年纪稍大的保守党议员，她的丈夫曾担任过议会议长，她被认为是“温布尔顿当地机构”的成员。当她看到梅在会议室发言时，转过身来对麦克唐纳说：“那个女人以为自己是谁？看看我们，我们待在这里因为我们是认真的。”麦克唐纳接着说，“我想，‘啊呀，你一定很想说些我爱听的话’。”

当时的保守党议员戴维·威廉姆斯说：“不管怎么样，在保守党内部，梅总体上还是很受欢迎的。”

特蕾莎是那种在会议之前一定会做完必要的准备工作的人，虽然很热心，但她一定会冷静思考之后才做出决定。同时她也是一位非常称职的区议员，她为自己选区的选民在语音信箱里设置了一条信息：“您的来电对我来说很重要，请您留下口信，我会尽快回覆您。”我们经常拿这条信息取笑她，虽然这条信息今天看来没什么大不了，但在当时却很不寻常，我们都认为她做得有点儿过头了。但是，她却非常认真地对待这件事，这也表明选民对她来说是多么重要。[108]

奥利弗·科尔维尔继续说：“她非常有礼貌，据我所知，在别人发表看法的时候，她从不插话。这一点经常给我触动。我想，作为一个教区牧师的女儿，这是她人生观里非常重要的一部分。”工党议员菲利普·琼斯说：“当时，我们都认为她是最有能力的保守党议员之一，她对自己的选区做出了非常大的贡献，而且她本人非常活跃，充满朝气。”[109]

到1987年秋天，梅在议会任职已达两年之久。当时，政府中非选举产生的官员提出了一项计划，主张依靠抵押产权和投资股票牟取利益，梅带头反对这一计划。在附近的哈默史密斯选区，相似的计划已经付诸实施了。该区的议员夸耀这一计划为“流动的黄金”，成功地吸引了当地政府的极大关注。不过，梅行事非常谨慎，结果证明她是正确的。1982年秋天，在保守党举行的一次会议上，本来预计这个计划不需审查就会获得通过，在梅的争取下，尽管想依靠这一计划牟利的议员们一万个不情愿，此计划还是被推迟了好几周，直到10月20日才做出最终决定。1987年10月19日，爆发了可以载入史册的黑色星期一股灾，英国股市瞬间就蒸发了几千万英镑。奥利弗·科尔维尔估计，如果不是梅竭力反对这一计划，默顿的纳税人至少要损失7500万英镑。“这一计划马上就要实施了，”他说，“特蕾莎竭力反对这一计划，她是那种非常清楚孰是孰非的人，她一直竭尽全力制止这一事件的发生。”在那个人人都抱着赌博的心态，想要挣快钱的年代，作为牧师的女儿，梅与生俱来的谨慎被证明是无价之宝。

梅坚韧的品性也给约翰·埃尔维奇留下了深刻的印象。在梅入主默顿议会两年后，也就是1988年，他任命她为自己的副手，他说：“她非常有奉献精神，工作非常努力。她坚持不懈并能出色地完成工作。她是一位优秀的演说家，你可以绝对地信任她，依靠她。这就是我任命她为副手的原因。”当被问起当时梅的政治活动给他留下的印象时，埃尔维奇继续说道：

她非常具有实干精神，很显然，在我们党内，她也属于右翼。默顿是一个非常复杂的选区，持各种政治观点的人都有。所以你不得不保持中立。实际上，虽然梅秉持右翼的政治观点，但她本人非常务实，也非常讲求实效。我很确定自己是一个保守党人，而梅和我是一路人，所以我们一直都合作得很愉快……你现在所看到的一切就是那时发生的一切。我想，她在20多岁的时候就已经能够面面俱到了。

埃尔维奇说，在那段艰难的日子里，他发现梅绝对是一个让人满意的副手。

我们仅仅拥有一票的优势，而我们的会议是没有宵禁的，所以一般会持续到凌晨一点，有时甚至会持续到三点。那段时间真的非常累，但是梅非常有风度，非常讨人喜欢……而且非常具有团体精神，我们的合作非常愉快，没有遇到丝毫障碍……

在任命梅为默顿议会二把手的同时，埃尔维奇还委托梅担任教育委员会的主席，这是当地政府最重要的工作之一。她在委员会获得的经验使她至今仍对制定教育政策很感兴趣。默顿地区原来的教育体系为初级、中级、高级三级教育体系，当时正在转变为两级教育体系，在两级教育体系下，青少年要在中学接受整整五年的教育。因此，这一职位非常具有挑战性。埃尔维奇在谈到任命梅为教育委员会主席时说："在家长和教职工之间，我们需要有一个优秀的沟通者，默顿地区一直以来就是三级教育体系，转变成两级教育体系是非常困难的。"对于委员会提出的撤销当地小学的建议，一些家长非常愤怒，而梅也要安抚家长们的情绪。由于大选迫在眉睫，这一建议很快就被否决了。梅的政治敏感度非常高，她立刻向选民保证，默顿地区的学校一定能吸引优秀的学生前来就读，同时她坚持让默顿地区的教师获得比伦敦教师更高的报酬。

就在梅越来越深入地介入地区政治事务的同时，她也开始涉足国家政治事务，成为伦敦地区妇女委员会的一名成员。遵循整个职业生涯中一贯的做法，她开始寻找志趣相投的女保守党人。求仁得仁，这时她遇到了另一位良师益友——雅基·莱特，莱特不久之后就成为了黑斯廷斯和拉伊地区的议员，她介绍梅认识了桑德拉·比尔林，当时比尔林是温布尔顿的一名会计师，协助梅所在的党派处理一些妇女和课税方面的工作。比尔林和她的丈夫杰夫·韦纳后来成为梅夫妇的密友，她这样评价特蕾莎·梅：

私底下她是一个特别热情风趣的人，菲利普也是一个十分可爱的家伙。我们四个非常合拍。我们会定期拜访他们夫妇，我们谈天说地，包括当时发生的所有热点事件。我们不会单纯从政治角度去分析各类政治事件，各个党派形形色色的人以及阴谋诡计，我们只是在谈论近期发生的各种事情。

1990年，梅再次参选邓福德地区的议员，当时负责她的竞选活动的是当地一位年轻的社会活动家——26岁的克里斯·格雷林。1998年，他跟随梅入职默顿地方议会（那时，她已经进入国会），在随后的2001年，他进入下院任职。在他们第一次合作的26年后，2016年保守党党魁的竞选活动中，格雷林再次担任梅的竞选经理。梅在组阁之后，任命格雷林担任她的交通大臣。现在，格雷林加入了默顿这个努力工作的保守党团体，他回忆起了在当地一次选举中发生的一件有意思的事情：

我和她并肩站在选民的家门口，谈论着温布尔顿的递补选举。到最后，她责备了我。因为我只调查了前来开门的人的投票意向，而没有询问这个家庭里的其他成员。这就是特蕾莎，她做事总是面面俱到。[110]

梅和格雷林之间的合作由来已久，从梅入职伦敦南部的地方政府时就开始了。在戴维·卡梅伦当政期间，他们逐渐形成了一个默顿帮，虽然这一派别尚不具备很强的竞争力，但也为梅提供了某种支持。约翰·埃尔维奇说：

出于某些原因，我并不想将其称之为“帮派”，我想，在你二三十岁的时候会认识一些人，那时候你信任他们。当你获得进一步发展的时候，你还会继续信任他们。你了解他们的品性，会咨询他们的意见。

1990年，在格雷林的帮助下，梅在邓福德地区的优势不断扩大，但在整个选区范围内，保守党却折戟而归，议会被工党控制。

就在同一年，菲利普·梅当选温布尔顿保守团体的主席，这份工作比想象中更具挑战性。因为在即将到来的1992年大选中，现任议会议员查尔斯·古德森-威克斯是一名预备役军官，他于1987年接替迈克尔·哈弗斯担任议会议员。由于第一次海湾战争的爆发，他必须赶往前线服役。菲利普必须在奥利弗·科尔维尔的帮助下，带领保守党捍卫这一席位。科尔维尔那时还只是该地的一位竞选经理。“尽管他在伦敦的工作已经是超负荷的了，但是，菲利普是我见过的最严厉的老板之一。”科尔维尔说，“我们一天至少要谈两次话，当我偶尔犯错误的时候，他就会将其描述为‘战争的迷雾，亲爱的伙伴，战争的迷雾’。”

因为保守党在议会中是少数党，所以梅就集中全力代表邓福德地区的选民提出一些他们关心的议题，比如在比赛期间，温布尔顿足球俱乐部所在的保雅巷球场日益拥挤的交通，以及修建一处新的购物中心等。后来足球俱乐部申请搬到原来的赛狗场附近，梅因为反对这一申请而饱受指责。结果，足球俱乐部一开始迁往赛尔赫斯特公园球场，后来又迁到了距离米尔顿凯恩斯60英里的地方，伦敦南部的许多市民至今仍惋惜不已。

梅承认自己并非一个足球迷，她从不关注选区内足球俱乐部发布的比赛读物。板球一直是她钟爱的体育项目，除此之外，菲利普夫妇还特别喜欢赛马。20世纪90年代中期，夫妇两人共同喂养了一匹名叫多姆·帕特罗的骗马，曾在萨里的林菲尔德赛马场赢得了两场比赛，驯马师威廉·缪尔说：

> 她和她的丈夫来过赛马场两次，随行的还有几个从伦敦来的人。多姆·帕特罗的表现尚可——它不是马中的佼佼者，但也赢过两场比赛。每次出现在赛马场时，梅总是非常、非常高兴，当我碰到她的时候，她也很和善。[111]

当时，梅夫妇结婚十年了，他们也都快35岁了。在他们刚结婚的时候，他们很自然地认为，自己不久之后就会有孩子，但却事与愿违。在她的大部分职业生涯里，梅都不愿意提及自己未能如愿成为一名母亲的悲伤，这也是可以理解的。对于她没有孩子的原因，坊间从未停止猜测。在政坛上，一个女人如果没有孩子，就要被人猜测她是选择不要孩子还是无法要孩子，而没有子女的男人就不必受到这种关注，此前已经有许多这样双重标准的例子了。不仅如此，没有孩子的女性还会被暗讽缺乏母亲的温柔，选民就不会同情她所代表的那个群体，而男性却不必面对这样的困扰。在2016年保守党党魁竞选的最后阶段，安德烈娅·利德索姆愚蠢地突出梅没有子女这一点，导致梅最终获胜，也许这恰恰是时代进步的标志。

这些年来，梅夫妇没能有一儿半女一直是他们心头的痛，但身边的朋友都说他们并不甘心。他们也曾咨询过医生，不过在生育治疗的新时代，他们或者不想接受新的治疗方式，或者没有成功（梅一直拒绝谈论是哪种原因）。梅将这看作是极度私人的事情，不管是对公众还是朋友，她都不愿谈论此事。桑德拉·比尔林说：

> 我们没有谈过此事，这是一个比较敏感的话题。实际上，我非常理解。这是非常隐私的事情。和现在喜爱分享的这代人相比，那时的人们更注重隐私。如果这种事发生在你身上，这也是你的隐私。

梅夫妇的同事和朋友经常提起，两人非常喜欢和他们的孩子在一起，比尔林就是其中之一。许多没有子女的夫妇总是喜欢自己单独出行，不喜欢和年轻人在一起，但他们不一样。特蕾莎·梅已经当过许多孩子的教母了，当她很年轻的时候，就有人请求她担任这个角色。她曾经开玩笑说："我是个十几岁的教母。"[112]

直到最近，偶尔还是会有一些人很直率地问特蕾莎，为什么没有孩子，她依旧拒绝回答这个问题。2002年，她在接受记者马修·德安科纳的采访时说："我不认为这是一个问题，而且我也不认为这应该成为一个问题……"[113]同一年，在接受《每日电讯报》记者雷切尔·希尔维斯特的采访时，她的口风稍微有点松动，她说："这并不是我所愿，不过，我不会再就这件事发表任何言论。"[114]在那以后的许多年中，梅都没有在公众面前谈论过这件事。直到2012年，那时的她已经担任内政大臣，在接受《每日电讯报》记者艾利森·皮尔森的采访时涉及了很多敏感话题，她也再次谈到了一对夫妇对于成为父母的渴望。“我们的这种渴望无法成真，一般而言，我不会选择不要孩子，但这已经成为既定事实。你一直能看到形形色色的家庭，而且你看到了其他家庭中你不曾拥有的东西。”[115]

自那以后，梅再次拒绝谈论这一话题，直到2016年党魁竞选之前的另一次采访。在那次采访中，她明确表示自己不希望得到任何同情。“当然，每当看到朋友家的孩子慢慢长大，我们不能说这件事对我们毫无影响。但是，你必须接受生活为你安排的一切。”

有时候，你期望发生的事情不会发生，你希望你能做到的事情却做不到。有许多情况和我们相似的夫妇，我深信你必须处理好各种事情，人们总要面对各种各样的问题。每个人都不同，面对着不同的环境，不管遇到什么问题，你都要坦然面对而不要沉溺于过去。[116]

像往常一样，梅依靠她的丈夫和钟爱的政治事业淡忘她无法成为母亲的沮丧。进入20世纪90年代之后，菲利普夫妇利用大部分空闲时间来拜访选民及参与政党的竞选活动，这个习惯他们一直保持到今天。约翰·埃尔维奇说：“夫妇二人工作都非常努力，那个时候我们在选区有很多工作要做，邓福德是一个很偏远的地区，每一处都要进行竞选宣传。对于保守党来说，梅是一个精力旺盛的活动家。”奥利弗·科尔维尔附和说：“我需要强调的是，夫妇二人都出身于草根阶层，没有任何政治背景。梅是一个非常优秀、非常勤勉的社会活动家，当看到她成为首相之后，仍坚持去选民家中拜访，我深受感动。”

许多梅在议会中的同事都认为，梅在地方上的活动经历让她对基层党组织有了更深的理解，这是那些像戴维·卡梅伦、乔治·奥斯本一样，年纪轻轻就进入威斯敏斯特的人所不具备的。被梅任命为第一届内阁成员的利亚姆·福克斯曾说：

特蕾莎·梅并没有按照保守党人的常规路线，她没有担任过保守党研究部的特别顾问。她是通过政治斗争，通过在地方任职一步步成长起来的。她对于保守党有深刻的认识。有时候，我认为保守党政治家最大的问题之一就是，他们只是专职政治家，没有在不占优势的选区中参与议会选举的经验，在从政路上也没有遇到过大的风浪，从而在保守党内部很难形成共鸣。但是人们忘记了，这些经历特蕾莎都有。人们只会说："哦，她太不屈不挠了。"或者诸如此类的话，好吧，过去的经历成就了现在的她。我们这个年龄的人都经历过撒切尔夫人执政早期的艰苦岁月，那时候，成为保守党人并不是什么时髦的事儿。环境将她历练成一位战斗者。没有经历过这些的年轻人，一般都很难理解那段激情岁月所淬炼出来的钢铁般的意志。

在接下来的从政路上，梅还要面对种种挑战，而这种钢铁般的意志正是她需要的。

>>>

101.《威尔逊委员会对金融机构运作的评论——统计学方面》，彼得·摩尔，《英国统计学会学报》，1981年。

102.《等候的淑女：黛博拉·奥尔与特蕾莎·梅的对话》，黛博拉·奥尔，《独立报》，2009年12月14日。

103.《我们能从30年前吸取经验教训吗？》，戴维·史密斯，《星期日泰晤士报》，2011年10月2日。

104.《菲利普·梅：保持缄默的伦敦人以及甘居幕后的丈夫》，西蒙·古德利，《卫报》，2016年7月12日。

105.《我是一名女议员》，特蕾莎·梅，BBC新闻，2009年6月17日。

106.《在国外转账》, 吉尔·帕普沃思, 《卫报》, 1993年4月3日。

107.《充满创意的口袋》, 特蕾莎·梅, 《泰晤士报》, 2002年12月11日。

108.《温布尔顿的代表特蕾莎·梅打败了诺丁山时髦的家伙戴维·卡梅伦》, 保罗·赖特, 《国际财经时报》, 2016年7月20日。

109.同上。

110.《冷酷: 她猛烈地抨击凯布尔》, 安德鲁·帕森斯, 《星期日时报》, 2016年7月16日。

111.《10号赛马有人相助》, 马克·斯库里和约翰·兰德尔, 《天天马经》, 2016年7月13日。

112.《等候的淑女: 黛博拉·奥尔与特蕾莎·梅的对话》, 黛博拉·奥尔, 同上。

113.《成为保守党主席后的第一次报纸采访: 戴安娜·里格与西比尔·福尔蒂的会面》, 马修·德安科纳, 《星期日电讯报》, 2002年7月28日。

114.《采访——我们必须证明自己并非"下流的政党"》, 雷切尔·希尔维斯特, 《每日电讯报》, 2002年10月5日。

115.特蕾莎·梅的采访, 《我可能在学校中自命清高》, 艾利森·皮尔森, 同上。

116.《是的, 没有孩子对我们产生了一些影响……不过, 我们接受了这个事实。》, 西蒙·沃尔特斯, 同上。

>>> 05

候选人

在多风的达拉谟郡乡下，特蕾莎·梅经常独自工作至深夜。1992年3月，梅的心情跌到了谷底，过去几周的迹象表明，在即将到来的大选中，她所钟爱的保守党在执政13年之后似乎要失去执政党的地位了。她一直想为保守党赢得达拉谟西北地区在议会中的席位，但这个席位似乎是工党的囊中之物，她对选民的游说并没有取得任何成果。在35岁的时候，成为国会议员这一童年时的梦想似乎和梅渐行渐远了。不过，她决定重整旗鼓，从不绝望和屈服。参加完选举会议之后，她立刻投入到另一半选区的巡回竞选中。她随身携带了一台卡带机，亨利·珀塞尔激越的回旋诗《摩尔人的复仇》回荡在车里。后来回想起这段经历时，她说："我经常深夜疾驰在柏油路上，独自一人的时候，我就会播放这段音乐，它让我保持着昂扬的斗志。"[117]保守党在1992年大选期间就选用这首音乐作为主题曲，事实证明这是一个鼓舞人心的选择，在大选的最后阶段，不仅保守党赢得了大选，而且达拉谟西北地区那位勇敢的候选人也凭借个人努力，在入职议会的道路上前进了一大步。

就像梅在默顿议会的许多同事认为的那样，她在20世纪80年代末才开始萌生竞选更高职位的想法。安吉拉·朗博尔德的经历激励了她的这份雄心，安吉拉因为一个偶然的机会被保守党副主席选为候选人。默顿议会的前任议长约翰·埃尔维奇说：

她想成为国会议员的意图是很明显的，这并不算是什么异想天开的想法，她也把自己的想法透露给了所有人，很显然，她取得了成功。朗博尔德是米彻姆和默顿在议会中的代表，当然了，那个时候下院的女性议员并不多见，因此她竭尽全力支持梅在政治领域内的发展，我认为，她们两个一定是惺惺相惜。

奥利弗·科尔维尔接着说道："她非常清楚自己要干什么，她和安吉拉·朗博尔德是很好的朋友。安吉拉一直致力于帮助女性进入议会，甚至可以这样说，安吉拉是梅决定进一步向政坛发展的决定性因素。"

要想进入议会，梅首先要争取获得候选人资格。那个时候，对于任何一位想要代表大的政治派别进入下院的女性来说，这都不是一件容易的事。以上一次大选为例，1987年，只有41位女性议员进入议会，只占下院全部议员的6%。保守党内部只有17名女性议员。在过去的几十年中，选举议员候选人的程序没有发生任何改变，也没有采取任何措施鼓励女性进入公共生活。在成为正式候选人之前，这些准议员们要经过一系列复杂的审批手续。即便到了20世纪90年代后期，保守党内部的准议员们还要参加周末评选，他们被要求陈述在一些重大议题，比如共同农业政策上的观点，党内领导者还要在一些细节问题上观察他们的表现，比如在晚宴的时候是否正确使用了刀叉等。前任内阁部长谢里尔·吉兰1992年进入议会，她说：

在过去，要想成为候选人必须经过两天的考验。他们会给你一个号码，你不能透露自己的名字。你要经受各个方面的考验，包括举行晚宴时的酒量。此外，你还要接受一次气氛融洽的面试和一次苛刻的面试。整场考验就像接受军训一样，要想通过绝非易事。

在各项考验都合格之后，竞聘者就可以向有缺额的保守党协会递交成为议员候选人的申请。出现缺额的原因不是在任者即将退休，就是在最后的选举中，选区又回到保守党手中。当地的保守党协会首先会列出一个长长的名单，然后再确定最终可供选择的候选人名单。申请成功的竞聘者还要经受另一轮的面试和评估，这无疑又是一次考验，特别是对女性来说。1997年，布罗德兰的议会议员基思·辛普森与梅一起入职议会，她说：

你根本不知道保守党发生了怎样的变化。我认为，我之所以在最后的决选中失败，最大的问题是我对死刑的立场不符合他们的要求。有一位非常聪明的女性，她的丈夫是一位农场主，他们两个都进入了面试。等待他们的将是一场鸿门宴。该组织的一名妇女问这位农场主："如果我们选择了她，会发生什么事儿呢？……她就要去伦敦工作了。"一位男性居然问他："你要怎么解决性的问题？"

梅的朋友桑德拉·比尔林回忆说：

在那个时候，女性当选候选人是一件非常困难的事情。当地的委员会中也有一些女性，但大部分都非常传统。我们也曾谈论过这个问题，找一个允许自己妻子忙于党内事务的丈夫是多么困难。当你回想往事的时候，你很难相信，那就是我们从小生活的环境。那个时候，保守的社团甚至不允许女性出入酒吧！

虽然梅表示听说过那个时候发生的一些匪夷所思的事情，但她坚称自己在申请成为候选人的过程中并没有受到歧视。"在整个竞选过程中，我没觉得自己被区别对待。"她说，"其他人可能遇到过一些不应该被问的尴尬问题，比方说，'如果你成为议员，你的丈夫怎么办呢？谁来为他做晚餐呢？'"[118]

在梅第一次争取成为候选人的过程中，性别当然是一个很重要的因素。1989年，她争取成为伦敦北部霍尔本和圣潘克拉斯的议员候选人，但这个选区历来是工党的大本营。在最终的评选会上，她以一票之差输给了一位名叫安德鲁·麦克哈勒姆的文职人员。至于她的性别是一个有利因素还是不利因素，历来众说纷纭。"男性都把票投给了她，因为那天她穿了一件皮裙，他们都很喜欢。"一位保守党人最近表示。

不过，更多的人还是因为她是个女人而投了反对票。[119]当天晚上，梅被婉言告知她落选了，多年之后，她才了解到事情的真相。“别人告诉我，因为那天我戴了一只手镯，气得一些人整晚上都在拍桌子。”2011年，在给伦敦北部一个保守党团体的信中，她写道：“但是，今晚又有人告诉我，我那天落选是因为裙子不够长。”[120]

对于达拉谟西北选区的保守党人来说，梅的着装显然是可以接受的，第二年，她也成功成为这一地区的候选人。在霍尔本这种工党的大本营，那些像梅一样雄心勃勃的政治家，总希望能练练手，展示一下自己的天赋，以便下次能申请安全选区。桑德拉·比尔林说：“我并不认为她对自己赢得选举抱有多大的期望，但这是一个很重要的仪式。她清楚地向别人表明，她已经投身政治，因为任何一个生长在温布尔顿，工作在伦敦，却在达拉谟议会任职的人显然是在证明自己决心投身政治。”从1987年开始，达拉谟西北选区在议会中的席位就被工党党员希拉里·阿姆斯特朗占据，在她之前，她的父亲自1964年起就占据着这一席位。保守党根本无法染指这一地区。阿姆斯特朗说：“这个席位历来都为工党所有，保守党只是将这一地区看作实验的平台，在这里参与竞选的保守党人也会去其他地区，做其他的事情。不过，这是他们争取议会席位的第一步。”

失败并没有阻止梅前进的脚步，她以更大的热情投入到选区的工作当中，甚至还在兰彻斯特的小村庄里买了一栋房子，距离达拉谟的中心城市仅8英里，这一地区向来被视为工党的大本营，而且梅在当地也没有什么可动用的资源，这一举动是很不寻常的，让默顿议会的人大吃一惊。西沃恩·麦克唐纳说：“她前往达拉谟并在那里买了一栋房子，我们都在想，‘你怎么供你的另一栋房子呢？’”那时候的房价没有现在这么高，但是温布尔顿的生活成本并不低。阿姆斯特朗则认为，买房子是一个很精明的做法。

她在达拉谟选区最好的村庄里买了一栋房子，从这个村庄去达拉谟市中心的交通非常便利。许多大学生都在那边居住。从成为该地的候选人到大选结束，她一共居住了两年，随后她把这栋房子卖掉。这个地方交通便利，因此房子很容易出售。

在梅成为该区候选人之后的两年半时间里，梅夫妇一直穿梭于温布尔顿和达拉谟之间，每逢周末，他们都会邀请北部的朋友来家中做客，请他们为竞选活动出谋划策。比尔林说："菲利普和她会定期前往那里，就像一个常年在旅途中奔波的杀手。只要一有空，她就会前往选区，我想，没有人能够质疑她的献身精神和努力。"希拉里·阿姆斯特朗说，梅总是很有策略，她知道如何才能够获得更多的选票，有时还会忽略公开的选举程序而做出一些出人意料的决定。"她开始着手争取保守党支持者的选票，我对此坚信不疑。"阿姆斯特朗说。

她从不筹划公共活动，也不公开发表竞选演讲，在计算选票之前，我从未遇到过她，这实在是太奇怪了。她所做的无非是邀请保守党人到家中做客，或者邀请那些对保守党的政策感兴趣的邻居到家中聊天。对她来说，这一举措成效显著。她频繁地出现在保守党有可能争取到选票的地方，而她也差不多获得了保守党支持者的全部选票。

梅的竞选风格可能被她的工党对手描述为利用"茶点时间"[121]和保守党的支持者聊天。但实际上，她投入了极大的时间和精力，而这也不是一件容易完成的事情。这个时候结识梅的新闻记者安妮·麦克尔罗伊写道："1992年，在工党的大本营，达拉谟西北选区，我看到了梅的坚持和失落。她挨家挨户地拜访支持者，就像一个稀有物种一样。有一次她去农户家中拉选票，却因为这家的牛要产牛崽儿而无人搭理。"[122]

1992年大选时，梅和阿姆斯特朗在达拉谟西北选区还有一位共同的敌人——自由民主党的候选人。这位候选人年仅21岁，是一位来自纽卡斯尔大学的学生，这是该郡历史上最年轻的候选人。他叫蒂姆·法伦，2015年，他成为了自由民主党的领袖。那个时候当地报纸上的竞选传单后来成为收藏家竞相收藏的东西。这些传单显示，梅当时留着一头短而直的头发，穿着花哨的衣服，对于达拉谟当地居民来说，俨然一副大都市人的打扮。1992年4月9日，阿姆斯特朗在计票现场见到了梅，她至今仍记得梅的装扮给自己带来的震撼。

她非常平易近人，表现得彬彬有礼。她穿了一件非常有质感且剪裁得当的品蓝色西装，留着一头短发，在那个年代非常引人注目，因为一头短发中还夹杂着一些白头发。她看起来就像……一位伦敦来的贵妇，我认为……有趣的是，在她前往梅登黑德之前的这段时间（下一次大选之前），她的装扮一直都很与众不同。我想，后来她可能意识到了这一点，尽量让自己看上去不那么像伦敦来的女人。

不管在公布之前，选举的最终结果有多么明显，大选那天晚上公布计票结果的时刻都是激动人心的。对于梅来说，这是她第一次争取获得进入议会的席位，因此这个时刻对她来说尤其重要。选举结果表明，她争取保守党支持者选票的策略取得了巨大的成功。虽然没有希望赢得这次选举，但她的努力使得保守党最终仅以38票的微弱劣势落败。那个时候，保守党在全国范围内获得的选票都在减少，而梅获得的成功表明，她是一个多么优秀的竞选者。随着夜幕降临，所有在达拉谟计票现场的人都在关注这个国家里发生的戏剧性一幕，出乎所有人的意料，保守党保住了执政党的地位，首相约翰·梅杰以21票的微弱优势成功连任。从达拉谟返回温布尔顿的途中，不管有没有珀塞尔激昂的音乐，梅的情绪都很高涨。她所在的政党依旧在威斯敏斯特执政，而她展示了自己出色的才能，对下一次竞选中获得良好的前景信心满满。阿姆斯特朗就很确信，她们两个还会在竞选中相遇。“我非常确信，她总有一天会成为国会议员，”她说，“不过我认为是在西南地区。”

梅下一个要争取的席位的确是西南地区，不过这次的情况甚至比达拉谟还要糟糕。1994年2月，工党议员乔·理查森在长期患病之后去世，她所在的埃塞克斯郡巴金选区的补选随即拉开序幕。自从1945年巴金获得议会席位开始，这一席位就被工党把持。但是，到理查森去世的时候，她的优势只剩下6000张选票。在这种情况下，保守党人或许能够赢得一场胜利。但是，当补选正式开始之后，梅杰政府又遇到了麻烦。18个月前，英国被迫脱离欧洲汇率机制，当时的财政大臣诺曼·拉蒙特浪费了几百万英镑也未能保住英国的成员资格，对政府的经济信誉造成了极坏的影响，由此引发了黑色星期三事件，直到此时，保守党依旧在这个泥潭中无法自拔。约翰·梅杰为了让保守党回到正轨付出了极大的努力，1993年在保守党大会上，他敦促国家"回归本原"，遵循传统的价值观念，但是却适得其反，引发了更加恶劣的影响。在那年冬天和来年春天，一系列的性丑闻被曝光，涉及三位保守党成员——戴维·梅勒、蒂姆·约和斯蒂芬·诺里斯，使得保守党沦为更大的笑柄。

在巴金选区补选正式开始的时候，正值"回归本原"理念的恶劣影响到达顶峰。埃塞克斯的保守党人正在留心寻找着候选人，标准就像《伦敦晚报》中提到的那样，"衣柜里不要有秘不可宣的丑事"。[123]最终，他们的目光锁定在了教区牧师的女儿——特蕾莎·梅身上。在她被选为候选人之后，当地的一位激进分子曾这样傲慢地形容梅："她非常无趣。"[124]和达拉谟西北选区一样，人们认为选择一位女候选人去对付工党的另一位女候选人是合理的，但梅这次的对手是令人敬畏的玛格丽特·霍奇，她是伊斯林顿议会的前任议长，后来还在托尼·布莱尔和戈登·布朗的政府担任过高级部长，在补选开始的1994年春天，巴金的保守党人对于梅的竞选也没抱什么希望。那个时候，一个名为布莱恩·库克的当地保守党议员说："像巴金这种地方，保守党人想要赢得胜利，除非等待奇迹发生，其实这里就是一个练手的地方。"[125]

补选投票定于1994年6月9日进行，在投票开始的几周前，悲剧再一次发生，梅身上的担子更重了。工党颇受爱戴的领袖约翰·史密斯因为心脏病突然去世，他的死亡一方面加深了公众对霍奇的同情，另一方面也增加了公众对梅杰政府的反感，从而使霍奇的选举前景一片大好。他的死亡还引发了几年后保守党的选举灾难，托尼·布莱尔几周之后被推举为工党领袖，新的一代人接管了工党，似乎预示着这个国家准备迎接一个新的开始。工党在这次补选中投入了所有的人力物力，派出了党内的大佬——布莱尔、芭芭拉、卡斯尔、约翰·普莱斯科特为霍奇助阵。

梅还是采取和上一次相同的策略，不公开发表竞选演讲，只是集中精力拉拢保守党支持者的选票。但是，和往常一样，她为了这次选举勤奋地工作，投入了大量的时间。当地的报纸都强调，尽管她来到这个地区仅仅几个月，但活动行程排得满满当当，也取得了一定的成绩。“我和那些受到英法海底隧道影响的人交谈，把他们的担心告诉交通部长……我把交通问题提交给当地议会……我把人们对这一地区未来的意外事故和应急措施的担心告知卫生部门……”梅说。[126]

但是，巴金地区的选民还是心有疑虑，在补选结果揭晓的那天晚上，梅、玛格丽特·霍奇以及自由民主党的候选人——21岁的学生盖瑞·怀特在当地百老汇剧院首次碰面。霍奇回忆说：“计票那天晚上，我印象中她穿得很像‘埃塞克斯女孩’，她还穿了一双吸引人眼球的鞋子。只要她站在那里，特征就一目了然了。”另一位在补选中为霍奇加油助威的工党议员珍妮特·亚历山大也有相同的感觉，她说：“梅的装扮像是刻意把自己打扮成埃塞克斯当地人，或者说让自己的装扮更接近我们，她有着一头金发，穿着一身樱桃色套装。在巴金地区补选进行的那几周里，她穿着长裙，戴着珍珠项链，这都是为这次竞选专门准备的。”[127]

6月10日清晨，补选的结果公布了，对于梅和保守党来说，这个结果简直就是耻辱。保守党的选票从之前的10000票跌至1976票，在三个党派中垫底，比怀特领导的自由民主党得票还低。《伦敦晚报》言辞尖锐地指出：“今天，埃塞克斯最悲哀的笑话就是，戴着蓝色花结的巴金选民狠狠地羞辱了保守党人。”[128]在她的获胜演讲中，玛格丽特·霍奇宣称：“巴金人民今天晚上的选择，就是下次大选中全国人民的选择，工党会再次成为执政党！”她的预言成为了现实。虽然结果并不出乎意料，但梅还是极度失望。安吉拉·朗博尔德和保守党总部一直向她保证，出现这样的结果并不是她个人的原因，而应该怪那个该死的政府。受到鼓舞的梅再次向新的席位发起冲击。

和霍奇一样，梅焦急地等待着下一次大选的到来。她已经在两个完全没有获胜希望的选区收获了鼓励和经验，她现在希望得到一个安全选区，一个能够成功的真实的机会。时间一个月一个月、一年一年地过去，伴随着一系列补选的失败，以及布莱尔领导下的新工党日益飙升的民意支持率，约翰·梅杰的优势在一点点地丧失，他对于即将到来的大选已经没有任何期待。但梅、霍奇还有其他的郡要等三年才能迎来下一次大选。对梅来说，这并不算一件坏事，虽然她对自己获得安全选区信心满满，但是时间一点点流逝，她被一个个选区拒绝。

她的性别可能是一个因素，直到1995年，也就是大选前的18个月，保守党也没有推举一位女性担任安全选区的候选人。有时候，梅会感觉到非常沮丧，她在图克斯伯里郡的格洛斯特名列第二，入选了肯特郡的两个选区的最终名单，这两个选区是查塔姆和埃尔斯福德、阿什福德。在这三个选区中，一个男人顶替了她在格洛斯特的资格，阿什福德选中了她在牛津大学的老朋友达米安·格林。“我现在依然记得，她是如何熬过那段时间的。”桑德拉·比尔林说。

这就是那时你不得不去做的事情，议员的职位出现空缺，走马灯似的更迭，一连串的人被提名为候选人，他们每次都要经历相同的过程：参加鸡尾酒晚宴、评论会以及一系列类似的事情。

这种情况为保守党总部敲响了警钟，保守党内部的大佬们意识到，即便地方党派的激进分子会反对，拥有更多的女性议员也有利于提升保守党的吸引力。随着工党在安全选区公布全是女性候选人的最终名单，下院的局面或许会为之一新，出现大量工党女议员。随着形势越来越明朗，保守党对此也越来越关注。随着三位“保守党美女”——吉尔·奈特、佩吉·芬纳、珍妮特·富克斯即将退休，保守党总部的一些官员开始担心，与工党相比，如果在大选之后再提出女性候选人名单，就会显得太过可怜。梅凭借在各个选区竞选的经验获得了巨大的优势，终于时来运转。1995年10月，根据一位保守党内部人士透露的消息，《卫报》报道说：

> 保守党现在的选举策略是，在下一次大选中，急需一位女性担任安全选区的候选人，一方面，威斯敏斯特的一些“保守党美女”将要卸任；另一方面，工党公布了一系列只有女性候选人的最终名单。在接下来的几个星期内，保守党的领袖们要重点关注两名女性候选人：内阁大臣的前任特别顾问埃莉诺·朗、温布尔顿议会议员及伦敦白领特蕾莎·梅。[129]

1995年10月，梅作为梅登黑德选区的候选人再次重回战场，梅登黑德是伯克郡新设立的选区，位于伦敦的西面。这个选区由以前的两个选区——温莎和梅登黑德、沃金厄姆——合并而成。这个新的选区被认为是保守党的安全选区，因此候选资格的争夺也是相当激烈，一共有300多位申请者，其中一些人甚至是现任议员，他们冒着丢掉原有选区的风险来参加评选。但是保守党的意图也很明显，他们不会选择那些懦弱的候选者。在选举可能遭受失败的情况下，放弃边缘席位而来竞选安全选区候选人的现任议员都遭到了轻视。其中克罗伊登的现任议员保罗·贝雷斯福德、伍斯特郡中部选区的埃里克·福斯、斯劳选区的约翰·瓦特都没有出现在最终名单上。其他的候选人也被拒绝，例如因边界变迁而失去伊灵阿克顿选区的乔治·杨先生，29岁的前任特别顾问、后来转行做媒体公关经理的戴维·卡梅伦。这个选区需要的是一个充满活力的、坚定的新面孔来担任议员，最终的候选人名单为特蕾莎·梅，后来成为吉尔福德地区议员的尼克·圣奥宾，还有高挑、聪慧的企业顾问哈蒙德，21年之后，梅任命哈蒙德担任她的内阁大臣。

1995年10月，让她欣慰的是，在保守党总部的支持下，在即将到来的大选中，她将代表梅登黑德地区竞选议员。座谈小组的一位成员菲利普·洛夫说，梅长期在地方政府的服务让她最终扭转了局面，否极泰来。“我们决定选用一位地方议会的议员，而她恰好在温布尔顿议会任职。”他说。“任命了梅之后我们发现，我们用一个人的价格雇用了两个人，因为菲利普·梅也非常优秀。”[130]座谈小组的一位成员艾玛·霍布斯当时就向记者表明，梅的性别并不是他们考虑的因素。“当特蕾莎走进来的时候，空气里都充满了自信的味道。就是这一点打动了我，她总是用积极进取的态度面对一切，对我而言，她是不是女性不会有太大影响。”[131]

桑德拉·比尔林说，长期以来，梅获得一个安全选区的愿望终于实现，她欣喜若狂。她实在是太激动了，梅登黑德距离伦敦很近，这样她就能兼顾两边的工作。我想，唯一让她有些忧伤的是，他们不得不离开温布尔顿温馨的家了。保守党总部也为这个结果感到高兴，据时任保守党副主席的埃里克·皮克尔斯回忆，在温莎和梅登黑德选区被分开之后，当时担任温莎和梅登黑德地区议员的迈克尔·特伦德前往温莎担任议员，他走进保守党主席布莱恩·莫辛尼的办公室，高兴地喊道：“我们有了一位女性议员！”“是的，她叫特蕾莎·梅。”皮克尔斯接着说：“和你想象的一样，我们也非常兴奋。”

虽然梅很兴奋，虽然作为保守党内部为数不多的冉冉升起的女性候选人，她吸引了越来越多媒体的关注，但她依旧如往常一样有条不紊地做好每一件事。桑德拉·比尔林说：“她个人的生活并没有发生什么改变。她还是很扎实，并没有浮躁。”就在她被确认为候选人的几天后，《卫报》在头版以“让部长们竞相追逐的候选人”为题对梅进行了介绍，这是梅首次出现在国家级新闻报刊的头版头条。在这篇文章当中，她并没有自吹自擂，当说起战胜其他高调的候选人时，她说：“在最后阶段，党组织可能认为我有丰富的经验，并能胜任这份工作。”[132]在其他场合，梅也强调，她怀着激动的心情迎接在议会的工作，但内心也“充满忐忑”，除此之外，她还表示，希望下院不是一个“对女性不友好”[133]的地方。当被问到菲利普成为保守党议员的丈夫有什么感受时，梅如是说：

有幸吃到这块大蛋糕，我的丈夫并没有什么疑虑，他非常支持我的工作，而且他也有自己的事业。我们刚认识的时候，他就知道我对政治很感兴趣，也了解政治对我意味着什么。他当然知道这份工作会牵扯我的精力。[134]

随着大选的临近，工党公布全由女性组成的候选人名单对新一届议会构成的影响变得越来越显著。作为为数不多的保守党女性候选人，而且还是安全选区的候选人，媒体当然要询问梅对此事的看法。她很清楚地表达了自己的立场："我坚决反对工党公布全由女性组成的候选人名单这一做法，我认为这是对女性的羞辱。"她说，"不管从事什么职业，我都是和男性完全平等的，我希望在政治领域也是如此。"[135]不过，她无意为提高女性在议会中的比重而奔走呼号，也无意在这方面成为党内最重要的提倡者。相反，她对于利用自己的新职位来帮助其他女性的提议是非常不屑的。"我依靠自己的实力成为候选人，我无意在提高女性的议会权利方面有什么建树。"[136]约翰·埃尔维奇说，在入主议会之前，梅就明确表示过自己对男女平等的看法。"我不认为特蕾莎·梅是传统意义上的女权主义者，但她一定认为女性可以进入政治领域，不应该低人一等。"

在她当选的几个月之内，梅夫妇就卖掉了位于温布尔顿多拉路上温馨的小屋，用直接付现的方式在桑宁村买了一栋拥有五间卧室的乡间别墅。这栋别墅依泰晤士河而建，位于梅登黑德选区的西部。在杰罗姆·K.杰罗姆所著的维多利亚风格幽默小说《三人同舟》中，桑宁被描述成"整个泰晤士河流域最具童话气息的角落"。[137]如今这个村庄成为众多富豪的聚集地，一方面这里与伦敦交通便利，另一方面这里散发着传统的魅力。英国摇滚乐队齐柏林飞艇的吉他手吉米·佩奇、英格兰男子足球队的前主教练格伦·霍德尔、魔术师尤里·盖勒近几年都生活在这里。在许多粉丝的眼里，最近这个地方最耀眼的明星并不是首相，而是好莱坞演员乔治·克鲁尼，他和妻子阿麦勒2014年刚在此地购入了一套房产。

不管从哪一方面来讲，菲利普夫妇都把桑宁当成了他们的家。他们在附近的商区买东西（梅拒绝别人将日用品直接送到家中，因为她非常喜欢在特怀福德附近的维特罗斯商店闲逛）；她去附近的理发店修理头发，这家理发店就位于沃格雷夫街上，距离她家只有5分钟的车程；他们经常去一家精致的咖喱馆就餐，这家餐馆位于附近一个叫库克姆的村庄里。很自然的，她星期日大多都去桑宁村里的圣安德鲁教堂做礼拜，在举行圣餐仪式的时候，菲利普就在一旁充当侍者。可以说，梅认识这里的每一个人。

不管是之前作为内政大臣，还是现在作为首相，梅的行程都安排得满满当当。但之前做选区议员时的奉献精神一直保持了下来。最近当选伯顿地区议员的安德鲁·格里菲斯曾在21世纪头十年中期为梅工作，他说梅将梅登黑德与伦敦之间的火车时刻表烂熟于心，"所以当一份新的火车时刻表出台的时候，她马上就知道她的选民得到的服务变得更好了还是更差了。"

在许多担任选区议员的同事里面，不管是付出的时间还是投入的精力，我认为他们都无法与特蕾莎·梅相提并论。在她担任内政大臣期间，甚至在成为影子内阁的成员之后，她也依然会花费大量的时间拜访梅登黑德的选民。这是她最重要的行程安排，通常会被排在最前面。她可能要上马尔的电视节目，她可能急着去曼彻斯特发表政治演说，但她绝对会首先预留出去选民家中拜访的时间。

梅登黑德地区保守党主席菲利普·洛夫最近证实，尽管梅的地位越来越高，但她依然关心地方党派的事务。"当我们外出拉选票的时候，或者地方议会举行一般选举的时候，她都会积极参加。当我们敲开选民的家门，询问他们：'您愿意和内政大臣聊聊天吗？'你简直无法想象他们的表情。我想，他们现在肯定会更惊讶了！"[138]

就像她决定投身政治领域之后，认真准备的其他选举活动一样，梅开始了在梅登黑德的竞选活动，依旧是那样不知疲倦和全心投入。在接下来的18个月时间里，她发布了无数次新闻通知，拜访了成千上万个选民，有条不紊地处理各种事务。1996年10月，在她40岁生日即将到来的时候，她甚至成功邀请到约翰·梅杰来参加自己的生日宴会。她的努力工作得到了回报。

1997年的大选之夜，她穿着一套品蓝色的西装套裙，戴着玫瑰形饰物现身计票现场。（很快她就后悔以这种装束出现在现场，仅仅五年之后，她说："昨天，我看了1997年选举时拍的照片……我在想，'天哪！我真的以那样的发型，那么一身保守的蓝套装在选民面前亮相吗？'"）[139]当选举结果公布时，她得知自己获得了一场辉煌的胜利。她总共获得25344张选票，几乎占到全部选票的一半，以11981张选票的优势大获全胜。当天晚上，菲利普也现身支持，他们的喜悦溢于言表。不过，在全国范围内，保守党遭遇了自1906年以来最惨重的失败，那天晚上之后，他们失去了一半以上的席位，保守党在下院仅获得了165个席位。梅这样描述自己那天的心情："我赢得了议会中的席位，理应有庆祝活动，但保守党总体的颓势让我觉得很悲伤。"[140]在接受当地一家媒体采访时，梅表达了她开始新工作的迫切心情。"担任下院议员不同于其他工作，我的心里既激动又恐惧。"她说，"现在最重要的是尽快安下心来，我会继续努力工作，不辜负选民对我的期望。"[141]在以后的政治生涯里，她一直践行着这一誓言。

>>>

117.《荒岛唱片》，同上。

118.《成为保守党主席后的第一次报纸采访：戴安娜·里格与西比尔·福尔蒂的会面》，马修·德安科纳，同上。

119.《对霍尔本和圣潘克拉斯来说，特蕾莎·梅的裙子太过火了》，理查德·卫斯理，《卡姆登新日报》，2016年7月13日。

120.《内政大臣原谅了霍尔本》，理查德·卫斯理，《卡姆登新日报》，2011年6月9日。

121.《特蕾莎·梅：从达拉谟西北部到唐宁街10号》，克里斯·劳埃德，《北方回声报》, 2016年7月11日。

122.《梅的民意测验》, 安妮・麦克尔罗伊, 《伦敦晚报》, 2013年4月4日。

123.《特蕾莎・梅: 37岁的默顿议员, 圣休学院的毕业生》,《伦敦晚报》, 1994年3月22日。

124.同上。

125.《1994年巴金补选中, 特蕾莎・梅努力让自己看上去像个埃塞克斯女孩》, 伊恩・伯恩斯, 《巴金和达格南邮报》, 2016年7月18日。

126.《保守党争取议会席位》,《巴金和达格南邮报》, 1994年6月1日。

127.《1994年巴金补选中, 特蕾莎・梅努力让自己看上去像个埃塞克斯女孩》, 伊恩・伯恩斯, 同上。

128.《埃塞克斯的选民笑到了最后, 这是给保守党人开的天大笑话》, 汤姆・伦纳德, 《伦敦晚报》, 1994年6月10日。

129.《随着"美女"卸任, 女性的缺乏引发担忧》, 迈克尔・怀特, 《卫报》, 1995年10月26日。

130.《乔治而不是杰里米支持特蕾莎》, 罗伯特・哈德曼, 《每日邮报》, 2016年7月16日。

131.《保守党的女性都盼望着属于梅的那一天——1997年大选》, 迈克尔・埃文斯, 《泰晤士报》, 1997年4月22日。

132.《让部长们竞相追逐的候选人》, 丽贝卡・史密瑟斯, 《卫报》, 1995年10月10日。

133.《保守党的女性都盼望着属于梅的那一天——1997年大选》, 迈克尔・埃文斯, 同上。

134.《让部长们竞相追逐的候选人》, 丽贝卡・史密瑟斯, 同上。

135.同上。

136.《保守党的女性都盼望着属于梅的那一天——1997年大选》, 迈克尔・埃文斯, 同上。

137.《三人同舟》, 杰罗姆・K.杰罗姆, 企鹅出版社, 经典系列丛书新版, 2004年3月。

138.《乔治而不是杰里米支持特蕾莎》, 罗伯特・哈德曼, 同上。

139.《特蕾莎・梅的成功》, 艾米丽・贝恩, 《星期日电讯报》, 2002年6月2日。

140.《荒岛唱片》, 同上。

141.《曾几何时: 1997年对梅登黑德新任议会议员特蕾莎・梅的采访》, 尼古拉・海恩, 2016年7月11日。

>>> 06

入主议会

1997年5月，特蕾莎·梅开始在英国下院工作，在漫长的历史进程中，此时的下院正发生着前所未有的巨大变革。最显著的是，这届议会里共有120名女性议员，所占比例超过了18%，不仅如此，随着新工党上台执政，在议会中任职的议员是历史上最年轻的一届，对威斯敏斯特以外的社会给予了更多的关注（但是多样性显然不够，本届议会中只有三名少数族裔议员）。托尼·布莱尔领导的工党获得了418个席位，获得了压倒性的胜利。179个席位的优势，不仅意味着工党获得了历史性胜利，而且还对他们的对手——保守党造成了极大的影响。保守党一直享有政府第一大党的称号，这是他们战后统治地位的象征。自从1979年成为执政党以来，大部分保守党议员从未落选，现在他们中的许多人灰心丧气，感觉前景黯淡。保守党在下院的席位从343席减少为165席，减少了一半还多。他们戏剧性地看着那么多朋友和同事一夜之间失去在议会的席位，许多在选举前自信满满的议员，在保守党传统的安全选区意外落选，新上任的保守党议员，比如特蕾莎·梅不由得萌生一种感觉："这是上帝对我的恩赐。"保守党在1997年大选之后沦为在野党，而那些获得议会席位的保守党议员都像幸存者一样，心中萌生出一种愧疚之情。在这次遭遇惨败的大选之后几年里，他们在逆境中奋起的速度决定了谁将来会一鸣惊人，谁又会一蹶不振。

由于工党在1997年大选中获得了压倒性的胜利，因此和过去相比，保守党吸收的新议员寥寥无几，其中只有5名女性——朱莉·柯克布兰德、埃莉诺·莱恩、安妮·麦金托什、卡罗琳·斯佩尔曼和特蕾莎·梅。现在，下院总共也只有13名女性保守党议员。在这些人中，许多已经对威斯敏斯特议会非常熟悉，有过在保守党总部工作的经验，甚至担任过部长顾问，但对于梅来说，这却是一个全新的世界。在这届议会当中，她只有寥寥几个朋友，其中包括她的良师益友雅基·莱特（安吉拉·朗博尔德也在这次全线溃败的大选中落选），还有在候选人竞选过程中认识的两位朋友——蒂姆·劳顿和埃莉诺·莱恩。在她进入议会的第一天，她就和两位牛津大学的校友熟络起来：1992年成为下院议员的艾伦·邓肯，与她在1997年一同入职议会的达米安·格林。

这么多年来，梅一直保持着较高的姿态，表明自己的目标就是获得议会中的一个席位。保守党总部显然认为，作为一个女性，她已经获得了一个安全的港湾，一旦进入议会，她就算是一个名人了。第一天上午，她允许BBC的摄制组去自己家中拍摄，因为她已经准备从桑宁搬往威斯敏斯特。那天下午，一个记者问她，保守党领袖是否准备送她到礼仪学校进行训练，以适应即将到来的议员生活。不，她厉声说，想把自己和千篇一律的“布莱尔宝贝”区别开来：“我们只想让人们保持原有的生活状态。”[142]

虽然梅尽量不出风头，但许多保守党议员还是注意到了她。谢里尔·吉兰说：“现在作为女性太与众不同了，因为议会中的女性屈指可数，我们太引人注目了。梅为了获得这个席位付出了太多努力，她参加过补选，挨家挨户地拜访过选民。”

1997年大选之后，和梅一起入主议会的安德鲁·兰斯利说：

当我们走进议会大厅时，眼前的景象证明，女性议员比我们想象中的还要少。那些本以为占据优势，处于保守党安全选区，却意外落选的议员达到了两位数。实际上，我不记得特蕾莎·梅是否保住了席位，但是在入主议会之前，肯定有很多人做的工作要比她多。

和在这次大选当中获得席位的其他保守党议员一样，吉兰记得，1997年之后的那段时间非常煎熬。“梅进入议会的时候，正是保守党最困难的时候。我们在议会中的席位大幅减少，我们的统治垮台了。那时的保守党处于谷底，两边都是悬崖峭壁。”你会感到很内疚，“为什么我获得了席位而其他人没有？”

进入议会之后，梅发现她经常被人错认为101位新工党“布莱尔宝贝”之一，她宣称自己并不在意这种错误。[143]在下院的首次演说中，她提到了一件事情：工党议员欧尼·罗斯敦促她为一份议员个人法案投票，“当我看着他问‘为什么’的时候，我感觉他整个人都愣在了那里，很显然，他把我错认为工党的议员”。桑德拉·比尔林说，起初，由于保守党女性议员特别少，因此梅不得不和年轻的、聪慧的男性做朋友。

> 她和许多人的关系都非常好，比如达米安·格林，这些人对世界的看法和党内较年长的人大相径庭……这些人早已习惯和女性一起共事，所以我不确定，是否真有听上去那么孤立。165名议员中只有13名女性议员，所以你肯定会结识一些年轻的男性。

梅还是不可避免地引起了别人的关注，谢里尔·吉兰说：“工党的女性议员比我们多得多，当梅进入议会大厅的时候，显得非常安静、节制、严肃和敏感，这对我触动很大，除了认为她很保守之外，我想不到任何负面的词汇来形容她，我甚至认为她有一点害羞。”刚刚失去内政大臣一职的迈克尔·霍华德在大选之前就见过梅，从一开始就很敬佩她。“我记得很清楚，我们第一次偶遇时……她还是一个候选人。”他说，“我去的那个地方刚好是她……担任候选人的选区，她问了许多尖锐的问题，给我留下了深刻的印象……她肯定是那种很有个人主见，个性鲜明，清楚自己想要什么的人。”

如果说梅给霍华德留下了深刻的印象，这种感觉其实是相互的。大选失败之后，约翰·梅杰立刻宣布辞去首相一职，保守党内部的党魁之争也随即展开。虽然梅嘴上什么都没说，但她已经决定支持霍华德。安德鲁·兰斯利说："我不记得特蕾莎支持的是谁，这已经不是第一次了，她很少公开表明自己的立场。"6月10日是党魁竞选第一轮投票的日子，大批记者在下院14号会议室等待着，投票箱就放在那里。梅开玩笑地对记者说："我没有告诉任何人我会投票给谁。"一位记者大声回应道："好吧，那你就找不到工作了。"[144]梅和霍华德都不走运，在首轮投票中霍华德得票垫底，直接被淘汰出局。

曾在梅杰政府担任威尔士事务大臣的威廉·黑格寻求过梅的支持，他说：

> 1997年保守党陷入了令人绝望的境地，梅是新任议员之一，这些议员都要参与即将开始的党魁选举，因此，像我这样的人必须尽快了解他们。我记不清楚第一次和她会面是什么情景了，但在那次党魁选举期间我们的确见过面，因为我见了所有的议员。据我所知，在那次选举中，她支持的人并不是我。我的第一反应就是竭尽全力获得她的选票，但最终好像都失败了。

在9天的竞选接近尾声的时候，尽管黑格很年轻，经验也不丰富（那时他只有36岁），但他却在候选人当中脱颖而出，被许多保守党议员视为能够战胜前任法官肯尼思·克拉克的不二人选。虽然肯尼思人气很高，而且经验也很丰富，但是在许多保守党议员眼中，与欧洲的紧密联系已经让他失去了担任党魁的资格，因为这些议员还很难忘记上届议会时在马斯特里赫特遭受的耻辱。作为一名新议员，梅对这件事的感受当然不如那些老议员深，黑格认为，她在最后一轮投票中支持了克拉克。他说：

> 所有人都认为她在那次选举中支持了肯尼思·克拉克而不是我……虽然我得到的选票比我们预想的要多，但我并不确切地知道，谁投票支持了我。如果梅属于保守党内部的什么派别的话，那她应该

属于所谓的温和派。她应该不属于右派，因为右派都投票支持我而反对肯尼思。“不要让一个亲欧洲的人成为保守党的领袖”，不过很显然，这并不是她关注的问题。

如果梅真的支持了克拉克，那么她可能要再次失望了。在最后一轮竞选中（那时，只有议员才有在最后一轮竞选中投票的资格），黑格以55%的得票率当选为保守党领袖。

黑格并没有因为梅在竞选中没有投票给自己而责备她，相反，他很关注新晋议员刚进入议会时的表现，以便在这个实际上已经支离破碎的政党的支持下，获得一个议会前排的座位。作为新晋议员的安德鲁·兰斯利很快就发现，虽然她们的政党处于困境，但还是有机会的。一方面，保守党可以利用繁复的议会程序来敦促经验尚不丰富的政府承担起责任；另一方面，这些新晋的议员在保守党这个小池塘里起码算得上一条中等的鱼，可以尽情施展自己的才华。

刚开始进入议会时，我们内心非常恐慌。因为你知道，党内就有很多人和你的步调不一致。大选的结果让一些年长的、资历深的同事深感震惊，他们变得畏缩不前。为了让党内事务有序地推动下去，我们这些新晋议员不得不积极地参与进去。对于我们这些新手来说，那种恐惧并没有持续太长时间，因为我们有太多的事情要忙。那时还没有便于照顾家庭生活的工作时间安排，也没有限制辩论时间的制度，习惯了在野党的地位之后，保守党人很快就意识到，如果认真工作，他们还是可以牵制工党。我们在议会当中敦促政府逐渐负起责任，工作卓有成效，在我们的监督下，工党的工作也越来越努力。我们的想法就是重建信誉，激发我们的思考。

下院的环境发生了巨大的改变，为充满活力的新晋议员提供了无限的机会，梅也意识到了这一点。1997年7月2日，她利用议员的首次演讲详细阐述了教育机会均等的理念，抨击工党废除公助学额计划的举措，这一计划旨在为那些出身贫困家庭但品学兼优的学生提供全额或部分奖学金，让他们有机会进入私立学校深造。“公助学额计划不仅能够帮助那些聪慧的学生，对于那些来自贫困家庭或者有特殊社会需要的孩子来说，也是一条获得帮助的重要渠道。”她在讲演中说。

她在议会中提出这一系列干预措施，让保守党的同僚对她刮目相看，其中就包括威廉·黑格。梅很快就喜欢上了在议会发表演讲，每次她都能感受到新的东西。“下院议会厅最有意思的地方在于，当你踏入那个房间的时候，你永远无法确切地知道会厅中的气氛。”她说。[145]其他人也越来越喜欢梅的演讲，后来成为内阁大臣的自由民主党人温斯·凯博和梅一起进入议会，他说：“在下院，她是一位非常优秀的演讲者，她的声音很悦耳，那种圆润又恰到好处的声音对她的演讲颇有助益。在那种环境下，她的仪态和声音让人感到非常舒服，而且她每次出现都自信满满。”

7月底的时候，《泰晤士报》在新闻报道中就将梅列为“等待机会的后排议员”，将她的名字和埃莉诺·莱恩、尼克·圣奥宾（梅登黑德候选人竞选中梅的手下败将）和未来的下院议长约翰·伯科放在一起。文章报道她“因为有强烈的抨击欲望而给负责组织工作的议员留下了深刻的印象……”[146]梅现在被派往颇具影响力的下院教育委员会任职，该委员会的主席是玛格丽特·霍奇，三年前，她曾在巴金的补选中击败梅。霍奇也对梅的奉献精神颇有感触，而她在委员会的行事方式也为她赢得了更多的关注。那一年年末，《独立报》称她为新晋议员中最具天赋的一位，称她正在“引人关注”，[147]并且暗示黑格有意让她坐到议会的前座。不久之后，黑格果真这样做了。

1998年6月，在她进入议会一年多之后，黑格注意到了《独立报》的建议，同意梅以新手的身份进入影子内阁的教育和就业部门，由此梅迈出了她晋升的第一步。大选之后，保守党严重缺乏人才，而经过1997年大选进入议会的这批议员，包括埃莉诺·莱恩和达米安·格林在内，都凭借这次机会以令人咂舌的速度成为了前排议员。鉴于梅在默顿议会教育委员会的工作经验，以及长期以来对教育政策的浓厚兴趣，这个职位非常适合她。

虽然保守党内部对于新晋女性议员以如此快的速度走向前台有一些抱怨，但梅的同事都认为，她应该被提拔。基思·辛普森说：

保守党高层缺乏女性成员颇受诟病，约翰·黑格面临着严厉的指责，这些指责部分来自媒体，但更多的来自工党。作为女性无疑是一个优势，而且保守党内部的女性太少了。许多早在1997年之前就进入议会的男性议员都觉得，“天呐！你只是一个穿着短裙的该死的女人，竟然得到了晋升。”这太不公平了，既然直接得到晋升的人可以是特蕾莎和卡罗琳·斯佩尔曼，那（我们）也应该马上被提升到议会的前排。

安德鲁·兰斯利接着说：

在新晋议员当中，她无疑是最聪慧的一个，议会当中有很多能干的人……但在当时的情况下，能够胜任工作的女性最有可能获得晋升。

黑格自己也承认，在决定把梅提升到议会前排时，性别是一个非常重要的因素。但他坚称那不是唯一的因素，甚至不是什么决定性的因素。

那个时候，我们只有十一二名女性议员，我想更快地提升她们。作为一名新议员，她利用那个平台很好地展示了自己的天赋，她给我留下了深刻的印象，当然了，我也希望保守党在前排就坐的议员都能满腹才华，对事情能够提出不同的观点。

除了教育委员会的工作之外，黑格还任命梅担任保守党的女性发言人，在接下来的15年中，她一直担任着这一角色。

事实证明，让梅担任女性发言人的决定是正确的。在她进入议会的前几个月里，她就意识到了两个问题：第一，如果一个女性议员不注意自己的生活方式，不仅会危害自己的身体健康，还将危及她在议会之外的社会关系；第二，虽然她在大选之前表现得非常自信，但在一个男性占统治地位的舞台上，作为一名女性，她可谓举步维艰。实际上，议会尤其是一个对保守党女性议员不友好的地方，而且这种感受越来越深。这两点并非没有联系，从一开始，作为一个对自己生活的各个方面都安排得井井有条的人，梅发现下院难以捉摸的工作方式对她来说是一种挑战。进入议会几周之后，她承认适应这种生活方式非常困难，“这是一种完全不同的生活方式……就像是一个来自商人家庭的人，充满了不确定性，日常生活毫无秩序可言……”[148]桑德拉·比尔林说，无论如何，梅都没有抱怨过她的新生活。“她能够很好地处理一切，她并不是那种会喊‘哦，天呐，今天竟然发生了……’或者‘有人说……’的人，我甚至不记得她抱怨过什么事或什么人。”

梅的行程总是很紧张，时间也不够用，因此她在皮姆利科买了一栋公寓，走路去下院只需要10分钟。如果投票进行到很晚的话，她就会住在那里。一开始，梅本打算经常回梅登黑德，但是路上就要花费至少90分钟，后来就改为有需要才回去。在她进入下院后不久，自由民主党发起了一场“强行免职”运动，许多知名度高的保守党人均成为这次运动的目标，梅也是目标之一。基思·辛普森说：“我们当中的许多人，包括她都成为自由民主党攻击的目标。在一年多的时间里，自由民主党一直说要‘强行罢免’她。所以从一开始，我们不仅要在议会努力工作，因为我们的人数太少了；我们还要在选区内努力工作，争取选民的支持。”

每天除了要应付紧张的行程、不规律的作息，大部分时间还要在外就餐，许多议员都出现身体不适的情况，因此梅决定采取特殊的措施保证自己的身体健康。她制定了一个严格的健身计划并一直持续到今天，她说：“在我初次进入议会6个月后，我就意识到，鉴于议会那种繁忙的生活节奏以及雪花般的邀请函，我要么现在就去健身房，要么就要牺牲自己的健康。”[149]她位于桑宁的家附近有一处健身房，她聘请了一位私人教练，每周都坚持去健身房三次。

梅做出的第二个决定或许是无意识的。那时，酒文化在议会生活中颇为盛行，梅在很早的时候就选择拒绝这种文化的熏染，尤其是她刚进入议会的那几年。布莱尔政府引入了照顾家庭生活的办公时间，在此之前，只要投票到很晚的时候，饮酒就是一种惯例。议会议员的作息时间很不规律，一周总有几次要投票到很晚，因此不仅是那个时候，现在也有很多人习惯在议会的酒吧里消磨时间，那里有打折的酒在促销。议员的工作性质决定了他们都是善于社交的人，即便那些酒量不大的人，也愿意和自己的同事一起喝喝酒、聊聊天。从白天到晚上，议员们都会在各个餐厅、茶室、吸烟室以及下院的边边角角喝酒，开展社交活动。尽管如此，梅还是采取了截然不同的生活方式，如果不是出于害羞的话，你可以认为这种方式有些保守，她不明白自己的这份新工作为什么还要牵扯自己的社交生活。结果她很快就赢得了一个“不善交际”的名声，在她职业生涯的大部分时间里，这个评价都尾随着她。

桑德拉·比尔林坚持认为，梅不愿与她的议员同事们交流，并不意味着她是一个不友善的人。实际上，在进入议会伊始，梅就非常重视和以前的朋友加强联系。

她得到这个评价是因为她不善交际，但是否善于交际，却是以男性的标准来衡量的，实际上，女性一般不做那些事情。在喝酒或者在俱乐部与人闲聊的过程中处理公事，绝大部分女性都不会采取这种方式。如果有公事要处理，就在办公室把它处理妥当。工作的时候会全力以赴，工作结束之后就会回家，她们绝不会在家和办公室之外的地方停留，例如酒吧。

对于这种许多议员都习以为常的生活方式，梅也表明了自己的立场：“当我进入下院的时候，我还有一种身处吸烟室的感觉，还要和自己根本不想搭理的人聊天。我想，还有工作要做，你一定要先完成本职工作。”比尔林始终认为，梅非但不是不擅长社交，相反，她是一个很容易交往的伙伴。“实际上她是一个很幽默的人，我认为这样的人并不常见。通常情况下她非常接地气，她只是一个普通人而已。许多人成功之后就会变得傲慢自负，而你在她身上完全感受不到这些。”

但是，许多同事觉得梅的方式充满了敌意，近十几年来，兴起了许多供议员们娱乐的酒吧和社团，他们一般都把梅排除在外。基思·辛普森说：

> 她从来不被邀请去餐厅和俱乐部，为什么会这样？好吧，是因为她是女人吗？当然不是，当我1998年被邀请参加那个俱乐部的活动时，那里至少已经有两位女性了——吉兰·谢波德和弗吉尼亚·博顿利。她不是很热爱工作吗？她不是很喜欢辩论吗？俱乐部也有很多场辩论，人们不邀请她，是因为她可能只会说：“哦，不好意思，我没有时间。”

安德鲁·格里菲斯说，梅只是单纯地认为，她应该凭借才能而不是社会关系而获得尊重。

> 特蕾莎最有意思的地方，也是最重要的特点是，她从不随波逐流。她不太喜欢俱乐部里的一些东西，她从不去茶室和同事们聊天，也不会为了迎合同事而去吸烟室。她只专注于自己的事情，一些人觉得她难以理解，另一些人会因此而疏远她，但她从不会像其他人那样，为了向上爬而随波逐流。从某种程度上讲，这是一条很艰难的路。在议会里面，你能够看到派系和团体，能够看到相互扶持和鼓励，在一颗冉冉升起的新星周围，通常会聚集一大批人……特蕾莎只是按部就班地工作。

在进入议会的第一周，梅一直坚持她和男性议员没什么两样。“我没觉得我们有什么不同，我坐在那里也不觉得自己是个女人。”她说，“我只是在做一份工作，像其他人一样在党内担任一个职务。”[150]然而，不久之后她就改变了自己的想法。对于女性议员如何安排自己的生活，梅想效仿保守党内部比较年长的女性，看看她们是怎么做的。结果她发现了两种截然不同的方式。第一种的代表是下面两位：令人生畏的前任内政部长安妮·维登库姆；以及特蕾莎·戈尔曼，她是上届议会中反对《马斯特里赫特条约》的领导人之一。很显然，这种生活方式并不适合她。安德鲁·格里菲斯说："特蕾莎·戈尔曼的格言就是，你必须比男人还要男人。梅绝对不会那样。她认为没有必要把自己弄得像个男人。"这个国家的第一位女首相玛格丽特·撒切尔喜欢和男性共事，但梅也不太喜欢这种方式。后来协助梅从事党内妇女工作的安妮·詹金说："撒切尔是外来者。她是男人的女人，这是她成功的秘密所在。她喜欢男人，比起女人来，她更喜欢男人。但我不认为特蕾莎是这样的人。"

当然，还有另外一种生活方式，这种方式以雅基·莱特、前任内阁部长吉兰·谢泼德和弗吉尼亚·博顿利为代表，这种生活方式比较适合梅。这些人承认，作为女人，她们和男人拥有不同的地位和状态，她们还致力于帮助那些后起之秀，而谢泼德是她们当中的佼佼者。在政坛摸爬滚打这么多年，这位教育大臣见惯了对女性的歧视。在进入一个政府部门的时候，她竟被告知没有女厕所。因此，她下定决心帮助那些保守党新晋女议员，现在，她把注意力放在了梅身上。基思·辛普森说："吉兰非常关心新晋女议员，总是为她们提供力所能及的帮助，她想帮助她们获得成功，想让她们有更好的发展，这一点毋庸置疑。"

当梅在议会这个充满挑战的环境中大展拳脚时，她可能会感谢吉兰给予她的这种支持。议会的这种环境可能会让最有信心的新议员打退堂鼓，那个时候，谢里尔·吉兰就认为梅并没有看上去那么自信。她说："我不认为她一开始就有信心，但信心是一直在提升的。议会是一个充满竞争的环境，胆怯在任何时候、任何情况下都有可能跳出来。"基思·辛普森也认为，梅在进入议会的前几年面临着巨大的挑战，"议会是一个需要较强社交能力，男性占主导地位的地方，一开始的时候，她拼命工作，渴望获得成功，因为她知道，人们评价她的标准要比评价男人的标准高得多。"

在整个政治生涯中，她从三位良师益友那里获得了无限的支持，这三个人是安吉拉·朗博尔德、雅基·莱特、吉兰·谢泼德。梅开始对有关妇女的事务感兴趣，甚至还会参加议会为女性议员举办的各种各样的跨党派活动，这些活动让她深受触动。不仅因为她是唯一一个参与这些活动的保守党议员，而且还因为她深切体会到了工党女议员们的团结，在提升她们的自信心以及巩固她们在党内的地位上，她们所形成的那股力量是多么的无价。尽管有莱特和谢泼德的支持，尽管她也交了两位新朋友——埃莉诺·莱恩和朱莉·柯克布兰德，但她还是突然感觉自己十分孤立。

安妮·詹金和莎拉·蔡尔兹都在接下来的几年里帮助梅成立了一个组织，事实证明，这个组织在培养保守党女性议员方面成效卓著。尽管梅在1997年大选之前一直宣称自己“没有野心”帮助女性进入议会，但早期在议会的经历促使她成为提高女性在议会代表权的主要倡导者，詹金说：

在她刚入选议会的时候……议会中共有13名保守党女议员，但是丝毫没有团结的精神，也没有一个时髦的女性。她入选议会之后所做的事情，远远超过了你所谓的政治领域中的女权主义。当然了，1997年大选之后，工党突然多了100多位女议员……所以，特蕾莎经常出现在她们的聚会上，和她们讨论男女平等的问题，然而，她们却对她相当傲慢，经常会问她一些莫名其妙的问题，诸如“你是一个保守党人，你觉得你出现在这里干什么？”她必须独自解决这些问题，我敢打赌，这些事情对她观点的转变绝对有影响。我觉得她可能在想：我们需要的更多，肯定不仅仅是我遇到过这些问题。

蔡尔兹说：

显而易见的是，保守党的女议员在议会中占绝对少数，或许那个时候，鉴于大部分人在不同的时间进入议会，保守党女议员的群体认同感甚至还不如大学生强。特蕾莎·梅、卡罗琳·斯佩尔曼、埃莉诺·莱恩和之前入选议会的人根本就不是一代人。保守党女性议员在下院大厅中看一看，突然发现工党议席上坐着更多的女性，当她们环顾自己的议席时，发现女性实在少得可怜。我想这些女性开始意识到一些问题，比如说在政治上要团结一致。

桑德拉·比尔林说，不管是在议会内还是在议会外，梅都有足够多的朋友和盟友，这使她觉得不至于完全被孤立。但毫无疑问的是，她觉得议会对妇女充满了敌意。“我们面临着难以想象的困难和辛苦，当所有的决定都由男人来做的时候，他们倾向于寻找在其他男人身上也显而易见的特征。”

这时，梅适时地将推动女性进入政治领域作为她的首要工作，目前，她进入议会已经是第二个年头，她把自己的精力主要放在了教育领域。在为宣布她进入影子内阁教育与就业部门而举行的记者招待会上，她坦诚，第一次出现在“议会前排”让她感到诚惶诚恐，一年前，她刚刚成为下院议员的时候，她也用了这个词来形容自己当时的感受。

重要的日子终于来了，她作为教育与就业部门的发言人首次登台。梅迈着自信的步伐走到反对党演讲席前，询问有关取消工作场所托儿所的税收减免问题，这个问题很微妙。当时教育与就业部门的二把手哈里特·哈曼用异常和顺的态度回答了她的问题。首先，她对梅获得这一职位表示了祝贺，接着她说：“我非常欢迎她提出的问题，关于工作场所托儿所的税收问题，我会随时向她公布最新的信息。今天，她站在了演讲席上，而且提出了一个非常重要的问题。”在接下来的20年中，这两位各自党派中资历最深的女性打过无数次交道，而这是第一次，也是一个不同寻常的温馨的开始。

媒体对于特蕾莎·梅在议会前排的首次亮相反应热烈，《卫报》和《泰晤士报》的议会专栏撰稿人都用热情洋溢的词语赞扬了她，《泰晤士报》甚至还使用了“清新”一词。[151]在漫长的夏季休会到来前的那几周内，在同事的眼中，她的表现一如既往的好。她很快就表明了自己的立场，反对政府削减文法学校的预算，后来在她成为首相后的几周内，她还采取了一项有意思的措施，旨在扩大教育体系的选择，此举引发了一些争议。时任保守党教育与就业部门新闻发言人的彼得·克拉斯克对梅的印象同样深刻，“她表现得很好”，他说。

她进入议会仅仅一年多，因此还在适应那里的环境。她将教育与就业部门的事务安排得井井有条。她……非常专注于抨击政府的政策和提升我们的工作，我发现她非常平易近人。

漫长的夏季休会结束后，新一轮的政治活动在秋天重新开始。一年一度的党内大会也即将拉开序幕，梅现在无疑是一位冉冉升起的政治新星。媒体现在把她看作一只潜力股，纷纷用“敏锐”“慎重”来形容她的表现，不可避免地把她比作“年轻版的玛格丽特·撒切尔”。与之相比，威廉·黑格的处境就没那么好了，新工党的势头正猛，各种民意调查也显示，保守党的处境无法在短时间内好转，黑格的领导能力也遭到了媒体的质疑。在进入议会18个月之后，梅发现自己竟然被媒体列入可能会接替黑格的候选人名单，这无疑让她大吃一惊。克拉斯克说：

如果你认真想一下我们那时的议员，许多人其实已经资历很深了。她是个新人，和达米安·格林一样很普通。她们两个是新面孔，看上去没什么特别，听上去也很寻常。和同一批进来的议员相比，她们无疑是其中的佼佼者。

1999年伊始，黑格就接连收到了一些资深保守党人的辞呈，其中就包括在影子内阁任职的迈克尔·霍华德，很显然，党内的各种力量势必会重新洗牌。各方纷纷猜测，梅将获得晋升的机会。3月，她被《议会杂志》和BBC第四频道形容为“冉冉升起的新星”，但还是稍逊于工党的乌娜·金。三个月之后，黑格注意到了媒体关于保守党内部大换血的种种揣测，为了鼓励优秀的后辈，他提升了两名1997年进入议会的新面孔——安德鲁·兰斯利和特蕾莎·梅。

1999年6月15日，梅被任命为影子内阁教育与就业大臣，对于一个刚刚在议会工作两年的议员来说，这种提升速度可谓前所未有。不过，在梅的政治事业刚刚起步的时候，就给予她如此大的晋升，黑格说从未后悔过自己的这个决定。

比起现在，那时候提升一个刚刚踏入政坛几年的人进入影子内阁是更不同寻常的事情，甚至可以说闻所未闻。但是，1997年大选之后，我们党逐渐式微，我想我们不得不做出一些改变。不管是党鞭长还是其他人对她的评价都非常高，许多负责议会夜间辩论的人都认为，她非常能干，逻辑又十分清晰。这表明，我们把这个新入职的女性快速地提升起来对我们是有利的。即便是不考虑性别因素，她也表现得相当好。教育与就业部门的工作非常棘手，但她却处理得妥妥当当，没有犯过什么错误，我想我们正需要这样的一个人。

然而，并非每个人都对梅的才能表示信服。一个没有获得晋升的后排议员曾匿名向记者抱怨道："关于特蕾莎，或许有一天我会发表自己的看法，她取得了巨大的成功，但这仅仅是一个偶然现象，在政坛有能力的人不会沿这样的轨迹上升。"[152]在获得同样快速的晋升之后，兰斯利和梅的关系越来越密切，他说，不管怎么样，梅都非常适应她的新角色。"鉴于她之前在地方政府教育委员会的经验，我时常感觉，如果让梅做她喜欢的工作，那这份工作肯定和教育有关。"

黑格意识到他赋予了梅太多的责任，但他对她的能力充满信心。

这是一份责任重大的工作……但我记得我和党鞭长讨论过这个问题，我们认为她完全能够胜任。她不是在20多岁时就进入了议会，现在的她已经足够成熟，能够在激烈的辩论中泰然自若……那个时候，我面临的困难多如牛毛，但这个决定不会给我惹来任何麻烦。那个时候的她没有犯过任何错误，对于影子内阁来说，她绝对是一个富有建设性的、有意志力的成员。

从那时起，梅在保守党内一直坐在议会前排的议席上。

>>>

142.《冷酷：她猛烈地抨击凯布尔》，安德鲁·帕森斯，同上。

143.《一些不幸的人》，茱莉亚·兰登，《卫报》，1997年7月15日。

144.《权力角逐中混乱的一天》，《西部早报》，1997年6月11日。

145.《荒岛唱片》，同上。

146.《这是一个新的开始，但复原之路还很长》，安德鲁·皮尔斯，《泰晤士报》，1997年7月31日。

147.《你的问题得到了回答》，查尔斯·阿瑟、杰里米·劳伦斯、格伦达·库珀、科尔·莫顿、雷蒙德·惠特克、约翰·卡林，《星期日独立报》，1997年12月28日。

148.《一些不幸的人》，茱莉亚·兰登，同上。

149.《特蕾莎·梅：我那令人震惊的疾病》，伊丽莎白·桑德森，《星期日邮报》，2013年7月18日。

150.《一些不幸的人》，茱莉亚·兰登，同上。

151.《微妙的问题被伪君子巧妙化解》，马修·帕里斯，《泰晤士报》，1998年6月9日。

152.《德国人在八国峰会上受到欢迎》，阿提克斯，《星期日泰晤士报》，1999年6月20日。

>>> 07

另一个特蕾莎·梅

两个女人肩并肩坐在日间电视节目的沙发上，彬彬有礼地谈论着最近发生的事情。她们都非常有魅力，说起话来滔滔不绝。她们相差10岁左右，但丝毫没有相似之处。一个是成人电影明星和半裸模特，已经拍过60多部色情电影。另一个是影子内阁教育与就业部门的国务大臣。直到那个星期之前，她们还素未谋面，她们之所以那天早上坐在一起完全是因为名字的巧合。那位32岁的电影明星来自伦敦南部的贝肯汉姆，名叫特蕾莎·梅；另一位43岁的教区牧师的女儿，伦敦的成功人士，梅登黑德的议会代表，名叫特蕾莎·梅。两个人的名字之间只差一个“h”。她们在电视摄影机前进行了友好的交谈，最后，两个人都表示她们的交谈很愉快，节目结束之后，她们还要到附近的咖啡馆接着聊。

而在保守党总部办公室，党的领导人和新闻发言人一起收看这场合家欢的早餐秀，平常他们看的都是第四频道的《今日》节目。保守党尚未从三年前的1997年大选中走出来，他们的处境依旧很糟糕，民意调查显示，威廉·黑格领导的保守党依旧在努力讨好选民。但是，与布莱尔领导的新工党相比，保守党看起来比较古板守旧。梅在早安电视台的露面改变了选民对保守党的认知，甚至比她的同事在几年中所做的努力还要有效。在这档节目上，她给人的印象就是一个颇具幽默感的现代女性，客观地评价她同伴的职业选择，善于言辞又不给人夸夸其谈之感，轻松愉快而平易近人。这不仅和保守党内的传统女性形成了鲜明对比，而且还让那些一本正经、一副政治面孔的新工党对手相形见绌。这位保守党的女性代表和21世纪的英国紧密接轨，而且她也不抗拒别人和她开玩笑。

感到满意的保守党人认为，他们看着梅在早安电视台的沙发上谈笑风生，与此同时媒体会主动发现她们两个的名字存在着有趣的巧合，只可惜他们没有发现……至少他们没有主动发现。“另一个特蕾莎·梅”的传奇故事就这样被保守党新闻发言人散布开来，这是一个公关的绝佳范例，取得了重大突破，他们抓住了一个日常生活中再平常不过的现象，赢得了媒体的正面报道，占据报纸的头版头条长达数周时间。因为新闻记者们并没有发现“另一个特蕾莎·梅”，所以那个名字中带有“h”的特蕾莎·梅的新闻发言人主动告诉了他们。当这个故事引发媒体的兴趣后，它们在头版头条将这个故事在全英国范围内进行了报道，而且很快就传遍了全世界。保守党新闻发言人把这个故事的价值发挥到了极致。

1999年末，就在梅担任影子内阁教育与就业大臣几周后，她的秘书就和彼得·克拉斯克谈过话。克拉斯克那时仍担任教育与就业部门的新闻发言人，他说：

负责管理她办公室的人说，他们经常会收到一些奇怪的信件，上面写着“祝贺信”。第一封还不是特别奇怪，只是写着“哦，我们在电视上看到你好多年了，祝贺你，很高兴看到你这种背景的人进入议会。”这封信的逻辑不是很清晰。接着另一封信就送来了，信的内容和上一封差不多，只是比上一封更奇怪。我们把这两封信放在一起，心想“哦，天呐！”

这些信来自那个色情电影女明星特蕾莎·梅的粉丝，当他们看到特蕾莎·梅进入影子内阁的新闻后，以为他们的女主角决心从政了呢。有一次，梅的办公室甚至还接到了一通来自西班牙格拉纳达的电话，该地区的“男人和汽车”电视台想要预约她的时间，特蕾莎·梅早前曾在这家电视台《女人的性欲》这档节目中扮演一位夜总会小姐。当梅被告知，她被人们错认为和她名字相似的一个半裸模特时，她付之一笑。克拉斯克接着说："这成为一个故事，梅要在筹款派对或晚宴上发表讲话时，如果以'我经常被错认成一个色情电影明星'为开场白的话，将是一个很好的选择。"梅发现，"另一个特蕾莎·梅"为她赢得了笑声，这是她急切需要的。担任新职位的前几个月并不顺利，人们对黑格的重新洗牌反应冷淡。10月，当她第一次以影子内阁成员的身份参加保守党的会议时，仅有一家媒体报道了她在会上的讲话。在接下来的一个月里，人们甚至推测梅在影子内阁待不了6个月。《独立报》暗示她"没有取得任何成绩"，[153]而且"没有实现自己的承诺"，[154]而《每日邮报》则认为她"死气沉沉"。[155]

随后，克拉斯克为了帮助自己的政党提出了一个巧妙的计划，不仅能提升梅的知名度还能为她赢得印象分。他要让"另一个特蕾莎·梅"的故事广为人知。克拉斯克说："我把这个故事告诉了《每日电讯报》彼得格勒专栏的记者……他们将其作为早报头条新闻进行了报道，星期一的时候，这份报纸出现在大街小巷，然后——天呐——你简直想象不到，每个人都知道了这个故事。"这个故事散播了出去，赢得了大量的报纸版面，在布莱尔政府统治期间，影子内阁的成员被极大地忽视了，他们做梦也想不到会获得媒体如此大规模的宣传。克拉斯克接着说："《邮报》《快报》《太阳报》都以头版头条报道了这个故事，实际上，这个故事出现在所有报纸上：'影子内阁的部长被错认为色情明星。'"

安德鲁·兰斯利被黑格任命为影子内阁办公室负责人，他只能佩服克拉斯克的不按常理出牌和梅的冒险精神。梅甚至提供了照片，放出了小道消息来配合这个故事。兰斯利的未婚妻萨莉·洛也在教育与就业部门担任政策顾问，他经常去她的办公室，因此得知议员和色情明星的故事成为了重大新闻。"散布'另一个特蕾莎·梅'的故事是彼得的主意，"兰斯利说，"那个时候，因为你是在野党，没有人会关注你。为了赢得媒体的关注，这无疑是一个明智的选择。"后来，世界各地的报刊以头版头条报道了这个故事，兰斯利记得，当时他在特蕾莎的办公室里，克拉斯克走进来说："庆祝吧，我们成功了！"梅的名字出现在了《新加坡时报》上。

就在那个周末，各大广播公司也开始行动了，克拉斯克说：

第五频道直播的时候，他们策划了一期特别有趣的节目，然后到星期三或星期四的时候，《今日》节目来预约时间，想要采访她们两个。所以那天早上，她们两个都被采访了……不过不是在同一个地方，特蕾莎·梅在威斯敏斯特，而另一个人则在她待的那个地方。

在接受采访时，名字当中带有"h"的那个特蕾莎·梅兴致勃勃地说：

我必须承认，我没有看过那位特蕾莎·梅参演的任何影片，她选择什么样的生活方式是她的自由，对于有人喜欢从政来谋生，她可能还觉得有些奇怪呢！特蕾莎选择了一份职业，而且她工作很努力，我相信她能够做好自己的工作。

那位名字当中不带"h"的特蕾莎·梅也称赞说："这里的每个人都要从事自己的工作，我相信她和我一样，都能出色地完成自己的工作。"几分钟之后，克拉斯克就拨通了早安电视台的电话，他说："她们两个都坐在早安电视台的沙发上，相处融洽，相谈甚欢，我认为她们事后还会去咖啡馆一起喝杯咖啡。"

这次采访为"另一个特蕾莎·梅"的故事画上了正式的句点，但在接下来的几年中，这个故事还是会时不时地出现在报刊上。2016年，梅当选首相的时候，这个名字相似的故事又出现了新版本。对于这位突然成为最高领导人的人，公众纷纷到网上搜索她的信息，结果却拼错了她的名字，出来的信息让他们大吃一惊。在安德鲁·兰斯利看来，梅欣然接受她和色情明星的故事，表明她能够聪明地利用视觉表象来提高知名度，把自己包装成一位现代女性。比起对衣服和鞋子的选择，她这种做法产生了事半功倍的效果。他说："从很早的时候开始，如果你是在野党的政治家，就很难获得媒体的关注。特蕾莎成功赢得了媒体的注意，这并不是一件容易的事。一幅图像抵得上千言万语。"彼得·克拉斯克也同意这种说法：

在影子内阁里，人们纷纷嘲笑她。但是，在那一周内，她赢得了影子内阁中其他人几个月都无法获得的关注。可以肯定的是，这让她一举成名，当然这也让我一举成名。这非常、非常有意思，那个时候，当遇到在保守党新闻办公室工作的人时，我们就会谈论一番："记得吗？那一次……"

在接下来的几个月甚至几年里，梅的命运一直起起伏伏，但是从现在开始，公众已经确切地知道她是谁了。克拉斯克认为，虽然他只是拼凑了一个小故事，但梅敏锐地意识到它的潜在力量，这意味着她对于公众有深刻的理解。"她懂得利用这一点来谈论政治，让人们更多地介入政治生活，而且懂得它重要的原因。"他说。

这只是一件应该突破的事情，而且取得了显著的效果。这个故事不仅提高了她的知名度，而且促使更多的人去看早安电视台的节目，"哦，那个节目太有趣了！"她看起来并不像一位愚蠢的下院议员，她看起来很正常。她把它看作一个有趣的故事，因为它只是一个有趣的故事而已。对于这样的事情，很多人都会避而远之，认为那有损自己的身份。但她认为那只是自然而然出现的一件事情，机不可失，失不再来，一定要抓住它，利用它做你想做的事情。

"另一个特蕾莎·梅"的故事为处于困难时期的保守党人缓解了一些压力，但威廉·黑格的领导地位依旧不稳固，1999年11月，迈克尔·波蒂略通过补选进入议会之后，他的日子更难过了。波蒂略因在1997年大选中惨败而阔别议会两年（当时就有选民打出横幅："你支持波蒂略吗”)，在大多数人眼中，波蒂略是他那一代人中政治胸怀最宽广的政治家，在议会中也是一位优秀的实干家。他的回归意味着“漂浮在海上的王子”安全地抵达海峡对岸，对黑格的领导权造成了巨大的威胁。保守党的权力结构立刻失去了平衡，攻击黑格和他领导的团队，包括梅在内的言论屡现于报端。有人匿名攻击黑格任命毫无经验的梅在影子内阁中担任重要职务，这就显示出黑格本人的不成熟。

2002年2月，黑格任命他的对手为影子内阁大臣，希望能够平息保守党内部的动荡，但并未取得成功，媒体对于黑格及其团队的攻击并没有停止。在接下来的那个夏天，一篇不具名的文章指出，同事们都觉得梅被提升得“太快了，在下一次大选来临之前，应该把她逐出影子内阁”[156]报纸援引一位保守党议员的话说：“那个夏天，我们没有表现出任何渴望、生机和进取心，特蕾莎·梅也不再攻击教育部长戴维·布朗奇，在这个重要的时刻，我们不能以这样的状态参加大选。”[157]后来有人宣称，攻击黑格以及包括安妮·威特库姆、利亚姆·福克斯、迈克尔·安克拉姆、特蕾莎·梅在内的影子内阁成员，如果不是波蒂略本人所为，那一定是他的支持者搞的鬼。黑格团队里的一名成员认为，波蒂略的追随者全部行动起来，“突然就出现了大量领导层不满意他们表现的言论，这是有人在蓄意瓦解他们，为波蒂略扫清障碍”。[158]

就在许多保守党议员参与到针对黑格的政治诽谤中的时候，梅选择了置身事外，彼得·克拉斯克说：

> 那时候，黑格和波蒂略的明争暗斗沉闷而冗长，成为保守党内部的主旋律。但是梅对这些事情毫无兴趣。她一点也不关心谁得势，谁失势，只是按部就班地完成需要完成的工作，不管谁担任领导人，她都尽力辅佐，她是一个非常具有团队精神的人。

黑格也证实，梅的确没有参与这场权力的争夺，相反，随着她越来越适应作为影子内阁大臣的生活，她逐渐成为他可以依靠的人：

即便我们是在野党，她也能有条不紊地处理内阁大臣应该处理的繁重事务，而且不犯任何错误。影子内阁的成员经常会制造一些麻烦，作为领袖，我经常进行事后补救，但是，我不记得梅惹过什么麻烦，她完全可以把事情安排得妥妥当当，你能够完全信任她。

从一开始，在影子内阁里，梅就是一个安静但可靠的存在。“她可以大声说出自己的想法，但不管是在内阁还是影子内阁，一般都是资历比较深的人说话比较有分量，”他说，“她并不是羞于大声表达，我认为有时候她只是审慎地保留自己对事情的看法，但是，她从不害怕大声表达自己的看法。从一开始，她就表现得很能干，很有说服力。”早年在惠特利·帕克中学读书时，梅就非常勤勉地完成自己的作业。“我曾要求影子内阁的成员上交每周报告，内容包括他们正在做什么，他们这周达到了什么目标，下一周计划达到什么目标。梅的报告总是最详尽的。”黑格说。

我命令他们把所有的报告写在一张纸上，但她的那页纸总是满满当当的，尽量在一页纸上写尽量多的内容。上面罗列了我们召开的所有会议，对于所推行政策的深入思考，她下周要发表的所有演讲等。她总是很有条理性，而且对待这件事也很认真。

梅开始了紧张而有序的工作，认真对待教育与就业部门的工作，在黑格认为足够成熟、可以开发的地区，她总是重新审视保守党的政策。她的团队里有蒂姆·博斯威尔、詹姆斯·克拉皮森和约翰·伯科，新闻发言人彼得·克拉斯克负责协助他们，另外还有一名政策顾问萨莉·洛。在政治生涯中，她领导过很多团队，就像其他团队一样，这个团队中的成员很快就喜欢上了梅，并对她特别尊重。尤其是洛，很快就和她成为亲密无间的朋友。一些议员在工作时要忍受她的急脾气，但正如他们所看到的那样，她总是事无巨细，让他们觉得自己无事可做。

彼得·克拉斯克一直对梅的工作能力赞赏有加，提起她主管影子内阁教育部门的那段时间，克拉斯克说："她那个时候出任这个职务是非常正确的选择，而且她变得越来越自信。我发现她非常适合这份工作，她非常信任你、尊重你，因此，你也会非常信任和尊重她。"作为一名新闻发言人，克拉斯克发现梅总能配合他的一些新奇的想法，比如说"另一个特蕾莎·梅"的故事。她在特萨·乔维尔之后曾担任过妇女与平等事务大臣，也随时准备拿自己的部门开涮。那时乔维尔是文化部长和妇女部长，克拉斯克说：

当乔维尔担任妇女与平等事务大臣时，没有什么妇女出现在电视上，即便出现在电视上，她们的表现也不太正常，都像竹节虫一样僵硬，因此政府打算取缔这个部门。梅认为这十分可笑，电视节目主持人瓦内萨·菲尔兹减肥成功成了新闻……我写了一篇新闻稿，题目是"特萨·乔维尔可能会请求瓦内萨·菲尔兹增肥"，我不知道梅会不会支持这个想法，但她认为这个题目非常有趣，非常有故事性。她对于各种观点总能虚心接受，而且用人不疑，如果你有机会和她一起工作，就会知道她的这一特点。

由于和萨莉·洛的关系，安德鲁·兰斯利和梅的关系也越来越密切，谈到他的未婚妻为梅工作的经验时，他说：

她们相处得非常好，在我的印象里，每一个为她工作的人都和她相处融洽。他们发现，她是一个很好的工作伙伴，因为她善于倾听，愿意给每个人提出建议的空间，她不仅聪慧而且努力工作，你不会感觉到自己所做的工作被一笔带过或被忽视了。我也曾问过一些公务人员，他们都表示梅工作勤勉、做事果断，他们非常尊敬她。

兰斯利记得，影子内阁的教育和就业部门是一个愉快的地方，蒂姆·博斯威尔和约翰·伯科是这个部门的开心果。后来，当梅担任内政大臣的时候，伯科担任下院议长。他们两个经常在下院大厅展开激烈的交锋，因为伯科时常阻止梅提出一些她认为意义重大的观点。但是现在，伯科还是一位供教育与就业部门消遣的人物，“他们经常开伯科的玩笑，”安德鲁·兰斯利说，“一天，他满脸泛着红光走进办公室，他们都笑他使用了‘化学蜕皮术’。”

尽管克拉斯克和洛感受到了这种快乐的氛围，但并不是每个人都有这样的感受。根据党鞭办公室一位工作人员的回忆，不止一个梅的下属对她心生不满，他说：

党鞭办公室对梅的印象是：自从梅成为影子内阁的成员之后，她的执拗就变得让人难以置信，而且这个印象始终未变。我记得一位和他们部门打交道的党鞭说，他们都打算辞职了，因为她专断独行，她从不夸赞下属，而且还出言刻薄。大包大揽就是她获得的名声。

这些抱怨最终传到了副党鞭长帕特里克·麦克洛克林的耳朵里，他全力支持梅，并把她和另一个难对付的上司——时任影子内阁国防部长的伊恩·邓肯·史密斯作比较。这位党鞭说：“当有些人来和他抱怨时，我听见麦克洛克林说，‘我懂你们的意思，但是我们党内本来就没有多少女性。她算好的了，同事们虽然不情愿，但勉强还可以共事。如果不信，可以试试和邓肯·史密斯共事，天呐！’”

谢里尔·吉兰认为，那些比梅级别低的幕僚指责梅事无巨细，这是不公平的。

我认为任何同事的沟通技巧都比她强。在管理团队这个问题上，我想早期的她并未被视为一个非常出色的沟通者。她是一个非常谨慎的女人。她不会去刻意讨好别人，努力让别人喜欢她。我想她并不在意这些事情。

吉兰指出，梅并不能选择与她共事的同事，鉴于她的晋升速度飞快，她没有什么机会去认识那些与她共事的人。“如果你想控制部门的各项事务，想知道自己在做什么，想确定自己在做什么，你肯定不会委托给那些不知道自己在做什么的人。你不能挑选自己的团队，只能接受提前给你准备好的人员。在这种情况下，如果……你很严肃地对待一份工作，你自然会有所保留，我认为这只能表明梅的谨慎。”

几年之后，埃里克·皮克尔斯曾在梅的麾下任职，谈到梅的这种大包大揽的风格时，他说：“我从来不觉得她是这种性格，我想，如果你能获得她的信任，然后你说‘我认为这样处理较好’，她会非常虚心地倾听你的意见。但我听说过那些故事。”随着时间的流逝，皮克尔斯越来越敬佩梅，“和她在一起工作很有趣，”他说，“她充满了活力，你可以从任何一个角度透彻地谈论问题，而她也能很快地领悟你的意思。她是一位充满创意的同事。”

在1999年保守党大会召开前夕，威廉·黑格计划起草一份政策文件，内容涉及政府工作的方方面面，在此基础上，形成保守党下次大选竞选纲领的基础。那个时候，梅被任命为影子内阁成员才几个月，她在萨莉·洛的帮助下，加班加点地工作，把她负责的那部分文件内容整理好，文件被命名为“常识革命”，以迎接10月份举行的大会。当轮到她演讲的时候，她公布了一项全新的教育政策：开办免费学校。戴维·卡梅伦担任保守党党魁的时候，时任教育部长的迈克尔·戈夫曾热情洋溢地提出一项政策，核心理念是把学校从当地政府的控制下解放出来，把学校的管理权交给父母和老师，并将其作为他们争取选民支持的核心政策。但是早在十年前，梅就萌生了这样的想法，这是梅梦寐以求的事情，并且为了完善这一想法进行了深入的思考。安德鲁·兰斯利说：“梅提出了免费学校的理念，戈夫并非首创者。”彼得·克拉斯克接着说：

这是首次提出免费学校的理念，这一政策把管理学校的权力从当地政府那里转移到了学校。那份文件中所阐述的免费学校政策正是现在我们施行的。当时，这一政策引发了诸多争议，因为它是一项全新的政策，她把这项政策引入到政府里来，走到了时代的前沿。

她在保守党大会上的讲话大部分并未公布，在这次演讲中，她第一次提出了免费学校的理念，梅说："校长、老师和董事们才真正知道，怎么做最有利于他们的学生和学校，当地的需要最好由当地人来决定。"几个月之后，梅更进一步，在《约克郡邮报》上发表的一篇文章中，她写道："我们应该让所有的学校都成为免费学校，学校的校长和董事们完全控制学校的开支，根据需要确定他们的开放时间，选择他们满意的老师，确定他们的薪酬福利，在执行国家总的课程标准方面享有更多的自由……"[159]

教师联盟对这一政策的反应并不那么热烈，但也不像想象中那样反对。作为一名保守党领导人，梅一反常态地去拜访那些联盟的领袖，提前向他们简要介绍了自己的政策要点，最后使全国男女教师协会单独做出承诺，对那些被学生指控为行为不端的老师，在指控最终证实之前，不得公布教师的姓名。安德鲁·兰斯利说："保守党一般不会采取这样的策略。"因此，有些协会抱有怀疑的态度。2000年，在全国左翼教师联盟召开的年度会议上，梅阐述了保守党成立免费学校的计划，结果却被嘲弄了一番。

梅开始在简报中鼓吹文法学校的好处，鉴于威廉·黑格的强烈反对，她已经表现得相当小心，没有表现出对文法学校的全力支持。那时候，影子内阁的一名成员说：

威廉·黑格反对提倡文法学校的做法，在保守党执政的18年里，没有什么比守旧的文法学校更让选民反感的了，提倡文法学校对保守党并无益处。如果她站在个人立场上支持文法学校，她应该向同事们解释清楚，如果她公开表示支持文法学校，她就会被彻底打压下去。因此，她从未公开支持文法学校。或许，她依然相信文法学校，但那时的政治环境并不允许。

1999年冬天和2000年伊始，梅一直在妇女和平等权益部门努力地工作。还是后排议员的时候，梅就对女性事务产生了兴趣，现在有机会深入了解，她逐渐沉迷其中。一开始，她对于女性政治家要多关注性别的看法持保留态度，现在，妇女和平等权益部门提供了一个机会，让成千上万选民的生活发生了彻底的改变。2000年春，在萨莉·洛的帮助下，梅起草了一份政策文件，充分反映了她在这个问题上的深入思考。这份文件被命名为“选择”，是“常识革命”的姊妹篇。梅和威廉·黑格本来计划在3月底为这一计划的实施举行一个盛大的启动仪式，但不幸的是，就在仪式启动前夕，黑格被法院带走，要求为一桩奇异的案件做证，这一案件的起因是他在约克郡里士满的一位选民主动承认自己曾从前南斯拉夫走私鹦鹉。这一事件使得媒体纷纷借用蒙提·派森[1]的死鹦鹉[2]形象来形容黑格。对于洛来说，这尤其是件麻烦事儿，安德鲁·兰斯利代替黑格出席了启动仪式，她在台下听着自己的未婚夫发表演讲，而发言稿还是自己写的。兰斯利说：“萨莉觉得这很奇怪。”

对于如何吸引女性进入政坛，梅在“选择”这份文件中阐述了她最初的思考。这份文件中包含了许多引人注目的政策，诸如向那些为抚养孩子而中断事业的女性提供资金，帮助她们重返职场；首次提出安装闭路电视摄像机，为夜晚在外的妇女提供一个相对安全的环境，等等。为了维护女性在公共生活中的主动权，她还提出了一项新的建议。她建议地方选区的保守党在最后的候选人名单中为女性提供和男性一样多的名额，为有志于成为议员或顾问的女性提供指导方案。这些观点后来成为她在“Women2Win”[3]中获得巨大成功的基础。但是

[1] 英国的一个喜剧团体，被誉为喜剧界的披头士。

[2] 英国口语，借以形容无法挽回的垂死的东西。

[3] “女性走向胜利”，2005年保守党成立的组织，致力于帮助女性成为议员，获得更公平的待遇。

这时，她的这份建议书还没有产生那么深远的影响。安德鲁·兰斯利认为，在世纪之交的时候，梅对于女权运动的兴趣还没有像后来那样成为一股强大的推动力，“我认为，在那个时候，她并没有把女权运动当成一项追求，”他说，“对于梅来说，这是一项必须要做的事情，她最关心的是保守党的需要，而这时的保守党需要更加顺应民意。”

现在，威廉·黑格承认，他当时应该采取更多措施来解决保守党缺乏女性议员的问题，但同时他也表示，保守党那时并没有做好按照那份文件进行彻底改革的准备。“回顾过去，我们并没有有效地推行那些措施，因此，我们现在努力做出改变。”他说。

我想我们应该更激进一些，但激进主义在党内是逐渐形成的。直到戴维·卡梅伦担任党魁的时候，女性候选人才占到了较高的比重。我们当时并没有采取什么有力的措施，因为在我们成为在野党的初期，并没有获得足够的支持。不过，在我担任党魁的时候，我们已经迈出了第一步，而梅就是一个标志。

从一开始，梅就明确表示，她不喜欢全是女性的候选人名单，到现在为止，她还是秉持这一观点。2000年，保守党大会在伯恩茅斯举行的时候，大选也迫在眉睫，保守党又一次没有选择女性担任安全选区的候选人，两位即将成为候选人的女性接连在几个选区的竞选中败北，她们敦促保守党施行照顾弱者的积极差别待遇政策。梅对这一建议的回应也相当清楚：“在保守党内部，我们一直秉持这样的观点。我们不会在积极差别待遇政策的基础上挑选候选人，我们的确还有很长的路要走，我也认为还有很多工作要做。”[160]

兰斯利认为，在梅的观念里，公平的基本概念是对所有人的公平，因此她主张营造一个公平的竞争环境，而不是公布全是女性候选人的名单。他说：“尽管积极差别待遇政策有诸多优点，她也不为所动。她只相信，我们真正需要探究的是为什么女性感觉自己被剥夺了权利。她认为所有的人都应该有权参与政治。”兰斯利在“选择”计划启动仪式上的意外现身产生了深远的影响，他现在和梅一起共事，他们在推动保守党的现代化方面志趣相投，这种现代化不仅表现在通过吸引更多的女性议员来争取女性选民上，而且还表现在采取措施改变保守党的形象上。在这个过程中，和他的未婚妻萨莉·洛一样，兰斯利和梅的关系越来越密切，成为她在议会中为数不多的好友之一。2001年，美国"9·11"恐怖袭击发生后三天，兰斯利和洛举行了婚礼。在这个时候，大部分议员都被召回伦敦，讨论刚刚发生的这一暴行，而梅却在丈夫菲利普的陪同下，"长途跋涉"前往柴郡参加他们俩的婚礼，她也是唯一一个参加他们婚礼的议员。兰斯利说："部分由于洛的关系，我和梅的关系越来越密切，而且我们两个相处融洽。我们的政治观点从未产生过真正的分歧，我甚至不记得，我们哪一次的讨论上升为争论。"

就在启动仪式举行的几个月后，梅迈出了具有象征意义的一步，也是实质性的一步，由此来证明保守党改革的决心。和其他保守党成员一样，刚刚成为下院议员的梅就接受了卡尔顿俱乐部的邀请，成为该俱乐部的会员。不过和大部分保守党人不同的是，她只获得了准会员资格，因为该俱乐部不允许女性获得正式会员资格。现在，梅退出了这个俱乐部，并且对外宣称："我讨厌准会员的身份，不喜欢被当作二等公民来对待。"[161]这是一个大胆的举动，因为卡尔顿俱乐部是保守党的主要捐赠者，任何难堪都有可能导致它撤销对保守党的资金支持。也是出于这个原因，约翰·黑格拒绝效仿梅的做法。2016年，梅接受了传统上赋予保守党首相的终身会员资格，六年前，该俱乐部也赋予了女性成员完整的权利。

2001年大选一天天临近，保守党的情况却不容乐观。持续低迷的民调支持率，不断听到对立的观点，让黑格有点稳不住阵脚。尽管梅和兰斯利一直敦促他致力于实现保守党的现代化，但他决定不听从他们的建议，转而把重点放在保守党传统上比较擅长的领域，比如说移民问题、欧洲问题、法律和秩序问题等。2001年1月，他公布了7位"神枪手"名单来组织和领导保守党参加大选。波蒂略、威特库姆和兰斯利赫然在列，梅被排除在名单之外，虽然受到黑格的青睐，但兰斯利一点都不满意保守党在选民面前展现的姿态，“2001年大选简直就是一场噩梦，”他说。

保守党就像在进行一场寒酸的临时演出，这可能不是黑格的本意，但却莫名其妙地变成了那个样子。我们连最基本的信息都很难获得，在工党看来，我们就像往坦克上扔石块，没有任何希望……我们有时候觉得自己能够绝处逢生，但经过理性的分析之后，又觉得自己没有任何胜利的机会。

在2001年大选期间，梅表现得相当低调，《星期日邮报》一度这样形容她：“不为人知，而且这种情况还将持续下去。”[162]彼得·克拉斯克竭尽全力激发公众对梅的注意，他带她进行区域巡访，在这个过程中，他发现梅是一个优秀的竞选者。克拉斯克说：“她非常善于传达信息，是能够利用在野党身份监督布莱尔政府的新议员。她有着非常清晰的认识并能够将自己的想法表达出来。虽然保守党的信息一直在变，但她始终能将信息传达出去。‘哦，这就是现在的信息。’然后她将这条信息传达出来。”

在2001年大选期间，威廉·黑格的助选顾问阿曼达·普拉特尔几乎和梅零交流，但是，她经常派遣萨莉·洛给这位影子内阁的教育大臣一些穿衣打扮方面的建议，不过这些建议都不被梅欢迎和采纳，兰斯利记得：

阿曼达·普拉特尔和梅没有任何交流，她的注意力全在黑格身上，不关心其他任何人。她更愿意坐在办公室里，命令人们该做什么，不该做什么。她经常告诉萨莉：“梅应该少穿皮衣，多穿一些柔软的衣服。”特蕾莎只会说：“算了吧。”

从一开始，保守党在大选中就注定要失败。2001年5月底，大选进入最后一周，民调结果显示，保守党落后工党15～18个百分点，《卫报》甚至宣称："当公务人员按照惯例向影子内阁的教育部长特蕾莎·梅索要选前的宣传简报，询问保守党如果胜利有什么施政纲领，梅想都没想就告诉他们不用麻烦了，'已经无力回天了'。"[163]事实证明果然如此。和1997年相比，2001年大选的结果可以说没有任何改观。得票率仅上升了一个百分点，在议会当中的席位也仅增加了一席，现在议会中有14名保守党女议员，比1997年增加了一位。

在梅登黑德，自由民主党采用了争取年长的保守党支持者的策略，取得了显著的效果，得票率上升了11个百分点，使得梅的优势骤降到只有3000张选票，这是她有史以来获得的最微弱的优势。唯一值得安慰的是，工党候选人的得票率也很低，工党的候选人是一位名叫约翰·奥法拉的小说家，他曾这样描述他小时候的家乡梅登黑德："这是英格兰中部的一个小镇，从青铜时代开始就奉行保守主义，那里的居民都皮肤黝黑，穿着莫斯奇诺风格的衣服……给人的感觉就是那里上下十代人都是暴发户。"[164]从大选结束后的第二天起，保守党不得不面对另一个在野党的周期，威廉·黑格在大选后立刻宣布辞职。

大选结束后回到威斯敏斯特的保守党议员当然心情低落，保守党党魁之争在相互指责和揭短中拉开帷幕，在黑格担任党魁的这几年里，保守党损失惨重，每个领导人都指责其他人应该对此负责。新当选的议员也越来越意识到，在他们的任期内，保守党依然是在野党。安德鲁·兰斯利说："1997年入职的这些议员慢慢意识到，我们可能要一直挑起在野党的重担，最终却没有机会在政府供职。最糟糕的情况是，你埋头苦干，但你所在的政党却一直无法上台执政，而等你隐退了，你所在的政党又上台执政了。"代替黑格的人选现在逐渐明朗，和往常一样，经验丰富、支持使用欧洲单一货币的肯尼斯·克拉克宣布参加竞选，而对使用欧洲单一货币持怀疑态度的议员则努力寻找可以与之针锋相对的人。他们选中了伊恩·邓肯·史密斯，史密斯之所以被选中，是因为他一直以来的排欧立场，以及坚定地奉行撒切尔主义。完成了从右翼向左翼的转变之后，迈克尔·波蒂略迎来了他期待已久的机会，他主张完成保守党的现代化，秉持自由主义。

波蒂略之前曾提交过一份反对梅的报告，但梅现在却坚定地支持他，这也许可以看作梅不计前嫌的证据。几乎可以肯定的是，梅钦佩波蒂略在影子内阁中展示的才华，而且她和波蒂略一直致力于推动保守党的现代化，她认为波蒂略和黑格不同，应该不会阻挠他们的工作。波蒂略在重返议会之后，对外界公开了他年轻时的“同性恋经历”，在一次采访中，保守党的重要领袖特比特就把没有子女的波蒂略和邓肯·史密斯作了一番比较，在他眼中，邓肯是一位“有家室、有子女的正常人”。梅立刻跳出来为前者辩护，她说：“如果波蒂略是因为医疗水平的问题而无法要孩子的话，特比特的这番话实在太伤人了。对于很多夫妇来说，这都是个难题，有些夫妇是主动选择不要孩子，而有些夫妇则是因为医疗水平的问题而无法要孩子。”[165]结合她自身的经历，人们都认为她这番话发自肺腑。

除了梅之外，还有其他10名影子内阁的成员支持波蒂略，然而让他们大跌眼镜的是，这个长期以来被认为是党魁最有力竞争者的人竟然在第三轮竞选中意外落选，只留下邓肯·史密斯和克拉克进行最后的角逐。根据约翰·黑格的改革措施，最后两个人的角逐应该由保守党全体党员投票决定，而不应该只由保守党议员决定。得知被自己的同事抛弃的消息后，失望至极的波蒂略还是兑现了自己的诺言，作为贵宾参加了保守党联盟在梅的选区梅登黑德举行的夏季舞会。

在党魁竞选的间隙，梅和兰斯利呼吁，不管是谁当选，都要采取更多措施鼓励更多的女性成为保守党候选人。他们没有要求公布全是女性的候选人名单，而是建议让党内现有的候选人名单更加合理，保证只有真正拥有巨大潜力的优秀人才才能入选。至关重要的是，名单中一半的名额要留给女性，少数族裔也要按比例分配名额。在提交的文件中，他们宣称：“未来，我们要保证选民根据一份公平的名单做出他们的选择……我们想借此机会敦促新领导人立刻采取措施，推动这一目标的实现。”[166]这份文件后来成为戴维·卡梅伦推出的“精英名单”的蓝本，扭转了现代保守党在选民心中的形象，但在当时，不管是克拉克还是邓肯，都没有采纳这一建议。

2001年9月13日，保守党党魁之争的结果揭晓，克拉克虽然深受保守党议员的喜爱，但是和保守党议员相比，草根基层的保守党党员更偏向右翼，对使用欧洲单一货币持更加怀疑的态度，因此他意外地被伊恩·邓肯·史密斯以高出60%的支持率击败。梅拒绝透露她在最后一轮投票中将票投给了谁。但是，在邓肯·史密斯执政期间，他始终未能赢得保守党议员对他的支持，也未能有效地解决这一问题带来的负面影响。随着党魁竞选落下帷幕，诽谤和中伤也随之开始，史密斯上台之后，任命一大批右翼分子担任影子内阁成员，其中就包括迈克尔·霍华德。许多主张保守党现代化的老议员，包括安德鲁·兰斯利在内，都拒绝在史密斯麾下任职。当史密斯向梅投来橄榄枝的时候，梅毫不迟疑地答应了。不仅如此，梅和影子内阁内外的朋友都不一样，在史密斯短暂又不甚愉快的任期内，尽职尽责地服务于他。兰斯利说："和特蕾莎不一样，在史密斯担任党魁的日子里，我没有在议会任职。但是梅却参与其中。"

在赢得党魁竞选的第二天，史密斯就开始组建自己的团队。他任命梅担任影子内阁的交通、地区和地方政府大臣，她的对手是在工党内部颇受尊敬的史蒂芬·拜尔斯，他已经在上届布莱尔政府中担任过数个职务。几天之后，梅就给影子内阁的大臣们奉上了一份大礼：逼迫她的对手拜尔斯辞职。不过整个过程却持续了很长、很烦闷的一段时间，她在这个漫长过程中偶尔的犹豫也招致了严厉的批评。

如果事后来看的话，拜尔斯的辞职是不可避免的事情。在美国"9·11"恐怖袭击事件发生的当天，拜尔斯的特别顾问乔·摩尔给他们部门的新闻发言人发了一封邮件，暗示这是"掩饰不利新闻的最佳时机"。本来公众就认为布莱尔政府有欺骗民众的嫌疑，摩尔这番不恰当的言论更是一石激起千层浪，让公众的愤怒情绪火上浇油。然而不可思议的是，为了不让摩尔辞职，拜尔斯竟然违背民意长达数月之久，梅首先发起了抨击，在接受早安电视台的采访时，梅说：

发生在纽约的恐怖袭击事件让全世界为之震惊，就在这个时候，一些人对这件事的本能反应不是“哦，这是一个可怕的悲剧，一件令人难以置信的事”，而是“啊，太好了，政府可以利用这次绝佳的机会掩饰一些丑闻”。[167]

不管怎么样，摩尔直到第二年的2月还在履职，该部门的新闻主管马丁·西克史密斯发的另一封邮件被披露出来，在这封邮件里，他暗示摩尔再次想在伊丽莎白女王的妹妹——玛格丽特公主的葬礼期间不知不觉地公布一些对工党不利的新闻，以冲淡对工党的不利影响。在民众的骚动中，西克史密斯和摩尔被迫辞职。

2001年10月，乔·摩尔“掩饰不利新闻的最佳时机”的邮件被披露出来，就在前一天，拜尔斯突然宣布，他会将专营铁路基础建设的英国铁轨公司收归国有。做出这个引发巨大争议的决定时，拜尔斯并没有寻求铁路监管者的意见，而是在一个星期六向最高法院提出了申请，要求马上把铁轨公司置于政府的管控之下。在收到年度分红报告之前，投资者对这一计划一无所知。梅当时刚刚就任交通大臣只有两周的时间，在重新改组之后，埃里克·皮克尔斯担任梅的副手，梅应对这一事件的速度给他留下了深刻的印象。“对于政府国有化的政策，她重拳出击。好像是在我们去开会的路上，她就开始着手处理这件事，我们在电话上谈论了许多，当我们开会回来的时候，她已经将拜尔斯彻底击败。”在下院大厅，坐在梅身后的保守党后排议员一直在默念“辞职，辞职”，梅告诉拜尔斯：“很显然，从一开始你就下决心要摧毁铁轨公司，结果，所有的计划都被推迟，各项投资都纷纷延期，整个行业都陷入停滞，你必须辞职！”

在梅担任影子内阁交通、地区和地方政府大臣时，皮克尔斯和梅共事了一年的时间，后来，这个庞大的部门被分割，他接管了影子内阁的地方政府部，他说：

在史密斯担任党魁期间，我第一次获得了和她共事的机会。她非常聪明，理解能力很强，但必须承认的是，我们花了相当长的时间才熟悉起来。我不认为有人真正地了解她，我这样说并没有其他意思，只是她不太善于交际。

梅处理政治问题的方法和绝大多数同事截然不同，这给皮克尔斯留下了深刻的印象。“她从不按常理出牌，”皮克尔斯说：

在这个环境下，大部分的工作都是具有交换性质的。你为我做这件事，我为你做那件事。我希望这件事在影子内阁获得通过？你希望那件事在内阁获得通过？好吧，你懂得，我们坐下来谈谈这件事。因为你总是对别人有所求。但是，梅不会做这样的事情，她只会凭借自己的本事来做事，如果随波逐流，她的日子会好过得多，但即便如此，如果无法给出一个合理的理由，她也不会这样做。是的，你再也找不到一个比她更理智的女人。

从2001年冬天到2002年，梅每周对拜尔斯的攻击成为议会的一道风景。起初，议员们纷纷赞美她，但是到拜尔斯逐渐稳住阵脚之后，她的攻击看起来就变得没有什么效果了。2002年2月，在一次针对摩尔和西克史密斯的辩论中，梅敦促拜尔斯立刻辞职。“难道他没有尊严吗？”她问，“到底做什么才能让这位国务大臣辞职呢？”梅还没有找到有效的措施。虽然她的言辞震撼人心，却很难给拜尔斯致命一击。同事们都抱怨她没能抓住拜尔斯的软肋，也就是他是否在媒体面前撒谎这一关键问题，从而导致拜尔斯逐渐摆脱困境。拜尔斯甚至指出，梅的辩论并非只针对他的问题，暗示她所做的辩论是提前准备好的，而不是在辩论中的临时反应，通过这种方式，拜尔斯转败为胜。当这位暂时摆脱困境的国务大臣走出议会大厅时，一位工党议员笑着评论梅的表现：“她表现得更像一位蹩脚的律师而不是专业律师。”[168]

拜尔斯依旧没有辞职，但他最后的离职是由许多细微的事情造成的。如果在其他情况下，这些事情本来微不足道，但现在却被无限夸大。首先，公众批评拜尔斯违背他之前的诺言，利用公款帮助铁轨公司的股东们摆脱困境，一波未平，一波又起，2002年5月，伦敦北部的波特斯巴发生严重的火车相撞事故，后来经调查显示，这次事故是由铁轨的道岔年久失修造成的，铁轨公司应该负有重大责任。在接下来三个星期的公平交易调查中，拜尔斯处理得相当混乱，这一系列看上去无伤大雅的事件最终导致了他的辞职。他对朋友说，他可能永远都得不到民众的信任了，无论如何表现，在公众眼里，他就是一个骗子。梅取得了最终的胜利，但她对此事的回应更像是松了一口气而不是庆祝。保守党的一位新闻发言人说："如果拜尔斯不辞职，那么倒霉的就是梅了。现在他辞职了，至少梅现在是安全的。"[169]

几个月之后的7月23日，梅因为逼迫拜尔斯辞职而得到了奖赏。伊恩·邓肯·史密斯在重新组阁之后任命她为保守党最高领导人之一，不过这差一点结束了她的政治生涯。

>>>

153.《社论——现在，波蒂略必须证明他是一位富有同情心的保守党员》,《独立报》, 1999年11月4日。

154.《社论——对于度过糟糕一周的保守党人来说，波蒂略的回归喜忧参半》,《独立报》, 1999年11月27日。

155.《最高领导人意在"收买波蒂略的忠诚"》, 保罗·伊思翰，《每日邮报》, 1999年11月2日。

156.《受到怂恿的黑格让无用的人进入内阁》，《每日快报》，2000年8月31日。25页。

157.同上。

158.《秘密攻击》, 保罗·吉尔费瑟和詹姆斯·哈迪，《每日镜报》, 2001年6月14日。

159.《保守党如何保证我们的学校能够免费》, 特蕾莎・梅, 《约克郡邮报》, 1999年12月20日。

160.《保守党必须马上为缺乏女议员采取行动》,《新闻晚报》, 2000年10月2日。

161.《梅再次使卡尔顿俱乐部成为争论的焦点》,《泰晤士报》, 2001年4月24日。

162.《小人物们的厄运》, 斯图尔特・史蒂夫,《星期日邮报》, 2001年2月25日。

163.《这是工党的天下》, 乔纳森・弗里兰德, 《卫报》, 2001年5月31日。

164.《祝愿最好的人赢第三次》, 约翰・奥法拉, 《每日电讯报》, 2005年4月30日。

165.《邓肯・史密斯质疑波蒂略的能力》, 马丁・本瑟姆, 《星期日电讯报》, 2001年6月17日。

166.《吸引更多的女性候选人》, 詹森・贝蒂,《苏格兰人报》, 2001年7月26日。

167.早安电视台, 独立电视台, 2001年10月。

168.《工党赢得转机——保守党人失去了迫使拜尔斯辞职的机会》, 奈杰尔・莫里斯, 《独立报》, 2002年2月27日。

169.《拜尔斯让梅喘了一口气》,《伦敦晚报》, 2002年5月29日。

>>> 08

成为保守党主席

2002年10月，梅正在紧张地准备着她在保守党大会上的开幕致辞，这是她第一次作为保守党主席致辞，她需要做出两个决定。几个月前，她被伊恩·邓肯·史密斯任命为保守党主席，史密斯在一片争议中做出了这个让人意想不到的决定，梅也由此成为保守党第一位女主席。鉴于此，梅深知担任主席后的第一次重要演讲势必会引起轰动。她下定决心改变保守党老旧的形象，明确表示保守党要想重新上台执政，必须马上实现现代化。在演讲的前一晚，由梅的丈夫菲利普、高级顾问克里斯·威尔金斯、保守党首席执行官马克·麦克格雷格、新闻发言人卡蒂·佩里奥组成的团队在万豪伯恩茅斯高崖酒店工作到了深夜，一遍遍地修改她的演讲稿。不过他们始终面临一个难题：使用恰当的措辞来形容选民眼中的保守党。除此之外，梅还不确定自己穿哪双鞋子合适。

第二天一大早，梅在万豪伯恩茅斯高崖酒店做出了决定，而这两个决定所产生的影响是当时所有人都没有料想到的。这两个决定形成了接下来十年中公众对梅的认知。首先她用“下流的政党”来形容保守党在公众眼中的形象，这让在场的保守党人颇为震惊，但是，保守党已经长期失去执政党的地位，比起任何一位保守党政客所使用的词汇，这个词似乎都更能引起公众的共鸣。梅的警告被视为有先见之明，这表明一位资深的保守党领袖已经意识到，保守党要想在选举中取得突破，就必须进行大规模的改革。但是那时，不管梅在演讲中想要如何表达她对保守党的正确估计，如此直白地使用这个词汇还是招致了保守党人对她的严厉批评。梅的第二个决定是在演讲当天穿一双罗素&布罗姆利的豹纹中跟鞋，这个决定也极大地影响了未来公众对她的认知。

在未来首相的形象塑造上，诸如鞋子这种微不足道的东西能够产生如此大的影响，听上去似乎特别可笑。但梅对于鞋子的兴趣以及公众对这种兴趣的强烈关注恰恰揭示了一个更深层次的事实，那就是在现代政治中，一位来自保守党的女性扮演的角色有多么重要。自从几年前，“另一个特蕾莎·梅”的故事发生后，她总是能够利用自己对时尚的理解，来转变公众对她以及她所在政党的认识。她用这种大胆的穿鞋风格来向民众显示，她是一个热爱时尚、毫不古板的人。她认为在政坛上，女性没有必要把自己假扮成男性，和这个国家成千上万的女性一样，她认为穿着时髦和受人尊重并不矛盾（没有一个人评价梅是一个不自重的人）。她是一位女性，而且是一位来自保守党的女性，虽然信奉女权主义，但她抹着淡淡的口红，穿着低胸上衣和俏皮的靴子，依旧让人感觉很舒服。

莎拉·蔡尔兹说：

全国上下的女性都关注漂亮的衣服，如果你想和其他女性建立联系，如果你想接触那些不看《今日》节目、不读报纸新闻的女性，那么，谈论名人摄影以及衣服和时尚是一种很好的方式。有时候人们会说，如果你穿着时髦的衣服，民众就不会把你看作政治家了。我认为这种观点值得商榷。哦，为什么不呢？特蕾莎·梅挑战了那些从政之人的观念，我非常喜欢这种方式。

梅曾经说起过她对衣服的热爱：“我喜欢衣服，喜欢鞋子……对于从政和经商的女性来说，这是一个挑战，证明我们有勇气展示真实的自己。你喜欢衣服的同时也可以展现自己的智慧，你喜欢衣服的同时也可以拥有事业。”[170]

这件事还产生了一些意外的效果，梅的鞋子吸引的注意力也给这位威斯敏斯特最保守的女议员非常必要的掩护。如果一个记者意在打探她的私生活，她就可以谈论一下自己刚买的鞋子，而不用谈论其他更加私密的话题。如果她一进门，人们就关注到了她穿的那条时髦的黑色皮裤，那他们很容易就闲聊起来。曾担任梅新闻发言人的佐伊·希利说："它们是打破沉默的利器，不管她是去监狱还是市政厅，她的鞋子总能成为人们谈论的焦点。梅曾开玩笑说，她肯定是西方唯一一位进入房间时，所有人都会低头看她鞋子的政治家。"

中跟鞋成为梅的标志和象征，当公众或记者提起她时，总能想起她那引人注目的鞋子。在她2010年担任内政大臣之前，报纸每次提到梅，几乎没有一次不提到她的中跟鞋。即便在成为首相之后，梅对衣服以及时尚的兴趣也依旧是人们津津乐道的话题。她的朋友桑德拉·比尔林说："所有的政治家都有公众乐于谈论的话题，公众将注意力放在梅的穿衣打扮上，对她来说真的非常幸运。梅的穿衣打扮这个话题是比较中性、能够产生积极影响的。其他政治家恐怕就没有这么幸运了，公众密切关注的话题可能会对他们造成伤害和消极影响。"

当然除了幸运之外，许多人还认为，梅选择那些引人注目的鞋子是有意为之，目的是为了为公众提供一个有吸引力，但又相对安全的关于她的话题。莎拉·蔡尔兹说："或许，特蕾莎·梅对自己媒体形象的控制远远超出一般人的想象，我认为她对鞋子的选择就非常有策略。媒体如何描述从政的人向来是一个有趣的话题，而特蕾莎在这方面有极大的主动权。"彼得·克拉斯克说："她喜欢穿五颜六色的鞋子，大部分议会议员都是男性，他们穿黑色的鞋子，因此她轻而易举就能吸引别人的注意力。"梅的另一位新闻发言人卡蒂·佩里奥说："她的穿衣打扮就是要告诉你，她和你想象中的完全不同。她的着装品位显示了她的冒险精神，这些都是暗藏的信号，她用双手控制了自己的人生。"[171]

佐伊·希利也认为，梅接受并鼓励媒体将她描述成一位鞋子爱好者，希利回忆起在梅担任保守党主席时，自己陪她前往一座农场视察时的场景：

我们被告知要穿上长筒雨靴，所以我们就把靴子扔在了后备箱里。她的靴子是绿卡其色的，我的靴子布满了装饰物，很喜庆。她看了看我，然后开玩笑地说："哦，你不能超过特蕾莎——难道在合同里没有讲明白吗？"

多年以来，梅制造了少量相对"安全"的私人话题，其中就包括她对鞋子的兴趣。在一连串的采访中，她可以和记者畅谈这个话题。如果阅读有关她的新闻报道，你会发现内容惊人地相似。梅一遍又一遍地重复着相同的故事：她喜欢烹饪，但相比迪莉娅·史密斯，她更喜欢杰米·奥利弗，因为前者太过照本宣科；她热爱板球，特别是杰弗里·博伊克特；她和菲利普每年都会去瑞士度假，但她并不是一个"合格的登山运动员"，因为每次远足结束后，她总是要泡一个热水澡。在那个公众和媒体想要知道政治家所有私事的年代，这些故事非常可爱和迷人。对梅来说更重要的是，这些安全的故事为她赢得了一些空间，可以不必回答那些她不愿在公众面前提及的棘手的私人问题。安德鲁·格里菲斯说，谈论鞋子和食谱让记者们"不必询问太多她认为私隐的问题就能为自己的报道添加色彩"。"她是一个非常注重隐私的人，"他接着说，"她的鞋子和穿衣风格显示了她的个性，对于许多女性都喜欢的时髦的东西，她一样喜欢……但是，她不会和任何人分享她的私生活。"

毫无疑问，关于梅以及她的时尚品位，特别是关于她胸部的评论时常会将话题引到对女性的歧视上。这种报道屡现报端。谢里尔·吉兰说：

虽然起初梅非常喜欢媒体对她的鞋子的报道，喜欢公众的这种注意，把它看作达成某种目的的手段，但我记得有一次我走进她的办公室……她正拿着一些鞋垫，很显然，人们经常送给她这些东西。我的印象是，她虽然很喜欢这些东西，但有时也会感到厌倦。

有一次谈起因为所穿的鞋子在2002年保守党大会后受到的关注，梅说：

我喜欢鞋子是众人皆知的事情。鞋子并不是界定我是女人还是政治家的标准，那只是报纸对我的看法。几年前，我穿着一双豹纹中跟鞋去参加保守党大会，从那以后，媒体就将注意力放在我的脚上。除了了解到我对鞋子的品位从来不差之外，他们似乎忽略了我站在那里的原因——我是一个主要政党的第一位女性主席，这的确让我很沮丧。[172]

梅对时尚真的很感兴趣，从青少年时期的喇叭裤和热裤，到时髦城市人抹的深红色口红，以及她在大选之夜穿的蓝色套装，她对于自己如何打扮以及想通过打扮表达什么意图都有非常清楚的认识。2014年在接受《荒岛唱片》采访时曾被问道想要什么奢饰品，她回答想要终身订阅《VOGUE》杂志。成为首相之后，梅对衣服和鞋子的兴趣比之前更浓厚了。她并没有像前几任首相夫人那样，聘请造型师或购物顾问，而是经常流连于商业区的高档商品连锁店，例如罗素&布罗姆利、L.K.班尼特，现在她的东西大部分都是在靠近亨利选区的一家名为弗卢伊迪蒂的小精品店里购买的，那里都是些名牌服装和高档休闲服。

梅逐渐形成了自己对时尚的理解，20世纪90年代后期，她通过让自己的形象变得柔和赢得了梅登黑德地区的选举，进入议会之后，她花了好几年的时间才建立了自信。2000年夏天，《每日邮报》的专业写手昆汀·莱茨从高高的记者席上往下院大厅看，第一次敏锐地发现了梅鞋子的特别之处。当时，梅担任影子内阁的教育大臣，他形容梅有着“银行家妻子的一双光滑的手以及两条修长的腿”。他曾经报道过她和教育大臣埃斯特尔·莫里斯关于教师奖金计划的争论，最后，他总结道：“每一个拥有服装品位的评论家都会批评保守党。梅穿着一身考文垂蓝色套装——这是某位设计师的作品？——还配了一双时髦的鞋子，鞋尖是蓝色的。”[173]

在接下来的几年里，梅的鞋子成为议会简报中经常提到的词汇，2002年冬天，当她作为影子内阁的交通部长和史蒂芬·拜尔斯展开激烈论战时，梅开始改变穿衣风格来适应她那艳丽的鞋子。她曾经有一段时间特别热衷于皮衣，在拜尔斯辞职的那天晚上，她穿着一件淡紫色的皮夹克出现在《晚间新闻》上，让所有的观众大吃一惊。在被任命为保守党主席的那天，她召集总部所有的工作人员开会，她开玩笑地说，虽然她打算在保守党内推行改革，“但并不是要让每个人都穿上皮裤和中跟鞋”。

但是，在2002年保守党大会上，她选择穿着豹纹中跟鞋发表演说，即颇具煽动性的“下流的政党”，三个月后，这两个选择的确让她名声大噪。她在日记中写道：“我从来没有想到我的鞋子会出现在这么多报纸的头版头条，一个星期之前我就在想，自己到时候穿什么鞋子，但是到达伯恩茅斯之后，我改变了主意，决定要穿中跟鞋。对于这些新闻报道，我感到很满意。”[174]这些新闻报道也让鞋子品牌罗素&布罗姆利喜出望外，仅仅几天，梅所穿的那款豹纹中跟鞋就在全国范围内销售一空了。后来，人们都认为她有意推动中跟鞋的复兴，罗素&布罗姆利甚至提出专门为她定做鞋子，以回报她提升了他们的年利润总额。

不过，在被任命为保守党主席的第一天，比起梅的行头，她的性别还是吸引了更多的注意力。伊恩·邓肯·史密斯在上台10个月之后进行第一次党内改组，但并未能消除保守党议员对其领导能力的质疑。成为保守党党魁还不到一年，在得到党内右翼分子戴维·戴维斯继续推行撒切尔主义的承诺之后，史密斯任命他为保守党主席。虽然史密斯认为保守党实现现代化势在必行，但戴维斯并没有在这方面有所作为，而梅在过去几年中一直讨论这个话题，似乎是取代戴维斯的最佳人选。但不幸的是，邓肯·史密斯决定罢免戴维斯的时候，戴维斯正在佛罗里达休假，联系不上。在长达9天的时间里，保守党官员为了帮助史密斯顺利改组，持续不断地给戴维斯打来紧急电话，结果戴维斯还是未能返回英国。最终，由于戴维斯的擅离职守，史密斯在戴维斯不知情的情况下公布了自己的决定。在被任命为保守党主席的时候，梅和邓肯·史密斯并肩站在保守党总部的台阶上，她发表了一个简短的发言，宣称："我相信保守党正在积极地进行改变，而我被任命为第一位女主席就是这种改变的标志。"

戴维斯回到英国，获悉自己被罢免之后大发雷霆，邓肯·史密斯被迫公开宣布，戴维斯的新职务——影子内阁副首相约翰·普雷斯科特的高级顾问——比梅的职务要高。这种混乱的安排使得这次重新改组弥漫着一股氛围，用一个议员的话形容就是"只是重新改变了一下顺序而已"。[175]《每日邮报》形容梅"深受欢迎"但"资历不够"。[176]尽管如此，她当上保守党主席还是成为了国际上的重大新闻，《纽约时报》甚至还刊登了她的大幅照片，并在旁边配了一小段文章，标题是"保守党的新形象"。[177]虽然梅对于这个职位需要她比以往更多地在公众面前露面有所保留，但她还是非常喜欢这份工作。这个工作需要她经常和媒体打交道，以前她有点惧怕，但现在她已经可以轻松地应对。她曾经说起过那时自己新积累的人气（这种说法不是特别可信）："第一次有人在大街上认出你，你会惊呼'噢，天呐'……但是，有时候你也想悠闲地在维特罗斯周围逛逛，不希望有人走上前来向你提问题。"[178]

梅现在有了新的团队，在接下来的几年里，团队中的几个人在她的生活和事业上发挥了关键的作用。新闻发言人卡蒂·佩里奥后来成为她最信任的助手，虽然佩里奥很快就离开了梅的团队，组建了自己的公关公司（在2008年大选中，帮助鲍里斯·约翰逊成功当选伦敦市长），这两位女性仍保持着密切的联系，而且她依然作为非正式顾问对梅的生活和事业发挥重要作用。在离开梅10年之后，2016年，佩里奥在梅竞选首相时帮助梅进行媒体运作，并最终帮助梅入主唐宁街10号，她也成为梅的公关负责人。和与梅关系密切的所有成员一样，佩里奥并非来自特权阶层。她那浓重的伦敦南部口音、脚踏实地的作风、幽默风趣的性格让她远离了保守党总部的权力中心。在接下来的几年中，佩里奥成为梅的得力助手和很好的朋友。

除了佩里奥之外，梅在保守党总部还认识了两位年轻人——尼克·蒂莫西和菲奥娜·希尔，这两个人后来也成为她最亲密的顾问。蒂莫西那时担任调研员，而希尔还是一名新闻发言人。他们都吸引了梅的注意，但在接下来的几年中，并没有立刻为梅工作。在邓肯·史密斯担任党魁的仪式上，41岁的马克·麦克格雷格被任命为保守党的首席执行官，和他承担的重大责任相比，他还是太过年轻。虽然众所周知，他是迈克尔·波蒂略的盟友，但他很快就和梅建立了密切的联系，并和她一起推动保守党的现代化。

后来成为西北剑桥郡议员的沙雷斯·瓦拉这时担任保守党的副主席，他在此时结识了梅。他说，上任最初的那段日子，梅并没有因为邓肯·史密斯和她的前任戴维·戴维斯之间的职位高低之争而受影响，这一点给他留下了深刻的印象。“虽然戴维·戴维斯和伊恩之间有些争执，但她按部就班地处理自己的工作并且处理得很好。”瓦拉说。虽然他是戴维斯任命的，但他非常尊敬梅，“我发现她十分负责，”他说：

她处理棘手问题的能力实在一流，党内的斗志非常低迷，在1997年大选中，我们遭遇到了前所未有的惨败。2001年选举中，我们也没有取得任何起色。在这种情况下，保守党主席经常招致批评。她保证我们时刻在努力工作，并准备好夺回失去的选区。

在邓肯·史密斯的支持下，梅一开始就明确表示，他们的重点就是增强保守党对选民的吸引力，瓦拉说：

那时，不管是哪个阶层，你放眼望去全是男性和白人。梅的观点是，我们不仅要在议会、团体层面上扩大保守党的影响，还要吸引那些不是保守党人的普通民众，争取他们的选票。

在2002年保守党大会召开前夕，即将成为保守党主席的梅开始考虑保守党的转型问题。她始终坚信，保守党能够像新工党那样形成强大的凝聚力，但他们必须要适应这个变化的时代。因此必须对内施加压力，推行必要的改革。她的演讲首先为保守党敲响了警钟，直截了当地告诉保守党人现在面临的危机。埃里克·皮克尔斯说："那个时候，布莱尔可能会执政二三十年，工党可能会一直执政。但保守党却一直未能解决与公众沟通不畅的问题，未能解决与公众价值观不统一的问题，也未能注意到公众真正关心的问题。"梅在谈到她那次著名演讲背后的动机时说：

一个月之前，我就开始思考自己应该在会上说些什么……这是一次不同寻常的会议，因此我想发表一次不同寻常的演讲。开玩笑和嘲讽都不是我的风格，我们迫切需要知道大部分选民是如何看待保守党的——这就是我使用"下流的政党"这种说法的真正用意。[179]

2002年10月6日星期日，整个团队在为即将臭名昭著的那场演讲紧张地做准备，卡蒂·佩里奥回忆了当时的场景。"我记得我拿着一份草稿楼上楼下来回奔跑，总共有15份草稿，然后他们会说'不，这显然不是最终那一份'，然后他们就会跑到楼上再取一份草稿来，场面相当混乱。"直到第二天凌晨两点，这份演讲稿才最终确定下来，菲利普夫妇才安心去休息。梅从来没说过，是谁想出了"下流的政党"这种说法，但佩里奥坚称那个人不是她。在接下来的十多年中，这种说法成为了梅的标签。很长时间以来，人们认为马克·麦克格雷格应该为此负责，但他一直强调，他并没有负责整个演讲稿。"你知道有些人称呼我们为'下流的政党'，"佩里奥说过，虽然作为一名公关，她取得了辉煌的成绩，但没有劝说梅将"下流的政党"从演讲稿中删掉是她犯过的最大的错误。"那时候我才20多岁，"她说：

当时我意识到这件事情闹大了，但我没有想到，10年之后我们还在谈论这件事。现在回头想想，我当时太年轻了。现在我可能会告诉梅，她的想法是正确的，但她在错误的时间将它表达了出来，保守党那个时候还没有准备好接受这种说法。[180]

10月7日星期一，当梅准备踏上演讲台的时候，她后来承认，当时非常紧张。她努力地克服，穿着那双罗素&布罗姆利的中跟鞋昂首阔步走上演讲台，散发出浓浓的自信。"女士们，先生们，你一定注意到了，我们今年的大会有一些新的变化。一个全新的形式，全新的时间表，全新的人事安排，但最重要的是，这次会议标志着这个正在改变的政党要采取一种全新的方式。"从一开始，梅就义正词严地发出警告，因为某些保守党政治家乖张荒诞的行为，民众已经放弃保守党了。梅显然是指最近几年发生的一系列丑闻，它们出现在各大报纸的头版头条，让保守党的处境相当尴尬。就在一周之前，前卫生部长埃德温娜·库利承认，曾与前首相约翰·梅杰有一段婚外情。另外，两位前内阁大臣——乔纳森·艾特肯和洛德·阿切尔因为做伪证而锒铛入狱的丑闻，也让保守党相当窘迫。

梅对保守党形象的警告将会被载入史册，"我们不要再和自己开玩笑了，"她说：

在重新执政之前，我们必须采取措施。仅仅我们政党内部，也有很多事情要做。我们的民众基础太薄弱了，有时候甚至可以说太可怜了。你们知道其他人如何称呼我们吗？下流的政党！我知道这是不公平的，你们也知道这是不公平的。但是，他们就是我们需要争取的民众——我们只能尽量不让工党抓住我们的这种行为和态度来做文章……我希望我们的政党代表的是整个大不列颠，而不是某些虚构的叫作"英格兰中部"[1]的地方。但是事实是，我们的国家越来越多样

[1] 代指伦敦以外的地区，是保守党的主要支持者中产阶级的聚集地。

化，而我们的政党仍一成不变……扪心自问：如果我们的政党不再能真正地代表整个英国，我们怎么能自诩为英国的政党？

各方对梅的演讲反应不一，瓦拉说：

我是台下的听众，保守党需要改变，她有勇气说出这番话，非常勇敢！她不害怕讲出真话，因为她想让我们的政党做到最好。做到最好就意味着你说出来的话不一定每个人都愿意听。

不过，威廉·黑格则认为，“下流的政党”这种说法毫无助益。“这件事的错误在于轻而易举就给了工党一个把柄，他们会说‘连保守党的主席都称自己的党是下流的政党’。这就是为什么我不会像她那样说。”安德鲁·兰斯利曾表达过这样的观点：

我想与会的每个人都理解了她所要表达的意思：你们必须清醒地认识到自己的处境，没有必要假装。但问题是她给了工党一个把柄。鉴于众人的反应，她应该马上就后悔自己刚才所说的那番话，但当时我们都在场。

埃里克·皮克尔斯当时也在布莱克浦的大厅里，他说：

当她说出“下流的政党”的时候，我倒吸了一口凉气。我记得自己望着她想：“哦，这次我们在这里闹笑话了！”当然，她说的都是实话……但还是取得了语惊四座的效果。这番话是必要的，就像在说：“赶快摆脱困境，克服困难，加油，时代已经不同了！”虽然我对这一切心知肚明，但当她说出这番话的时候，我还是忍不住“倒吸了一口凉气”！

虽然针对梅的攻击很快变得激烈起来，但中间还是花了一点时间。媒体起初对她的演讲的反应也比较温和，在议会大厅里也是如此，当她结束演讲的时候，感到震惊的代表们都对她报以热烈的掌声。或许是因为她的措辞太过严厉，这种赞赏随后就变成了批判。几天之后，保守党内的大佬对这次演讲的愤怒之情愈演愈烈。在梅结束演讲的几分钟内，肯尼斯·克拉克第一个跳出来对梅进行抨击："她一直强调保守党需要变革，需要吸引更多的女性，但我认为没有这个必要！"[181]许多议员都匿名表达了自己对梅的演讲的愤怒。几天之后，洛德·特比特和安妮·威特库姆立场明确地参与到这场争论当中，特比特坚持认为"保守党是一个非常包容、非常慷慨的党派"。[182]伊恩·邓肯·史密斯选择支持他任命的主席，毫无疑问，他和梅在党内都受到了抨击。

按照《电讯报》的报道，梅在保守党大会发言后的几天之内，党内的"保守势力"[183]就开始对梅进行攻击。随后，不管是议会内外，大部分保守党员都表现出了对梅的敌意。梅并不后悔，也拒绝收回她的言论，不仅如此，她还特地向那些草根阶层保证，自己的这番话并无恶意。她的新闻发言人佐伊·希利说："当我们遇到那些保守党党员的时候，我的感觉是梅有必要解释一下她使用'下流的政党'这种说法的真正用意，只要有机会和别人交流，梅都向对方解释了自己的思路，他们都对她的想法表示了肯定。"

然而，一些议员仍表示，她的做法难以接受，埃里克·皮克尔斯说：

我并不认为告诉全体党员我们目前面临的困境，就能为她赢得更多的支持。这件事在她那里打下了印记，她会因这件事受责备。一些议员对她颇为失望，而且这种失望还蔓延到政府工作中。不过这是一件好事，一件正确的事，如果没有这件事的话，保守党现代化的大门永远都不可能打开。

梅决定花费大量的时间来安抚那些地方活动家，向他们解释她在演讲中所要表达的真实意图。而对于媒体和同僚的看法，她并不是那么在意。利亚姆・福克斯说："这就是特蕾莎・梅，大部分人在遇到这种情况时，总会费尽心力地向别人解释'我没有那样说'，但只要有人提到这件事，她只会耸耸肩，然后一笑置之。"

威廉・黑格指出，虽然"下流的政党"的演讲对梅的抱负产生了一些负面影响，但并没有持续太长时间。"这件事的确对她造成了一些负面影响，一些议员和活动家都认为，这给工党留下了再明显不过的话柄，而且这种说法让他们感觉非常刺耳。不过，她并没有因为这件事而退缩，没有她应付不了的事情。" 2016年10月，当她第一次以首相身份参加保守党大会时，她以开玩笑的口吻谈到了14年前那场臭名昭著的演讲，当时，工党正面临着反犹太主义和歧视女性的指控，她将那个词用在了工党身上，她说："工党内部不是有分歧，而是面临分裂……你知道有些人如何形容他们吗？下流的政党！"

2002年秋天，事态的发展越来越明显地表明，梅在保守党大会上的发言打开了潘多拉的盒子，为她的上司——伊恩・邓肯・史密斯招致了灾难性的后果。保守党议员再也没有温和地对待过他们的新任领导人，再加上他在议会中不尽如人意的表现——他的嗓子好像总是会发痒，而且每次只在托尼・布莱尔首相问答时发作——更加剧了他们的不满。议员们在保守党大会结束后回到议会，梅关于"下流的政党"的演讲俨然点燃了导火索。10月17日，邓肯・史密斯再次在首相问答中表现不佳，在由普通议员参加的会议上，他不得不面对保守党议员的排斥。一些愤怒的议员就梅"下流的政党"的演讲向他发难，其中一位议员暗示，这就是"杰拉尔德・拉特纳事件"的翻版。杰拉尔德・拉特纳是英国低端珠宝商拉特纳斯集团的首席执行官，他在一次演讲中轻蔑地称自己公司的产品为"垃圾"，结果他的生意几乎全面崩盘。[184]几周之后，一位新当选的议员鲍里斯・约翰逊在一次采访中再次提到了拉特纳斯集团的例子，这是梅和约翰逊第一次在媒体面前爆发冲突，在接下来的15年中，他们还爆发过多次冲突。

尽管引发了公众愤怒的狂潮，但梅依然安之若素，处理着手头的工作。这次是强行推进保守党的现代化，以及为妇女和少数族裔提供更多进入保守党的机会。这当然是一项繁重的工作，到11月，尽管她屡次呼吁地方的保守党组织推选来自不同阶层的候选人，但显而易见的是，地方保守党组织对此置若罔闻。到目前为止，58个席位中只选择了9名女性，在这9人当中，只有3位是在梅担任主席期间当选的，还不如戴维·戴维斯在任期间的成绩。2001年保守党党魁竞选之前，梅和安德鲁·兰斯利曾制订过一个方案，现在在那份方案的基础上，梅又草拟了新的方案，迫使地方组织从一个相对公平的名单中挑选候选人，这份名单中包括同等数量的男性和女性，还按照人口比例给予少数族裔一定的名额。这就是所谓的“精英名单”。不过，让她倍感失望的是，普通的党员和议员们还受到她那“下流的政党”演讲的影响，保守党大会结束三个星期后，邓肯·史密斯宣布，保守党还没有做好准备采取任何积极的行动。他暂停“精英名单”的推行，至少要等到夏天地方选举结束之后再议。

邓肯·史密斯的安抚姿态并不能平息党内不满的情绪，梅“下流的政党”的评论令人不快，邓肯·史密斯在演讲后选择了全力支持他任命的主席，这让他的权威也受到了攻击。在保守党大会结束后的一个月内，他采取的一项措施又同时得罪了党内的左翼和右翼。鉴于保守派对他的攻击，他想努力挽回作为一个社会保守派的声誉，针对政府允许同性恋伴侣收养孩子的有争议立法，他紧急召集议员投票反对这项改革。一些人公然忤逆他的意思，为了表达自己的愤慨，前座议员约翰·伯科和迈克尔·波蒂略愤然离职。另外35名议员，包括影子内阁部长达米安·格林和蒂姆·约在内，在投票时选择弃权。梅坚定地支持邓肯·史密斯，投票反对这一动议。这一举动在几年之后又对她产生了影响，当她被任命为妇女及平等事务大臣的时候，同性恋权益支持者提出了激烈抗议。但在当时，处于风暴中心的是邓肯·史密斯，他受到来自左翼和右翼的双重攻击，在这种情况下，这位领导人召集了包括梅在内的最亲密的助手，来商量一下如何应对眼前的危机。

11月4日，他本应该去参加在伦敦东部举行的一个新闻发布会，公开阐述保守党关于扩大购买住房权利的计划，但就在动身前10分钟，他突然取消了原定计划，召集媒体前往保守党总部，说要公布“个人事宜”。长期以来，这种说法一般都被认为是主动辞职的另一种表达，因此许多记者都准备好了听这位领导人宣布辞职的消息。当时，史密斯在影子内阁里最亲密的助手——梅、影子内阁的外交大臣迈克尔·安克拉姆、影子内阁的内政大臣奥利弗·莱特温——都默默地坐在他旁边，表示他们对他的忠诚和支持。在新闻发布会上，邓肯·史密斯敦促保守党要团结一心，这就是后来著名的《团结或灭亡》的演说。

邓肯·史密斯站在演讲台上，背后是写着“有目的的领导”的横幅，他的演讲稿是莱特温为他写的，他说：

一年前，保守党以民主的方式推举领导人，我以压倒性的多数获胜。在过去几周里，我在议会的少数同事有意削弱我的领导权……我们不能以这种方式继续下去，我们必须齐心协力，否则我们就会陷入分裂。保守党需要引路人。它选择了我领导全党按照目前的方向前行。我要传达的信息简单而清晰：要么团结，要么灭亡！

整个新闻发布会持续了不到两分钟。

就在这个混乱的时刻，佐伊·希利被传唤到保守党总部，作为梅的新闻发言人（代替卡蒂·佩里奥）接受媒体的问询。就在《团结或灭亡》新闻发布会召开之前，她说：

整个场面看起来有点混乱，他们正在准备召开新闻发布会，在我接受采访的时候，还有人不停地跑进跑出。他们看上去迫切希望我让开路，好让他们过去。就是在那个时候，他们告诉我，我的任务就是担任特蕾莎·梅的新闻发言人。然后，我就朝下院走去……那是我第一次与梅见面，她非常可爱。

希利接受了这份工作。

希利即将成为梅的新任新闻发言人，两个人一起喝茶，而在议会的其他地方，保守党议员们正在抗议。短短几个小时里，违抗党鞭、拒绝投票反对同性恋收养立法的议员们发表声明为自己的行为辩护，并且拒绝道歉。那些在下院酒吧巡视的记者们发现，这些保守党议员没有丝毫让步的意思。不过，他们也没有要把邓肯·史密斯拉下马的意图，特别是迈克尔·波蒂略，一年前党魁竞选的失败让他心灰意冷。对于邓肯·史密斯明确阐述的事实，其他对领导权抱有野心的人都有清醒的认识：他是保守党全体党员推选出来的领袖，如果他的权威遭到挑战，他可以宣布重新选举而且很可能再次取得胜利。

事情到目前为止陷入了僵局，邓肯·史密斯想要控制躁动的政党，但他缺乏必要的权威；其他保守党人想要把他拉下马也没有找到合适的途径。在2002年圣诞节进行的民意测验中，保守党的支持率一度下降到只有27%，比工党落后16个百分点。保守党总部里的抱怨之声不绝于耳，各个派系相互指摘，都认为对方应该为党派现在的困境负责。一位当时在保守党总部工作的人说："那段时间特别难熬，虽然你知道有人在针对你，但却很难知道具体是哪位同事。我不明白为什么人们不能团结在党魁和主席左右。"沙雷斯·瓦拉说：

党内的许多人都希望能够齐心协力、勇往直前，但遗憾的是，现实总是有很多羁绊。梅非常忠诚，她接受了伊恩·邓肯·史密斯的任命，他就是她的顶头上司，她总是竭尽全力地给予史密斯支持和帮助。对于党内发生的其他事情，她从不参与。

虽然梅想远离是非，但她发现自己俨然成为了别人诽谤和中伤的对象，一位保守党总部的职员说：

在那种情况下，你很难确定谁是你的战友。但是梅很从容地处理了这些状况，这是很不容易的。她面临着来自媒体的压力，那时的新闻报道经常暗示，一个强有力的党主席不会让自己的党魁面对来自议员的如此大的压力，我也不知道这些言论从何而来。你肯定无法置之不理，但梅的做法是无视一切流言蜚语，集中精力处理党内事务。特蕾莎总是把保守党放在第一位，她是一位公仆，从来不在意小道传闻，她认为那些毫无意义。

瓦拉接着说，“保守党的斗志时时陷入低迷，但是，我进入政坛是想成就一番事业，一味地伤春悲秋没有任何意义，我想梅也是这个态度。”

后来，有人指责梅未能组织有力的反击。被问到为何不反击时，梅回应说：“我只是想把工作做好，并无意搞一些小动作。当人们打开报纸，发现各色人等纷纷匿名攻击别人，却不知道是谁，这会对保守党造成巨大的损害。”[185]一年之后开始为梅工作的安德鲁·格里菲斯说，根据梅的性格，她绝不会进行暗箱操作。“自从我认识她之后，她从未公开诽谤过任何人。她从不传播流言蜚语，从未中伤过任何同事。这些完全和她所受的教育和处事方法相背离。”后来在政府任职的时候，梅发现自己再次被卷入党内纷争。她开始认识到，在政治领域，有时候为了自保，这种纷争是不可避免的。如果她自己讨厌进行暗箱操作的话，那她就必须雇用别人来代替她干这些活儿。

在保守党总部这种可怕的氛围内，梅一方面竭力维持人们的士气，另一方面虽然党内的斗争已经高度公开化，但她仍试图安抚党员各方面的关切。希利说：

她认为只要有机会就要走出议会去看看，这是非常重要的，因此她每周都会进行一两次巡游。她认为集中精力是非常必要的，在那些艰难的日子里，特蕾莎总会走进办公室，看看大家是不是安好。她很真诚地询问每个人的状态如何，那些因为她“下流的政党”的演讲而恼怒的人对她的态度都有所好转。从那之后，她重新获得了人们的尊重，那些热衷于传播小道消息，随时准备在质询时间中刁难她的人也开始喜欢上她，因为她总是温和地对待他们。

希利也发现，梅是一个“很好共事的人”。

我有时候会因为自己的爱尔兰人身份而受到质疑：“你为什么要让一个爱尔兰女孩来为你工作？”每当遇到诸如此类的问题时，梅总是很维护我。如果你询问一些调研人员或特别顾问，不管是过去的还是现在的，我们对她都非常忠诚。她相信自己正在做的事情，对党派斗争兴趣索然，她一心只想把工作做好。

虽然梅对她的下属非常友好和亲切，但在工作之外，她从不和他们有任何往来。希利说：

我们从未一起出去喝过酒，我们之间并不是那种关系，但她本人非常风趣。我们两个有很多独处的时间，我们会谈论自驾游，聊聊各自的生活。那时，我正在和一位丹麦人维持着一段异地恋情，现在他已经成为我的丈夫。她会开玩笑地说：“那只丹麦猛犬怎么样了？”她从不过多谈论自己的生活，我想，她可能认为没有必要吧。

新的一年开始后，保守党总部的气氛却越来越尴尬。当时梅发表那场“下流的政党”的演说之后，邓肯·史密斯起初是支持她的，现在许多人坚持认为，梅应该为党内出现的针对史密斯的言论负全责，这让史密斯的想法也产生了动摇。那篇“下流的政党”的演说词是马克·麦克格雷格执笔的，而且他还致力于协助梅推动保守党的现代化，他的这些行为让史密斯颇为愤怒。邓肯·史密斯是作为右翼分子被推选上来的，现在他已经坚定地回到了他的本源。一场针对梅的有计划的政治诽谤运动由此展开，各大媒体纷纷暗示，她有可能在保守党的下次改组中取代史密斯成为党魁。

在接下来的2月14日，邓肯·史密斯突然发难，解除了马克·麦克格雷格的首席执行官一职，改而任命他的一位密友——巴里·莱格，巴里·莱格之前是一位右翼议员，和邓肯·史密斯一样，他也反对英国签署《马斯特里赫特条约》。麦克格雷格被解除职务时正在巴黎休假，保守党财政大臣斯坦利·卡尔姆斯曾下令让他返回伦敦亲自接受这份罢免令，但他拒绝了。所以，卡尔姆斯就打电话通知了他。保守党的研究部主管里克·奈也因致力于推动保守党的现代化而被罢免。保守党总部的职员听到这一消息后都大吃一惊，佐伊·希利说："我们称之为情人节灾难，你环顾四周问道，'这里有负责人吗？'结果却无人回应你。"

几个月以来，梅一直忠诚地支持着邓肯·史密斯，但如今他却如此对待马克·麦克格雷格，而且还拒绝与她平心静气地谈论当前的事态，因此梅觉得他越来越不可理喻了。在麦克格雷格被罢免的几个小时之后，她才得知了这一消息，而此时事实已经无法改变。不过，和往常一样，梅还是把她的不满藏在心里，即便当迈克尔·波蒂略公开宣称："如果政党要进行改革，她应该与别人商议，但她却没有和任何人商量，实在太糟糕了！"[186]"我是保守党的主席，我依然是保守党的主席。"梅回应说她会考虑——或者说应该——辞职。[187]

在那次应对危机的会议结束后，邓肯·史密斯依旧无法有效地领导八人组成的保守党核心小组。在被罢免之前，麦克格雷格和奈已经授权梅带话给史密斯，"必须停止对人们的威胁，也不能暗示他们可能会被罢黜"。[188]三个月之后，莱格也辞职了。等待了一段时间，待那些争议逐渐平息之后，邓肯·史密斯被迫向梅和保守党的核心小组妥协。这是梅取得的巨大胜利，她的反击是私下进行的，各大报纸没有捕捉到任何痕迹。对邓肯·史密斯来说，想要保住领导权为时已晚。

保守党内部的纷争逐渐平息下来，整个夏天梅都在准备作为主席参加第二次保守党会议。她很肯定，这一次会议的结果一定会对保守党及其党魁有利，但结果并非如此。10月5日星期六，梅整晚都在布莱克浦的旅馆内修改她的演讲稿，此时的媒体报道给邓肯·史密斯引来了更多的麻烦，BBC的《新闻之夜》栏目接到报告，称保守党的职员纷纷抱怨领导办公室的财政状况，特别是邓肯·史密斯雇用他的妻子贝琪引发了更大的争议。《新闻之夜》的记者迈克尔·克里克是梅在牛津大学的校友，他披露了一封邮件，是曾负责办公室工作的瓦莱丽·吉尔森发给党内资深人士的，收件人包括马克·麦克格雷格和梅，邮件表达了对人事安排是否恰当的关切。当邓肯·史密斯忙着否认这一指控的时候，《新闻之夜》披露了这个故事。几乎所有的媒体都获得了这份报告的内容，这个丑闻就是众所周知的“贝琪门”事件，这首先影响到了保守党举行的年度大会，接着又蔓延到邓肯·史密斯身上。

布莱克浦的气氛变得十分压抑，大批记者和议员聚集在会议举办地的安全区域内，梅竭尽全力避免冲突，她团队里一名成员回忆了当时的场景：

保守党的主席一般都是星期一发言，因此星期日我们都在大厅彩排。我们试图屏蔽外界发生的一切事情，她认为自己作为保守党主席，就必须对这次会议负责，她现在最重要的任务就是让这次会议顺利召开。

到目前为止，梅对邓肯·史密斯已经相当失望，她甚至在私下里开了他一个小玩笑。佐伊·希利说，关于演讲当天穿什么鞋子的问题，他们展开了“长时间”的争论，最后选定了一双用类似军服的材料做成的中跟鞋。希利说：“虽然选择这双鞋并不是要传递‘我们在与敌交战’的意思，但意图也很明显。”相比于一年之前，在演讲中言辞激烈地将自己的政党形容为“下流的政党”，梅这次演讲的措辞要柔和得多。她说：“这一周全英国的眼睛都在注视着我们，让我们向外界展示一下真实的保守党！一个充满希望和胸怀抱负的政党，一个主张自由和社会正义的政党，一个提供公平和机会的政党。保守党是一个团结的党——帮助每一个人，属于每一个人。”但是台下并没有人认真听她的演讲，所有的眼睛都在盯着邓肯·史密斯。

对于贝琪·邓肯·史密斯的指控，报纸在保守党大会落幕一天后披露了更多的细节。他们对她的指控是，作为她丈夫的秘书，她每年从议会的经费中支取大约18000英镑，却没有做任何实质性的工作。10月13日，议会的丑闻调查员菲利普·马维尔正式开启了对这件事情的调查——最终使邓肯·史密斯夫妇免于刑罚。事实证明，在瓦莱丽·吉尔森控诉邓肯·史密斯向她施加压力，要求她做伪证之后，梅曾建议吉尔森寻求独立的法律意见。一年前史密斯四面楚歌的时候，梅曾给予他坚定的支持，自从他解雇马克·麦克格雷格之后，梅认为史密斯不尊重她，自己也没有必要像以前那样支持史密斯了。

三个星期之后，“贝琪门”丑闻继续发酵，邓肯·史密斯竭尽全力保住他的政治生涯。10月26日，据报道，保守党议员决定对他的领导进行不信任投票，在一次采访中，他敦促保守党议员们，要么在接下来的三天里公开反对他，要么让整个事件告一段落。他认为自己能够挺过这场风暴，根据党内规则，要想对党魁进行不信任投票，必须有至少15%的议员在递交给1922委员会[1]主席的信件上签名，表示他们已经对现任领袖失去了信任。在2002年，按照这个比例计算的话，也就是至少需要25位议员的签名。史密斯提出这个冒险的提议两天后，1922委员会的主席迈克尔·斯派瑟就宣布，他们已经征集到了所需要的签名。在贝琪及四位影子内阁成员——迈克尔·霍华德、迈克尔·安克拉姆、奥利弗·莱特温和梅的陪同下，邓肯·史密斯在保守党总部外面举行了一个新闻发布会，宣布很高兴能够结束这一“荒唐的领导任期”。

2003年10月29日，信任投票也随即进行，邓肯·史密斯以75票对90票遭到失败，面对本党议员如此明显的敌意，邓肯·史密斯放弃了继续抗争的想法，他在短暂的任期之后辞职了，梅也以同样的速度获得了自己梦寐以求的工作。

---

[1] 保守党普通议员委员会的别称。

>>>

170.《特蕾莎・梅：我没有行为榜样，我只做自己认为对的事情》，亚历山大德拉・托平和杰西卡・埃尔贡，《卫报》，2015年10月9日。

171.《穿着中跟鞋的大野兽》，亨利・科尔，《旁观者》生活副刊，2014年10月25日。

172.《特蕾莎・梅：我是一名女议员》，同上。

173.《特蕾莎・梅抬起了自己的鼻子，就像一架准备起飞的喷气式飞机》，昆汀・莱茨，《每日邮报》，2000年7月18日。

174.《我的一周——特蕾莎・梅——第一位保守党女主席——保守党大会召开的那一周》，肖恩・奥格雷迪，《独立报》，2002年11月12日。

175.《求救信号！特蕾莎・梅登上了保守党主席的宝座，但下院议员不服气》，乔治・帕斯科–沃森，《太阳报》，2002年7月24日。

176.《难道保守党什么都没学到？》，《每日邮报》，2002年7月24日。

177.《不列颠：保守党的新形象》，沃伦・霍奇，《纽约时报》，2002年7月24日。

178.《戴安娜・里格在她成为保守党主席后的一次采访中与西比尔・福尔蒂的会面》，马修・德安科纳，同上。

179.《我的一周——特蕾莎・梅——第一位保守党女主席——保守党大会召开的那一周》，肖恩・奥格雷迪，同上。

180.《公关专家的否认》，马特・乔利，《泰晤士报》，2016年3月。

181.《保守党主席说，保守党必须改变“下流”的形象》，梅丽莎・凯特，《泰晤士报》，2002年10月8日。

182.《保守党在伯恩茅斯——保守派因“下流”这个标签而批评梅》，乔治・琼斯，《每日电讯报》，2002年10月9日。

183.同上。

184.《“下流”这个标签对邓肯・史密斯产生了意想不到的影响》，尼古拉斯・瓦特，《卫报》，2002年10月18日。

185.《一位歌手用歌词来支持新的保守党——对特蕾莎·梅的采访》，哈斯佩尔·杰勒德，《星期日泰晤士报》，2003年11月16日。

186.《英国在野党中的传统主义者和现代主义之间再次出现裂缝》，美联社，2003年2月21日。

187.同上。

188.《梅告诉邓肯·史密斯停止暗箱操作》，本尼迪克特·布罗根，《每日快报》，2003年2月21日。

戴维·卡梅伦召开第一次影子内阁会议，
2005 年 12 月 13 日 / 视觉中国

保守党召开年度大会，特蕾莎·梅和卡梅伦，
2009 年 10 月 6 日 / 视觉中国

内政大臣特蕾莎·梅访问伦敦奥运会安保部门，
2012 年 7 月 2 日 / 视觉中国

内政大臣特蕾莎·梅在约维尔进行选举活动，
2015 年 4 月 18 日 / 视觉中国

内政大臣特蕾莎 · 梅宣布参加保守党党魁竞选，
2016 年 6 月 30 日 / 视觉中国

内政大臣特蕾莎·梅赢得保守党党魁选举第二轮投票，
2016 年 7 月 7 日 / 视觉中国

特蕾莎 · 梅参加卡梅伦最后一次内阁会议，
2016 年 7 月 12 日 / 视觉中国

特蕾莎·梅召集内阁部长开会，开始英国脱欧工作，
2016 年 7 月 12 日 / 视觉中国

特蕾莎 · 梅接替戴维 · 卡梅伦成为英国新首相，
觐见女王，2016 年 7 月 13 日 / 视觉中国

特蕾莎·梅接替戴维·卡梅伦成为英国新首相，
2016 年 7 月 13 日 / 视觉中国

特蕾莎 · 梅接替戴维 · 卡梅伦成为英国新首相，在唐宁街 10 号前发表演讲，2016 年 7 月 13 日 / 视觉中国

奥巴马在柏林会见欧洲领导人，英国首相特蕾莎·梅和德国总理默克尔，2016 年 11 月 18 日 / 视觉中国

阵亡将士纪念日，皇室成员为纪念碑献上花环，梅和科尔宾出席活动，2016 年 11 月 13 日 / 视觉中国

《太阳报》武装力量奖颁奖礼，梅夫妇踏上红毯，
2016 年 12 月 14 日 / 视觉中国

特蕾莎·梅洗牌后的第一次内阁会议，
2017 年 6 月 12 日 / 视觉中国

英国首相特蕾莎·梅在意大利北部度假，
2017 年 7 月 25 日 / 视觉中国

>>> 09

继续工作

特蕾莎·梅向来以自己的自控力为傲，但当伊恩·邓肯·史密斯辞职的时候，她竟出人意料地伤心。当他那长达26个月、多灾多难的任期结束时，她站在他身边以示支持。随着邓肯·史密斯的辞职，一场争夺党魁之位的大战也随之开始。一些人认为，梅的第三届短暂的议会任期“十分混乱”。[189]鉴于从马克·麦克格雷格被免职的“情人节灾难”以来的6个月里，梅和史密斯之间纠缠不清的斗争，特别是在“贝琪门”期间，梅未能给予史密斯有力的支持，人们认为她的反应太意外了。但同时梅也是一个忠诚的人，她非常清楚，是史密斯给了她进入最高领导层的机会，鼓励她，邀请她参与党内许多重要事务的讨论。和史密斯相比，她服务的另两位领导人都将她排除在最高领导层之外，在成为首相之前，这是她最接近最高权力的一段时间。这时，她还无法预测自己在党内的地位将如何变化，但她清楚地感受到，随着史密斯的辞职，她失去了一些非常重要的东西。随着她马上就要失去工作，这种感受就越来越明显了。

就像政坛上所有的过渡期一样，在邓肯·史密斯于2003年10月29日发表告别演说之前，媒体和保守党议员就迫不及待地猜测代替他的人选。所有人都不约而同地支持同一个人——影子内阁大臣迈克尔·霍华德。就在伊恩·邓肯·史密斯绝望地发表告别演说仅18个小时之后，霍华德宣布继任为保守党党魁。他是这场竞争中唯一的候选人。2016年脱欧公投结束后，保守党人在混乱中形成以梅为核心的领导班子，与此相比，13年前，保守党人聚集在前任内政大臣霍华德身边的速度要快得多。霍华德一就职，就获得了90名保守党议员的支持，除了三名成员之外，其他影子内阁的成员都表态支持他。邓肯·史密斯辞职后八天，霍华德就完全承担起领袖的责任。

在其他成员都向霍华德示好的浪潮中，只有梅没有这么做。按照惯例（实际上并不需要如此），她作为保守党主席应该保持中立，她就是在邓肯·史密斯辞职之后，没有公开表示支持霍华德的三位影子内阁成员之一。（另外两人是蒂姆·约和迈克尔·安克拉姆，他们后来发表声明表示不会辞职。）但是，梅却试图阻止霍华德成为党魁，她宣称根据现存的规则，即便没有其他对手，霍华德也应该参加由全体党员投票的正式选举。“我想，保守党议员们需要了解，他们如此随意地罢黜史密斯引起了多大的愤慨，”梅说。[190]作为主席，梅尽心尽力地为全体成员争取权利无疑是发自内心的，但她的表态实在有些可笑。保守党领导班子当然否决了这一造价高昂却毫无意义的建议。2016年，梅在没有任何对手的情况下当选保守党的领袖，这意味着在成为首相之前，她不需要再接受党员的投票，更不用说其他选民了。

一个不客气的观点认为，梅之所以反对霍华德在这么短的时间内就职，是因为她意识到，在他的领导下，她很可能无法继续担任保守党主席一职。虽然霍华德坚称对梅没有敌意，但梅也不由得怀疑这一点，因为长期以来，他一直不赞同梅推动保守党现代化的做法。梅可能也意识到，她那“下流的政党”的演说也让霍华德大为光火。他说：“我认为这种做法是不妥当的，我们没有必要给我们的批评者任何把柄。虽然她所说的全部都是事实，但我反对使用那种说法。”从短暂的党魁竞争开始的那一刻起，媒体就一直猜测，梅会被罢黜主席一职。唯一的疑问就是，她还会不会在影子内阁中担任职务。

2003年11月6日，迈克尔·霍华德被选为保守党党魁，他是13年以来的第五任保守党领袖。梅说：“我非常荣幸能够为保守党的领袖迈克尔·霍华德提供全力支持……我非常期盼能够和霍华德一起共事，尽最大的努力保证保守党赢得下一届选举。”[191]三天之后，霍华德就罢免了梅的主席之职。但是霍华德任命了两个人担任“联合主席”，一位是利亚姆·福克斯，他在邓肯·史密斯在任期间担任影子内阁的健康大臣；另一位是上院的财政部发言人，也是霍华德在政坛上最亲密的盟友洛德·萨奇。在谈到这一决定时，霍华德说："我任命支持我的人担任保守党主席……这并不是对梅的报复，而是我知道谁更胜任那份工作。"

梅装作若无其事的样子，并开玩笑说："是的，用两名男性取代一名女性的工作。"[192]不过，毫无疑问她非常失望。"我真的很喜欢保守党主席这份工作，离开真是个艰难的决定。"后来她坦诚地说道。[193]看到梅被罢免，沙雷斯·瓦拉也很伤心，他说：

> 那是非常紧张的一段时间，鉴于我们都想改革保守党，都想让保守党拥有更大的吸引力，希望有更多的女性、少数族裔加入我们，所以我们建立了密切的联系，但是，霍华德是真正能够改变局势的那个人，所以她离开了，但在那时，这就是政治。

霍华德核心集团之外的人无论如何都没有想到，梅会在影子内阁中担任职务。在前座议员的选择上，霍华德采取了一种激进的方式。他并不是按照政府的部门设置来安排影子内阁的成员，比起白厅[1]传统的部门设置方式，他认为自己的班底应该进行"超级组合"，进行部门合并会更好一些。通常情况下，影子内阁至少要有20位成员，但他出人意料地对影子内阁进行了"瘦身"，成员减少到12名。一些影子内阁的成员要负责多个部门的工作，其他本来属于影子内阁里的职位现在也被降级。各方纷纷猜测，梅会被霍华德排除在核心集团之外，11月10日，霍华德公布了他的影子内阁成员，其中包括11名男性和1名女性，特蕾莎·梅就是那唯一的女性。

梅现在可以夸耀自己是影子内阁的交通与环境大臣，对接的是白厅两个最复杂的部门。在政府中，这两个部门的负责人都让人望而生畏，分别是阿利斯泰尔·达林和玛格丽特·贝克特。佐伊·希利说："显而易见的是，她还是喜欢担任保守党主席一职，不过，她不会表

---

[1] 白厅是英国伦敦威斯敏斯特市内的一条大道，自特拉法加广场向南延伸至国会广场。白厅是英国政府中枢的所在地，包括英国国防部、皇家骑兵卫队阅兵场和英国内阁办公室在内的诸多部门均坐落于此，因此"白厅"一词亦为英国中央政府的代名词。街道周边的区域也可称为"白厅"。

现出来。”梅说：“如果我必须担任交通与环境大臣的话，我也会认真履职。这就是我必须要做的事情。”霍华德坚称，在他的任期内，他从未考虑要将梅排除在影子内阁以外。“她的思维缜密，工作努力，而且她非常可靠，我一直认为她是一个极具抱负的人。”他说。不过，媒体普遍认为梅被降级了，在一篇富有洞见的文章中，《每日电讯报》的记者本尼迪克特·布罗根阐述了认为梅政治前途黯淡的原因：

> 梅是第一位保守党女主席，她的豹纹中跟鞋和淡紫色皮裙都让人们认为，她代表了一个全新的、时髦的保守党。致力于推动保守党实现现代化的党员都希望她能够成为他们的领头人，但让他们失望的是，事实证明她是一位优秀的沟通者，但却是一位糟糕的政治家。在威斯敏斯特之外，特别是在党外，人们都满腔热情地拥护她。以至于接受民意测验的民众看到她的采访或演讲镜头时，都会钦佩地将她比作玛格丽特·撒切尔夫人。但是她却未能和同事形成一个朋友网，因此当事情变得糟糕的时候，没有人愿意为她提供强有力的支持……在过去的几周内，这种表现就相当明显，没有一个人站出来帮她保住职位，或者为她的晋升发声。[194]

梅的下属也证实，梅根本无意讨好媒体和同事，或许这也影响了她当时的处境。佐伊·希利说：“许多人都说她喜欢独来独往，她不是一个爱说三道四的人，不愿意参与威斯敏斯特无聊的话题。我从来没见过她为了和同事交谈而耽误她真正想做的事情。”梅的对手发现，她从不像别的对手一样，私底下爱和同事们友好地交谈。文森特·凯布尔回忆起保守党没能执政的那段时间里对梅的印象，他说：“在保守党内，梅绝对不是一个你想和她发展私交的人。在我看来，她……有一点排外，有一点高冷。你从来没有看到工党、自由民主党人靠近她，和她愉快地交谈。”

但是，如果她在议会中的同事认为她不善交际的话，那些和她共事的人则坚持认为她很好相处。利亚姆·福克斯说：“我从来没有觉得她高冷，她是有所保留，但这和高冷截然不同。她从不表露自己的心迹，她不是那种热衷在媒体上高调露面的人。她不喜欢和别人闲聊，她只是想把自己的工作做好。”

梅宁愿长时间伏案工作，也不愿在下院的酒吧里和同事们闲聊。现在，沙雅·雷蒙德作为调研人员加入了梅的团队，谈到为梅工作的经历时他说：

我记得那段时间工作非常繁忙，晚上8点、8点半、9点下班都是很正常的事情，大家都非常努力地工作，我们觉得我们是一个优秀的团队，大家相互扶持。我们的上司非常好，我们对她都很忠诚。

安德鲁·格里菲斯2004年开始担任梅的办公室主任，那时梅刚被任命为交通与环境大臣。他谈到她的献身精神：

她总是第一个来到办公桌前，大部分时间她都比我早到办公室。然后全神贯注地工作，一直到下班都维持这种状态。真正有意思的是她在下院的能力以及她领导的部门，这才是她个性尽显的地方，她的政治策略非常成功。她是一个非常注重细节的人，会仔细推敲每一份文件中的每一个字，直到自己满意为止。我的很多同事每天都惴惴不安，就是因为梅太过注重细节。

格里菲斯认为，梅的这种献身精神与她成长于牧师家庭密切相关，他说：

她……非常、非常认真地履行责任，而且她用这种态度对待一切事情。比如说她会认真地阅读每一份文件，比如她会尽可能早地来到办公室，工作完成不了绝不离开，比如她会尊重每一个人。她绝对是把政治看作一份事业，而不是在玩弄权术。

虽然梅的朋友和之前的同事都认为她很好相处，但他们也不否认，梅是一个有所保留的人，沙雅·雷蒙德说：

特蕾莎的问题是她看上去似乎有些高冷，她从不坐在沙发上举行会议，当谈到工作和职责的时候……她是十分认真、十分专业的。她不是那种能和你喝酒闲聊的人，我们是非常正式的工作关系，我们不是可以私下里互相发送调侃邮件的那种关系。

安妮·詹金也证实，梅不会经常闲聊。“坦白来讲，她不会做那种事情。她不会和你谈天说地，因为她的时间太宝贵了，对待工作又太认真，我总感觉自己在浪费她的时间，但这只是我的感觉而已，我确信她不会这样想。一切都是很正式的。”

另一位那时在梅麾下工作的年轻人也说：

能为她工作真的很荣幸，她非常和蔼，非常友好，但对我本人而言，绝不会和她建立一种热情、公开的关系。一些议员和他们的调研人员经常一起出去喝酒，他们一起去酒吧，但依照梅的个性，她绝不会做这样的事情。显而易见的是，她非常专注于工作，而且非常努力，但她也会和你保持相当的距离，她是那种看上去有点高冷、有点严肃，不那么温暖，但又非常和蔼、非常风趣的一个人。

梅认为她的下属是为她工作的，而不会成为她的朋友，这反映了她对人际关系的一种普遍态度。曾经有记者问她，在政治领域，谁是她“最好的伙伴”，她并没有提到任何一位同事的名字，而是回答“我的丈夫，在任何事情上，他都给予我极大的支持”。[195]梅确信，自从她父母去世之后，在周围这么多人当中，不管是议会内还是议会外，她没有选择建立强大的人脉，而是将感情全部寄托在丈夫身上。安妮·詹金说：“很显然，菲利普给了她极大的支持……我相信，他们两个无话不谈，事实应该如此。菲利普也是一个对政治特别熟悉的人，他们之间的关系类似于丹尼斯和撒切尔夫人，菲利普是一个忠实的听众，而且会为梅提供建议和支持。”

作为从政妻子背后的男人，菲利普也没有任何不适应。他毫不抗拒为保守党议员配偶组织的会议和娱乐活动，尽管在这些场合，他总是唯一的男性。安德鲁·格里菲斯说："我从未见过他在这些场合中尴尬，他总是轻松地看待他们之间的角色定位，为梅提供全力支持。"下院议员基思·辛普森说妻子帕皮塔在配偶志愿团会议上看到了菲利普，"他总是唯一的男性，我的妻子曾经和他坐在一起聊天。"

2003年，党魁竞争最激烈的时候，梅还担任着保守党主席一职。那时，她提出了一项重要的改革措施：在准议员的竞选中，采用美国式的公开预选，由这个区域的全体选民投票，而不是只由保守党党员决定，得票最高的人当选。第一位在公开预选中获胜的人将尝试担任保守党的安全选区——南沃灵顿地区的议员。11月13日，公开预选进行的时候，梅已经不担任主席一职了，但不管怎么样，竞选已经开始了，结果南沃灵顿地区的选民选择了一位名叫菲奥娜·布鲁斯的女性，她是当地的一位律师，也是两个孩子的母亲。接下来，她还将参与下一轮竞选。这无疑让梅感到非常满意，但这种公开预选的体系在霍华德的任期内未能延续下来。不过这标志着作为保守党主席，梅的努力没有白费。几个星期之后，她就被英国政治科学协会评为在野党年度政治人物。

2014年上半年，在庞大的交通与环境部里，梅不知疲倦地工作着。她意识到，比起在邓肯·史密斯麾下的日子，她不再参与党的日常运作，也不再参与制定保守党对选民的政策。相反，2001年保守党引进的两名能干的新成员——戴维·卡梅伦和乔治·奥斯本大有超过她和其他1997年进入议会的这批人，跃居核心集团的趋势。当时卡梅伦只有37岁，而奥斯本只有32岁，虽然两人都非常年轻，但都在保守党内有丰富的从政经验。卡梅伦曾在政府中担任过霍华德的特别顾问，这两个人都有在保守党研究部工作的经验。史密斯担任党魁时，在每周的首相问答中都要面对托尼·布莱尔，这两个人都承担过协助史密斯准备资料这一艰巨的任务，而且在霍华德继任党魁之后，他们继续扮演这一角色。到2004年年中，卡梅伦和奥斯本都入选了影子内阁，前者负责制定和调整大选之前保守党的政策，后者出任影子内阁最重要的财政大臣一职。他们每天都和霍华德讨论保守党的政策、方针和路线问题。

安德鲁·格里菲斯认为，只要霍华德满意她的工作，即便他选了两位年轻、经验尚不丰富（出身特权阶级，接受公学教育）的人作为密友，梅也不会放在心上。不过，自从卡梅伦和奥斯本结成紧密联盟之后，梅在影子内阁中缺乏盟友的局势就越来越明显了。他说：

我认为霍华德只是尊重她的工作能力，而且我不认为，特蕾莎能够得到更多。她很满意别人能够根据她的成绩和工作效率来评价她。不过，我还是觉得她的处境相当困难。如果去参加一个大型会议，周围的人都有自己的盟友，唯独她孤身一人，这种感觉就会愈加明显。当乔治、戴维成为下院议员时，我们通常会和他们两个一起参加会议，那时，他们一起为霍华德提供建议，因此他们关系密切，但梅不具备这个条件，她必须努力发出自己的声音，而且要努力维护自己的原则。

佐伊·希利说：

下院议员和保守党总部给我的印象是，他们完全低估了梅。我不认为他们将她看成是未来的首相，也没有想到她会在政坛上走这么远。我认为，在很长时间内她都被低估了。我认为她非常能干、非常有才华，但显然这并不是党内大多数人的看法。

2004年6月14日，在担任影子内阁交通与环境大臣7个月之后，梅被任命为霍华德新成立的另一个“超级部门”的主管，开始担任影子内阁家庭事务大臣。这一调动被外界解读为贬谪，作为她在重要的交通与环境部门推行错误政策的惩罚。两天之后，《太阳报》的专栏作家简·莫尔发表评论说：“在重组影子内阁时，迈克尔·霍华德任命梅为‘家庭事务的代言人’，但是梅没有子女，所有的政治家都不会以她为榜样，难道不是吗？”[196]梅立刻给予回击，在接受《星期日电讯报》的采访时说：“我还曾担任过影子内阁的交通大臣，但我也没有做过火车司机，组成家庭的形式有很多种，两个人也能组成一个家庭。”[197]

和往常一样，梅马上就投入了新的工作，开始拟订计划帮助那些被收养的儿童，并致力于帮助父亲们获得共同抚养权。因为这个部门的工作非常繁杂，涉及许多政府部门，包括卫生部门、就业和养老金部门以及内政部。她的工党对手主要是儿童大臣玛格丽特·霍奇，其实早在1994年的巴金补选中，她们就有过一次交锋。因为梅正致力于维护离婚父亲的权益，因此她发现自己得到了一些组织，例如“正义父亲”的赞美，这让她有些惊慌，因为这个组织当时正打算采取一些极端的措施，比如筹划逮捕霍奇，以及在首相问答期间，向托尼·布莱尔投掷紫色的面粉炸弹等。那时曾在梅的团队中工作的一个人回忆道：“我记得，‘正义父亲’曾寄给她一张圣诞贺卡，我们开玩笑地说，‘千万不能告诉任何人，我们收到了这张圣诞贺卡！’”

除了本部门的工作之外，梅在2004年不得不更加努力地工作，争取在即将到来的2005年大选中再次当选梅登黑德地区的议员。2001年大选时，自由民主党和她的得票数非常接近，现在就连那3000张选票的优势也变得岌岌可危，许多工党的支持者为了表达他们对2003年伊拉克战争的不满，决定把票投给自由民主党。梅的一名下属说：

> 那个时候，很多人都担心梅会失去在议会中的席位……伊拉克战争造成的影响尚未平息，查理·肯尼迪的支持率持续走高。没有人能够确定，特蕾莎是否能在2005年大选中继续连任，大家达成了一项共识，那就是我们不得不更加努力地工作。我们就是在这种氛围下不断前进的。

大选日益临近，形势也越来越明朗，虽然工党的确受到了伊拉克战争的不利影响，但在民意调查中，托尼·布莱尔领导的工党支持率还是高于保守党的支持率。到了4月份，距离大选拉开帷幕还有一个月的时间，保守党的支持率还是落后工党3个百分点。对于梅来说，梅登黑德的选情牵动着她的心，那段时间，她倍感沮丧和焦虑。在担任保守党主席的时候，她多次公开宣布，保守党需要改变形象，并致力于推动保守党的现代化，被罢免之后，她不得不私下推动这项事业，除非保守党采取一些根本的变革措施来改变选民对该党的认识，否则他们无法在大选中击败新工党。最为重要的是，梅认为，在2005年大选中，保守党没有采取措施争取女性选民，而她们占到了选民总数的一半。令这个问题雪上加霜的是，和往常一样，保守党在大部分选区选择了男性作为他们的候选人。

然而，迈克尔·霍华德好像忘记了梅曾敦促他采取措施争取女性选民。他说：

> 改革的进程已经开启，女性候选人的数量在增加，少数族裔候选人的数量也在增加，我们中的很多人都认为，改革的步伐可以再快一些，但在这么短的时间内推行改革，会面临很多限制因素。

霍华德并不认为，保守党在2005年大选中放弃了女性选民，他说："我们最主要的竞选纲领是更干净的医院，尤其强调避免医院中疾病的传播；强化学校的纪律，增加警力，所有这些政策都迎合了女性及其家庭的需要，考虑到这些，你就会发现这种看法是多么荒谬。"

安德鲁·格里菲斯说，无论如何，霍华德认为保守党的政策有利于吸引女性选民的看法，并没有得到梅的认同。

> 霍华德提出了一系列措施，他认为选民会对这些措施感兴趣，然后他们就会走到投票箱前为保守党投票。但是他并没有如愿。我认为特蕾莎一语道破了出现这种现象的原因。这不仅是获得女性选民选票的关键，而且还是改变选民对保守党看法的关键。这才是我们真正关心并且应该优先做的事情。

格里菲斯回忆道，当《新闻之夜》的记者为了解民意而采访一些选民，询问他们对各政党采取政策的反应时，他们本来表现得很积极，但一发现那是保守党的政策就立刻变了脸。梅得知这一消息时非常愤怒。格里菲斯说："关键问题并不是你采取的政策，而是选民如何看待你采取的政策。这就是她一直强调并努力解决的问题。"

2005年5月5日，托尼·布莱尔赢得了自己第三次大选的胜利。与此同时，迈克尔·霍华德驾驶着保守党这艘大船稳步前进。在伊恩·邓肯·史密斯担任党魁期间不断激化的内部斗争这时渐渐落下帷幕，这证明霍华德取得了巨大的成功。虽然新工党依然强大，但受到的挑战也越来越大。在他的领导下，保守党逐渐向工党发起反击，布莱尔在议会中的优势只剩66个席位，霍华德领导的保守党新获得了33个席位。在梅登黑德，梅不费吹灰之力就战胜了自由民主党，她赢得了6231张选票的优势，几乎是她上次所获优势的两倍。至少在梅登黑德，她的努力获得了回报。

>>>

189.《霍华德登上角力场》，帕特里克·奥弗林、艾利森·利特尔、柯丝蒂·沃克，《每日快报》，2003年10月30日。

190.《霍华德告诫党内的激进分子——不要破坏我们的团结》，科林·布朗，《星期日电讯报》，2003年11月2日。

191.《霍华德警告说要想赢得大选还有很长的路要走》，《西部邮报》，2003年11月7日。

192.《一位歌手用歌词来支持新的保守党——对特蕾莎·梅的采访》，杰勒德，同上。

193.同上。

194.《霍华德用两个人取代了梅的位置》，本尼迪克特·布罗根，《每日电讯报》，2003年11月10日。

195.《为什么你想让我们工作得更久一点，在政治领域，谁是你最好的伙伴？》，《独立报》，2009年10月26日。

196.《观念》，简·莫尔，《太阳报》，2004年6月16日。

197.《特蕾莎的家庭观念》，蒂姆·沃克，《星期日电讯报》，2004年6月20日。

>>> 10

Women2Win和失败

2005年夏天，特蕾莎·梅掀起了两场运动，第一场运动以惨败告终，第二场运动却彻底改变了英国的政治面貌。在第三次党内大选失败后，她再也没有公开表示过对党魁这一职位的渴望。她的野心如此隐秘，但与此同时，她从不试图平息媒体的猜测，也从不公开自己的意图。不过，由于只获得了极少数议员的支持，她的野心最终化为泡影。十年之后，当这个女人第二次向党内最高职位发起冲击时，在最后一轮竞选中，获得了高达60%的议员的支持。这时，她回忆起自己第一次争取党魁之职，坦然地说出自己获得的支持只有个位数。就在她争取党魁之职失败的同时，上帝为她打开了另一扇窗户，这也许是她在入主唐宁街10号之前，在政坛取得的最伟大成就。几乎是机缘巧合，梅发起的第二场运动把保守党变成了一个现代、宽容、高瞻远瞩的组织，虽然还有许多工作要做，但保守党吸引了越来越多的女性、少数族裔和工人担任候选人，当然还有这些阶层的选民。有人说，没有她协助建立的"Women2Win"组织，就不会有保守党女性候选人进入议会，她们在接下来十年的胜利和荣耀，也被看作梅最宝贵的政治遗产。

2005年，第三次大选结束后的梅心情非常沮丧。保守党再次成为在野党。更让梅感到无比困惑的是，尽管在担任保守党主席期间，她积极奔走，呼吁吸引更多的女性和少数族裔候选人，但保守党内女性议员与男性议员的比例仍为17：198，女性议员只比上次选举时多了三人，比她1997年首次进入议会时多了四人。

不过，还是有一些好消息，尽管女性议员的数量只增加了三个，但由于两位现任女性议员的辞职，保守党的议席上实际上出现了五张新面孔，其中就包括大有前途的贾斯汀·葛林宁、特蕾莎·维利尔斯和玛丽亚·米勒。除此之外，亚当·艾弗里耶和沙雷斯·瓦拉成为保守党首次吸收的两名少数族裔议员。瓦拉回忆起2004年他和梅在保守党舞会上首次见面时的场景，那时他刚刚当选为西北剑桥郡的议员，梅给了他一个大大的拥抱，并向他表示祝贺。瓦拉意识到自己不仅仅是进入议会，而且作为一名亚裔候选人，获得了保守党的一个安全席位，这更让他感到自豪。不过，梅接着指出，2005年大选之后，影子内阁中叫“戴维”的男人还是比女人多得多，照这样的速度，保守党要实现真正的男女平等，至少需要400年的时间。2005年，保守党议员拍摄的一幅集体照，和一个世纪之前拍摄的一张照片惊人地相似。

2005年5月6日，大选失败的几个小时后，迈克尔·霍华德宣布他将辞去党魁之职。但他同时表示，在对竞选规则进行审核之前，他还将继续留任。保守党党魁之争直到10月份才正式开始，比预计的时间晚了两个多月。这种延迟给了党内许多后起之秀检验自己支持率的机会，也给了所有潜在候选人权衡自己选择的时间。目前，在影子内阁中，霍华德提出了两个候选人：戴维·卡梅伦和乔治·奥斯本。让一些人大跌眼镜的是，奥斯本当时只有33岁，就被委任为影子内阁的财政大臣，而卡梅伦当时也只有38岁，担任影子内阁的教育大臣。由于形象更佳，戴维·卡梅伦在那个夏天逐渐为自己的党魁竞选增添了浓墨重彩的一笔，再加上他的密友奥斯本给予了他极大的支持，在大选失败之后，奥斯本宣布退出党魁竞选。为了支持他的老朋友，奥斯本明确表示，尽管卡梅伦在影子内阁的地位比他低，但外界可以将卡梅伦视为他们两个中的老大。梅在影子内阁中承担的责任也很重大，那个现在已经不存在的家庭事务部门涉及文化、体育、媒体等各个方面。

保守党内一直有这样一种传言，认为霍华德故意推迟了2005年的党魁竞选，目的是给卡梅伦时间让他来提高声望。本来如果霍华德辞职之后马上进行竞选的话，卡梅伦是没有机会当选党魁的，这样一来，他当选的概率就大大增加。霍华德否认了这一点，只是表示他希望党内各方能够在深思熟虑之后做出自己的决定，他说：

我在想，当我接管保守党时，我已经是近六年来的第四位党魁，我不希望人们在选了新的领袖仅仅6个月后就说："如果我们当时不是太匆忙的话，就不会做出错误的决定。"所以我决定延长竞选时间，让所有党员能够有足够的时间来仔细地审视所有的候选人。

漫长的夏天的确给了梅一个机会来反省自我，她开始考虑自己所处的位置，重新审视周围人的优点和缺点，考虑在自己的政治道路上，什么才是至关重要的。在2005年大选中，保守党没有引入更多的女性候选人，梅为此感到愤怒，她认为这才是保守党面临的最大的挑战。埃里克·皮科尔斯说："我认为，正是在担任保守党主席那段短暂的时间里，让她意识到了保守党实现现代化的重要性，并由此推动'Women2Win'的成立。"

梅之所以认识到变革的重要性，主要是两方面的原因：首先，早在两年前，她就在演讲中用"下流的政党"警告过保守党人，如果不进行彻底的变革，她担心保守党再也无法获得足够的选票来击败新工党。其次，从原则上来讲，她认为一个主要的政治党派，一个她爱之入骨的党派能够吸引拥有不同背景的候选人，并帮助他们进入议会。她自己的政治经历，以及她从前辈们——例如吉兰·谢泼德和安吉拉·朗博尔德——那里得到的帮助，使她逐渐萌生了帮助其他女性的想法。当时，安德鲁·格里菲斯担任梅的办公室主任，他说："她一直想吸引更多的女性从政，从而改变英国的政治面貌。我想，因为她一直在和'男性、传统和阻碍'做斗争……保守党的议席上总是一成不变，她需要强行突破。"

2005年大选结束后，再一次审视影子内阁时，她感到心灰意冷，她觉得霍华德无视她的警告，无意采取能够吸引更多女性选民的政策，也无意鼓励更多的女性成为候选人，他没有注意到党内迫切的改革需要。不仅如此，也没有任何迹象表明，其他继任者会采取相关的措施。她喜欢并敬仰的一些潜在候选人，例如肯·克拉克和戴维·戴维斯在早期都被认为是党魁的热门人选，同时还有利亚姆·福克斯、艾伦·邓肯、马尔康姆·里夫金德，但他们都无意在实现男女平等这个议题上有所作为，作为保守党新鲜血液的奥斯本和卡梅伦也没有给她留下深刻的印象。格里菲斯说：

我记得她曾不厌其烦地请求霍华德支持允许女性拥有更加灵活的产假、增加产假津贴等政策，也曾徒劳地劝说过致力于推动保守党现代化的年轻人——卡梅伦和奥斯本，他们上任之后或许在这些方面做出过许多努力，但在那个时候，她不得不极力劝说他们重视这些议题，并把这些议题列入考虑范围之内。

更让梅担心的是，这次党魁竞选在六七个白人男性之间展开，时间长达6个月，会让保守党在这方面缺乏进展的事实更明显地展现在选民面前，从而让选民对保守党失去信心。鉴于此，她开始认真考虑自己参加党魁竞选的事情。格里菲斯说，她知道自己不可能胜利，但尽管如此，她认为在竞选中出现一名女性候选人是至关重要的。

在党魁竞选前夕，出现了许多保守党歧视女性候选人的事情……在特蕾莎看来，这关乎保守党如何对待女性、如何评价女性的问题，因此这些事情的发生让她非常沮丧。她认为自己有必要作为女性的代表出现在竞选中，有必要将她关注的议题公之于众。

在保守党讨论党魁竞选规则，陷入严重内耗的时候，和其他有意参加竞选的人一样，梅从不表露自己的参选意图。霍华德提出将选举党魁的权利从基层党员手中收回，重新赋予保守党议员，这一提议遭到了普遍反对，梅就是他们的带头人。党内的一些人开始要求霍华德立刻辞职，戴维·卡梅伦已经决定参选，虽然未公开宣布，但戴维·戴维斯已经成为党魁的最热门人选。私下里审视两位候选人对提升女性地位的态度后，梅更加坚定了自己参选的决心。

6月15日，梅为一个由资深女商人组成的阿德莱德团体发表演讲，即使没有说出口，听众们也心照不宣地将这次演讲看作她参与党魁竞选的宣言。在演讲中，她提到："我认为保守党需要吸收更多的女性，我们需要更多的女性候选人，更多的女性议员。我们需要更多的女性担任重要职务，出现在电视、广播和报纸上"，"在目前的情况下，在为女性选民发言方面，现代的新工党做得比我们好得多"。[198]她呼吁积极采取措施鼓励女性进入议会，在演讲结束后接受的采访中，她进一步阐述了自己的观点，认为下院议员中，女性的比例应该达到50%。格里菲斯说："她致力于在议会中实现绝对的男女平等，这是她与其他候选人最大的不同。她认为应该倾尽全力来推进这件事，于是她勇敢地走到了前台。"

虽然还不甚明朗，但梅的演讲引发了人们的兴趣，纷纷猜测她是否有意成为保守党党魁。《卫报》用"密谋"来形容她的这一演讲，她得知后这样评价道："难道这是在说，在不久的将来，女性不可能领导任何政党吗？"[199]现在，不管是正式还是非正式的场合，新闻记者都会询问她是否会参与党魁竞选。对于她是否会参与竞选，她的团队不置可否。在那段时间，佐伊·希利分别担任梅和现任保守党主席弗朗西斯·莫德的新闻发言人，她记得新闻记者曾邀请自己到附近的酒吧喝酒，希望在喝酒的过程中，她能够透露点消息。"人们有点反应过度，特蕾莎根本没有谈过这个话题。那些在索尔兹伯里伯爵酒吧喝酒的人总是一遍遍地询问我，我只能告诉他们：'我们没有讨论过这件事。'保守党总部的人当然认为，她可能会参加竞选。"

发表演讲后一个星期，梅出现在BBC第四频道的《今日》栏目上，出于无心，她自己说错话露出了马脚。当主持人直截了当地问她是否会参加竞选时，她说："当秋天来临的时候，让我们看看局势会如何发展，当各位候选人宣布我们……"随后她马上改口说"他们"。后来，她罕见地允许《泰晤士报》一字不漏地发表了对她的采访内容，在采访中，她批评其他人没有推动保守党实现现代化的雄心，她说：“和电视采访相比，这里所说的每一句话都无半点虚假。”当被问到为什么在这次竞选中，人们从未认为她是热门人选，她并没有否认自己是候选人，而是反思说，自己的确没有“特别受欢迎”。“我从政的方式和大多数人都不一样，”她说，“我更喜欢从事实际工作，履行自己的诺言，而不是在烟雾缭绕的房间里参加无聊的辩论。”[200]这番表态更证实了她要参加党魁竞选的意图。

大选之后没多久，梅就应邀参加了BBC第四频道《女性时间》栏目举办的专题研讨会，讨论的主题是“为什么女性在保守党议员中的比例这么低”。与她一起出席节目的嘉宾有研究性别与政治的专家萨拉·蔡尔兹，以及安妮·詹金，她的丈夫伯纳德、父亲、祖母、曾祖父都曾担任过议员。詹金现在是上院议员，虽然1987年詹金在竞选议员时落败，但她本人仍活跃在保守党的圈子里。她开始举办支持女保守党人的午餐活动，借此劝说她们步入政坛。谈到那次在《女性时间》里的辩论时，詹金说：

> 我记得当时自己坐在BBC的休息室里准备上节目，主持人走过来，和一个在我之后上节目的人聊天。我想她或许是一个喜剧演员。那位主持人说：“你的节目被安排在一个女人和保守党后面。”说完之后，她们两个就哈哈大笑。我为自己的政党感到羞耻，同时我也觉得，还有许多事情要做。[201]

或许让节目编排者感到意外的是，接下来的节目竟是一场热烈的讨论。不管是詹金还是梅，都没有为自己的政党在这方面没有取得任何进展而口下留情或者找借口。詹金和梅过去打过几次照面，但双方只是点头之交。当她们坐在《女性时光》的演播室时，詹金意识到，她遇到了和自己志同道合的人——至少在女性问题上是如此。

此后不久的7月7日，当时担任保守党副党魁的迈克尔·安克拉姆为庆祝自己的60岁大寿而举办早午宴。在这次宴会上，梅和詹金再次相遇。不过，就在宴会举行的几个小时前，伦敦中心区的公共交通设施上发生了一起自杀式爆炸袭击事件，4名自杀式爆炸袭击者引爆了身上的炸弹，造成52名乘客死亡。参加宴会的人还没有从这次恐怖事件中缓过神来，因此宴会的气氛有些奇怪和沉闷。和其他宾客一样，梅和詹金除了谈论发生在宴会举办地仅仅几公里外的恐怖袭击事件外，没有涉及其他话题。只是在宴会即将结束的时候，她们谈论了一下保守党的现状。詹金很快就了解到，梅和她一样，对现在的候选人是否会恪守自己的承诺，提高女性议员的数量持怀疑态度。尽管如此，梅并没有向詹金透露她的参选意图，詹金说：

我记得……当时我坐在梅旁边，问道："接下来要做些什么呢？"那个时候，戴维·戴维斯很可能在党魁竞选中笑到最后。我们都对对方说："好吧，如果他不能理解我们的工作，又有什么意义呢？难道我真的想将漫长的夏天浪费在不会取得任何进展的竞选活动上？"

她们就问题的根源交换了各自的意见：部分是由于梅在担任保守党主席期间所做的一些工作，如今，地方选区的保守党在提供最终候选人名单时会加入女性候选人的名字，但即便如此，在做最终选择的时候，他们还是倾向于选择男性，因为他们认为男性更符合保守党对议员形象的要求，特别是在保守党的安全选区内。通常出现的情况是，女性候选人总是抱怨，自己在竞选的最初阶段表现良好，能够突破重重突围，最后只剩下两三个人的时候却功败垂成。她们需要切实有效的帮助，来协助她们克服最后一道障碍。两个人在这一点上首先达成了共识，其次，詹金也非常赞同2001年梅和安德鲁·兰斯利在上一次党魁竞选时提出的"精英名单"。因为对下一任保守党领袖是否会兑现自己的承诺有所保留，所以她们开始推行一项实验性的计划，为女性提供实质性的帮助来让她们获得安全选区的席位，以此在党内形成新的压力集团来推动女性事业的发展。詹金说："我和梅在安克拉姆举行的早午宴上的第一次交谈是至关重要的，我记得自己当时想，'哦，上帝！她准备加入进来了……太棒了！’我们达成一致，我负责积极奔走，处理好一切事情，她负责露面，担任发言人。”

当年8月，梅夫妇和往常一样去瑞士度假，不过他们大部分的时间都在讨论，梅是否应该参加党魁竞选。最后双方达成一致意见，如果她能够获得足够的支持，那她责无旁贷应该参加竞选。到此时为止，梅也没有将这个决定告诉她的朋友们——诸如詹金或者包括佐伊·希利在内的资历较浅的下属。只有那些最亲密的朋友——格里菲斯、她的新闻发言人卡蒂·佩里奥和她的丈夫菲利普才知道这个秘密。

当议会9月份重新开会的时候，一个小团体经常每周聚集在一起开会，开会的地点就位于梅在威斯敏斯特的办公室里，讨论的议题是如何帮助女性候选人。经常参加的人里就包括梅的下属，佩里奥和格里菲斯，他们都在这场运动中发挥了至关重要的作用，后来，席琳·里奇也参与其中，长期以来，她一直致力于推动保守党的多元化（多亏她通过她的继子盖·里奇联系到了多名流行歌手，因此媒体亲切地称之为“圣母玛利亚的继母”）。其他的与会者还包括劳拉·桑迪斯，她于2010年当选为下院议员，但在当时，她还在努力争取获得一个席位。桑迪斯声情并茂地向与会者讲述了在阿伦德尔和南唐斯丘陵选区，被公开的同性恋者、未来的家庭事务大臣尼克·赫伯特以微弱的优势打败的故事。当她离开会议室的时候，无意中听到一个“老油条”向另外一个人说：“额，他好像是个同性恋，不过至少我们没有选择一个女人。”[202]

与会的另一位准候选人是将要成为斯陶尔布里奇选区议员的玛格特·詹姆斯，她参加了该团体举办的一些早期会议，亲身经历了在2005年大选之前，女性被推选为候选人的种种困难。她说，虽然到目前为止，保守党高层意识到了改革的必要性，但这个信息还没有扩散到地方的各个保守党组织那里。“地方组织控制着选举名单的制定，而且他们没有接受过什么培训。”她说。

地方的保守党组织有很大的自治权，如果喜欢，他们有绝对的自由去选择一位已经退休的议员，而且最后胜出的通常就是他。在这种情况下，女性想要当选就变得更加困难。我记得，我曾申请成为雷丁选区的议员候选人，当然，我收到了一封特别友好、礼貌的来信，信中列举了大体的流程……但是，如果我闯到了最后一关，他们会很热情地邀请我参加鸡尾酒会，前提是带上我的妻子。

在绞尽脑汁并淘汰了许多“可怕”的选择之后，该团体的名字确定为“Women2Win”，玛格特·詹姆斯接着说：

我们就是否应该展开积极的行动进行了激烈的讨论，特蕾莎言辞激烈地表示，除非我们站出来维护自己的权益，采取必要的行动，否则现状不会有任何改变。如果我们只是言辞温和地鼓励，过去发生的事情还是照样会发生，我们的目标会停滞不前，一切都一如往常。我想，她曾在议会中就这个议题与那些占统治地位的男性进行过艰苦卓绝的斗争，所以才感觉到，如果我们不采取积极行动的话，我们不会快速取得较大的进展。

就在Women2Win组织建立的同时，梅开始秘密筹备她那尚未公开的党魁竞选。她把全部的注意力几乎都放在对保守党的批评上，她在一次公开演讲中表示，如果保守党是一家国际公司，将会面临性别歧视的起诉。她再次呼吁采取积极行动，指控那些反对这一观点的人“生活在黑暗时代”。[203]福西特协会是一个为女性争取权利而建立的组织，在为这个组织演讲时，梅表示，“我们必须采取实际行动，争取让更多的女性和少数族裔进入议会，而不是只开口头支票”，她还强调保守党“必须完全抛弃传统的老一套，采用全新的处事方式”。[204]

9月底，党魁竞选的原则基本确定了下来，霍华德之前提出，将最终的决定权交到保守党议员手中，结果未能得到足够的支持。梅坚决反对这项动议，反复强调让基层党员选举自己领导人的重要性。

在2001年的党魁竞选中，深受议员拥护的肯尼思·克拉克最后输给了深受基层党员（更加倾向于右翼，更加反对欧洲）支持的伊恩·邓肯·史密斯，霍华德一直希望避免重蹈2001年党魁竞选的覆辙。和霍华德及其年轻顾问卡梅伦和奥斯本不同的是，梅很长一段时间都是地方党组织的活动家，她强烈意识到，应该照顾到普通党员的意愿。1998年，威廉·黑格制定的选举规则是，议会议员确定两名候选人，然后再由普通党员确定最终人选，这项规则一直沿续到今天。

2005年10月初，保守党大会举行在即，虽然她还没有公开自己的参选决定，但她已经把自己看作一位候选人。当所有竞选者被要求派遣竞选团队去开会，以便确定一系列竞选程序的时候，梅也派出了代表参会。格里菲斯说，她并没有准备好正式宣布自己的参选意图，她向外界表示自己可能参选的目的有两个：

我认为，虽然特蕾莎参选了，但她绝没有期望自己能赢得胜利。她只是想借助这个平台，让外界关注自己关心的议题。不过我也认为……作为一个高效的沟通者和优秀的政治家，她提出参选也是为了让自己在影子内阁中的地位更加稳固。

许多同事都没有发现梅想要参选的任何迹象。迈克尔·霍华德说："我并没有发现她有参加竞选的意图……本来参与竞争的人就很多了，已经没有空间让更多的人参与进来。"不过，戴维·卡梅伦竞选团队中的议会议员安德鲁·罗巴森就意识到，梅认真考虑过参选的事。他说："2005年，她有意争夺党内的领导权，她有这份野心也是无可厚非的事情。"[205]

10月，梅以影子内阁文化大臣的身份在大会上发言，她展示了自己的才华，警告代表们说：

我想对党内少数不接受女性、黑人或者同性恋者，不平等对待他们的人说：不要以为你们在现代社会中能找到一处避难所。在保守党内没有你们的安身之处，因为如果有一天，我们不愿意接受男女之间相互尊重、男女绝对平等的未来，我们势必会被逐出政府。[206]

梅清楚地表达了自己的看法：党内态度的转变并不局限于与会的人，还包括会议大厅之外的所有人。戴维·戴维斯在大会召开之前就成为了党魁竞选的热门人选，他找了两个大胸的支持者穿着紧身的T恤衫在会场外炫耀，T恤衫上写着“我的胜利指日可待”。

党魁竞选活动真正开始的几周前，梅和詹金为Women2Win举行了一次重要的会议，与会者中就有梅在2016年党魁竞选中的主要对手安德烈娅·利德索姆，詹金说：

我记得安德烈娅·利德索姆站起来说：“其他男性渴望拥有的条件我都具备，我现在努力争取获得利物浦或其他任何地方在议会中的席位，但却没有成功的希望。还有什么我能做的吗？”虽然我很讨厌积极差别待遇，但我也开始思考，我们可能不得不接受全是女性的候选人名单了。

詹金也开始考虑像工党那样采用全是女性的候选人名单，以此来解决保守党内男女不平等的问题。梅依然对此表示反对。格里菲斯说：“她从来没有想过采用全是女性的候选人名单，我想那是因为特蕾莎相信精英教育，认为在任何领域都应该有统一的标准。我对此的解读是，她认为女性不需要得到特殊的对待，她们需要的只是获得和男性同等的待遇。”

蔡尔兹说，有些时候，保守党对彻底改革的需要变得异常明显，特别是1997年工党采用全是女性的候选人名单，导致大量女性成为下院议员之后，改革的呼声就越来越高涨。一些立场鲜明的政治家，诸如梅积极采取行动，对Women2Win的成功施加了诸多影响。保守党确实要采取一些措施，因为下院的情况实在太令人尴尬了。她说：

但显而易见的是，保守党及其思想意识、精神气质中只有些许采取积极行动的意味——并不是积极差别待遇，而只是积极行动——这让许多人感到不满。梅被大众所熟知，很大程度上是因为她的鞋子和穿衣风格，这是非常重要的，如果没有这些，我想梅不会占据那么多报纸版面。她显然对这件事很认真，不仅提出了问题，还提出了一些解决问题的方法，但却遭到了党内许多成员的批评。

但是，梅心目中解决问题的措施并不是全是女性的候选人名单，而是她的“精英名单”。

保守党大会结束的第二天，也就是10月7日，当候选人名单公布的时候，取代迈克尔·霍华德的党魁竞选就正式拉开了帷幕。到现在为止，梅面临的压力却与日倍增，她想考虑清楚，自己是否要作为候选人参选。大会召开期间，她曾在《今日》栏目上露面，宣称自己下周将会发表一份声明。她面临的现实情况却是，当她为了能够在即将到来的竞选演讲中表达自己的观点，引起对保守党未来走势的讨论，而决定不顾一切作为候选人参选的时候，却未能得到议员同僚们的支持。梅是出了名的“不合群”，她抗拒和同事们在下院的酒吧中长时间地闲聊，也不愿意夸耀自己曾作为政坛上的重要人物出现在电视节目上。用沙雷斯·瓦拉的话来说，就是这意味着她缺少“坚定的支持者”，在为数不多的握有决定权的议员中，有相当多的人认为，梅整天不厌其烦地告诫他们改革的必要性，实在是令人不快。埃里克·皮克尔斯说：

我经常唠叨她，让她多去下院的餐厅就餐，她从来就充耳不闻，而且她也从来不去下院的茶室。这并不意味着她不是一个平易近人的人，也不意味着她不善于与人交流，更不意味着她不会和别人开玩笑。我想，她可能只是认为这些都无关紧要，而且会让她感到不自在。

瓦拉表示同意：“那些了解她的人和与她共事的人都知道，她是一个优秀的政治家。但她从不向其他人展示这一点，因为那不是特蕾莎的风格。”

梅不愿意讨好她的同事们，不愿意表面上与他们热情地寒暄，因此她也从未和他们建立长久的友谊。这意味着在议会中，她没有一个能给予她强有力支持的联盟，也意味着即使那些对她颇有好感的议员，最后也不可能投票给她。梅在议会中还有一个朋友——安德鲁·兰斯利，但尽管关系如此亲密，梅也没有向他求助。兰斯利认为，梅可能怀疑他也想参加竞选。他也认为缺乏盟友是梅在竞选中最大的问题。他说：“我从不认为，梅在议会中有自己的关系网。”谢里尔·吉兰也说：

我很久之后才意识到她有意要竞选党魁，在此之前我真的对此一无所知……不过或许我早该意识到，因为我早就知道她想成为领导人。但是，卡梅伦拥有自己的小派系，已经胜券在握。梅从未拥有过自己的势力，她还没有掌握这种“生来就是为了统治”而需要的技巧，而卡梅伦在这方面大获成功。

在拖延了尽可能长的时间之后，议员们在保守党大会结束后返回威斯敏斯特。梅知道，她必须要做出决定了。最终，在不到200名议员当中，能够坚定地支持她的议员不超过10人。一名议员还曾暗示，支持她的只有她的两名下属。为了不使自己蒙羞，梅和她的团队认为，她现在就应该体面地退出竞选。因为从一开始，她的竞选就尽量避免引人耳目，所以最后也没有发表任何退出竞选的声明。10月12日，梅再次出现在《今日》栏目中，一反常态地表示自己在竞选中支持戴维·卡梅伦。她声称卡梅伦“知道保守党需要多大力度的改革”，她形容卡梅伦“是保守党内的一股新鲜血液，是一个能够解决重要问题的人”。哪怕是最亲密的朋友，梅也不会向他们表现出她的烦闷和失望。

梅的第一次党魁竞选以失败告终，接下来，她要集中精力完成两件事：督促下一任保守党党魁采取措施，吸引更多的女性和少数族裔进入议会；进一步完善刚刚成立的组织——Women2Win。关于第一件事，卡梅伦阵营中发出的一些声音让她备受鼓舞，现在，这位年轻的挑战者已经成为党魁的最大热门。这一切都要归功于他在保守党大会上那振奋人心的演讲。在这次演讲中，卡梅伦一直强调自己致力于推动保守党的现代化，这让梅颇为赞许。相比之下，戴维斯的演讲就毫无亮点，演讲的内容几乎全部集中在他所擅长的国内事务上，而没有展现出更广阔的视野。格里菲斯说：

第一个目标是敦促保守党新任领导人，那个时候我们已经知道会是卡梅伦，正视女性问题，并且划出某些需要特别重视的领域。女性问题已经引起了新任领导人的关注。我们要做的就是敦促卡梅伦认真对待女性问题，特别是女性在议会中的名额问题。

11月23日，Women2Win在威斯敏斯特的米尔班克大厦举行正式的成立仪式，仪式由《卫报》的杰基·阿什利主持。蔡尔兹、福西特协会的凯瑟琳·雷克、时任机会平等委员会主管的詹妮·沃森发表了演讲。各方面的数据显示，保守党在这方面一直没有什么进展，女性议员只占保守党全部议员的9%，和1932年相比，只增加了三人。在成立仪式举行前接受的采访中，梅表示保守党需要一种新的“战斗精神”，并且呼吁新任领导人能够采取措施，确保一半的安全席位都有女性候选人的身影。她继续说，“如果我们现在不采取措施的话，那么我们就会遭遇失败，而且没有翻身的可能。一些选区仍然持有一种传统的观点：保守党议员应该，而且始终是男性。”[207]

这个组织要求所有的保守党议员签署一份保证书，宣布他们会支持Women2Win。经过深思熟虑之后，他们决定允许男性加入这一组织。蔡尔兹说：“从一开始，这个组织就非常专业。他们做好了接受任何批评的准备，他们还采取了一个成功的策略，那就是让一些支持他们、立场鲜明的男性加入其中。”一些支持这一组织的议员，例如玛利亚·米勒、埃莉诺·莱恩、卡罗琳·斯佩尔曼、彼得·威格斯和伯纳德·詹金，都列席旁听了那些正努力获得席位、或在争取席位中落败的女性准议员的经历。即将离任的党魁迈克尔·霍华德的妻子桑德拉·霍华德和席琳·里奇也参加了会议，坐在她们旁边的是史蒂夫·希尔顿，他是卡梅伦的重要顾问，也是一名公开鼓吹推动保守党现代化的人。一回到卡梅伦的竞选总部，他就表示，“Women2Win组织的这次会议是他第一次和保守党中的正常人一起参加的会议”。希尔顿劝说卡梅伦支持Women2Win。

12月6日，就在这次成立仪式举行两周后，卡梅伦在党魁竞选中获胜，成为保守党的新任领导人。他的团队立刻与Women2Win取得了联系，他们立刻拟订了出台优先名单的计划，卡梅伦称之为“精英名单”，6天之后，他就公布了这一计划，格里菲斯说：

> 卡梅伦签署了颇具争议的“精英名单”，当各郡的男性律师发现他们不能获得这些席位的时候，他们变得难以想象的愤怒。我们了解到的事实是，女性总能闯到最后一轮，但最终获胜的往往是当地平均拥有2.4个孩子和一条西班牙猎犬的律师。我们吸收女性候选人的提议是被接纳了，但如果想采取进一步措施，为她们赢得成为议员的机会的话，就非常可笑了。因此，“精英名单”的关键就是……规定那些边缘席位只能从“精英名单”中选择，而这份名单中男女各占一半，这对女性选举产生了深远的影响。

Women2Win已经开始运作，“精英名单”也付诸实施，用詹金的话来说就是“我们已经起飞”。根据起初就达成的协议，詹金负责Women2Win的幕后工作，争取财政支持，组织重要的活动，而梅是Women2Win的形象代言人，双方都致力于为女性准候选人提供无比珍贵的支持。“步入政坛”系列会议也如期召开，保守党内的领导人，如弗吉尼亚·博顿利会指导她们如何“走出迷宫，获得席位”，他们会帮助准候选人填写简历，指导她们通过甄选面谈。詹金会联系各大赞助商，为准议员获得安全席位提供财政支持。格里菲斯说：

他们拟订了一个指导计划，建立了一个支持网络，模仿的就是男性议员的网络模式。过去，你经常会发现其他的男性候选人一起去喝酒、抽烟，他们一直聊到深夜，在获得席位的过程中互相帮助，共渡难关。而相比之下，女性就被孤立起来，她们必须依靠自己，也没有人和她们聊天。所以建立这个网络的关键就是要帮助这些女性，让她们可以通过这个网络互相帮助、互相倾吐心事、分享信息。她们可以分享自己参加选举的经历，分享成功与失败。我们制订了一份培训计划，来帮助那些参加选举的人。这不仅仅是对失败者的安慰和同情，而且是对她们选举活动中具体细节的直接帮助。

玛格特·詹姆斯说：

这种辅导的质量是非常好的……许多人花了很长时间来设计模拟面试的试题，真正为女性营造一种选举的情景。唯一的麻烦是一般的选举都是由男性主导的，只有文化变化了，环境才可能发生变化。并不是所有女性都能在这种环境中获得成功。

梅在议会中的同事都一致认为，Women2Win以及其他能够推动保守党实现现代化的更广泛的项目都是梅的第一要务，调研人员沙亚·雷蒙德说：

Women2Win的成立非常符合她的心意，任何为梅工作的人都要帮忙处理Women2Win的事务。每周都要做些事情来支持那些成为准议员候选人或者议员候选人的女性。她也花费了大量的时间来帮助女性首先获得提名，然后在2010年的大选中获得议会席位。

玛格特·詹姆斯也证实，梅对Women2Win全心付出、呕心沥血。

那些年里，特蕾莎绝对是一个最执着的存在。她出席了无数场会议，发表了无数次演讲，关心每个地方的选举，指导我们如何有效地开展竞选活动。只要有选举，她就要了解候选人是谁，发生了什么事情，有没有女性出现在最后的选举名单上。

在接下来的几个月或几年中，保守党在安全选区中接纳的女性达到了一个创纪录的数字。其中有几个人在今天的政坛中还发挥着重要的作用，詹金说：

她们以难以置信的速度被选中，玛格特·詹姆斯现在担任商业大臣，安布尔·拉德现在担任内政大臣。安德烈娅·利德索姆现在是环境大臣，哈里特·鲍尔温担任国防大臣。这些席位都是我们从工党手中夺回来的，但这些席位也是我们很有把握能占据的。

这一时期接纳的女性中，在未来成为议员的还有现任文化大臣凯伦·布拉德利、财政大臣简·艾里森、体育大臣特蕾西·克劳奇，詹金说：

特蕾莎提携了整整一批人，她打电话给所有的人，她给每一个人写信，鼓励她们“继续前进”，她在很大程度上亲自指导了2010年当选的这一批人。我能清楚地描绘出她办公室里的场景……她一定在打电话，告诉每一个人：“加油，继续前进，不要着急，一定有一个席位是为你准备的。”她会腾出时间来和她们喝咖啡，她绝对是一位高瞻远瞩的政治家。

对于一个喜欢安静的人来说，要时时准备好自己的肩膀，倾听别人的哭诉，似乎是一件很讨厌的工作，但格里菲斯说：

我曾亲眼目睹她花费大量的时间和女性们待在一起，她试图让她们相信，她们已经具备了成为议员必需的一切条件。她给予她们安慰，帮助她们找到自我，让她们觉得自己已经具备完成工作所需要的一切能力。她花了很长时间和她们待在一起，但她从不向她们倾诉自己的经历。因此人们对她的印象不是一个自我封闭的人，就是一个不太热情的人。但最终，你会发现她非常热情，非常关心他人，然而，由于个性使然，她从不会和别人谈论自己。

梅也曾经谈起，她如何亲自指导自己未来的对手——安德烈娅·利德索姆。

第一次遇到安德烈娅的时候，我正在指导许多女性候选人，这是我们成立Women2Win所提供的帮助之一。那时应该是她当选为议员候选人之前，我们正在教导一些人在政治领域应该如何表现，对她们进行一些培训，给她们一些普遍的建议，因为很多人都对政治望而生畏。[208]

虽然利德索姆从未谈起过梅对她的帮助，但其他人谈起过，安布尔·拉德就曾说：

2010年，对于要争取获得席位或赢得选举的女性候选人来说，特蕾莎就是她们的精神支柱。这并不仅仅因为她是一位成功的保守党女政治家，也是因为她会尽最大努力和候选人们见面，为她们提供建议。在竞选当天，她还会打电话给我们，对我们说一些鼓舞士气的话。[209]

克洛伊·史密斯在Women2Win早期举行的一次活动中认识了梅，不久之后，她就被选为北诺维奇地区的议员，而且在2009年的补选中再次取得胜利。在她眼中，梅是一个值得尊重的长者，是一位无价的良师益友。梅能够给人以“支持和帮助，她是一个非常平易近人的人”。史密斯还说：“她的冷静、能干和善于倾听的天赋总是能打动我。”

即便在升任内政大臣之后，梅还是继续将Women2Win摆在优先位置。虽然在政府的所有部门中，内政大臣的工作是最繁忙的，但她还是会抽出时间在Women2Win举行的活动上发表讲话。虽然“精英名单”在实行了几年之后就被卡梅伦悄无声息地搁置了，但玛格特·詹姆斯认为，2010年之前入选的这批女性已经形成了一股足够强大的力量，鼓舞着其他人继续前进。Women2Win继续为她们提供帮助、支持和建议，詹姆斯说：“我不认为我们还要依赖于‘精英名单’，变化已经永久性地发生了。”

“精英名单”和Women2Win的作用是不言而喻的。在2010年大选中，48名女性作为保守党的代表入选议会。在2015年大选中，保守党的女性议员增加到了68名。但是，保守党内女性议员的比重还是比工党要低，保守党中女性议员的比例大约为20%，而工党为43%。安德鲁·格里菲斯说，在改变保守党在议会中的面貌上，梅和其他参与建立Women2Win的人都发挥了重要作用。“甚至可以这样说，2010年和2015年入选议会的女性，都从Women2Win建立的网络系统中受益匪浅。”蔡尔兹对此表示赞同：“这个组织发挥了重要的作用，没有这个组织，保守党女性议员的数量会少得多。”

一些人认为，虽然梅是“精英名单”计划的主要倡导者，但她却没有得到应有的荣誉。2007年，梅在网站“女性议会广播”上说：

> 我们中的一些人过一段时间就会唠叨一下这件事……这项计划的主要内容……首先是由我和兰斯利在2001年夏天提出的。过去好多年中，我一直强调改革的必要性，强调保守党应该采用新的政治策略。特别是2002年我担任保守党主席之后，我就更加意识到了改革的必要性，我在保守党大会上的演讲就是明证。那场“下流的政党”的演讲人尽皆知，我实际上是要强调改革的必要性……但我们花了好几年才提出这一计划并付诸实施。

兰斯利也同意，他们经过了多年的努力工作才带来了这种变化。“自从戴维·卡梅伦成为领导人之后，保守党乃至这个国家都发生了翻天覆地的变化，”他说，“以前，在威廉·黑格、迈克尔·霍华德、伊恩·邓肯·史密斯担任党魁的时候，保守党党员还会认为，只要他们接过了保守党的火炬，一切就都会变好。这是一个巨大的转变，我和特蕾莎就信心满满地推动这一计划的实施。”

埃里克·皮克尔斯接着说：

如果你问，在保守党的组织当中，她最大的成就是什么？那肯定是Women2Win。她致力于推动这一组织的发展，施加了别人无法比拟的影响，并取得了辉煌的成就。可以肯定的是，如果没有特蕾莎，我们不可能在保守党内看到这么多女性。卡梅伦有很大的功劳，但是如果没有这一组织的培训，没有这一组织的帮助，没有这一组织建立的网络体系的话，这种功劳是无从谈起的。我想，即使她在政治上再无建树，她也已经重塑了保守党的形象。

2006年，卡梅伦任命梅为影子内阁下院领袖，她穿着一件由福西特协会提供的T恤衫，上面写着“这就是女权主义者的样子”，卡梅伦拒绝了穿这种T恤衫的邀请。虽然她毫不畏惧地打出了这个口号，并致力于减少对少女和妇女的暴力和恐吓，一直到她担任内政大臣时依旧如此，但并非所有人都认为她是一个真正的女权主义者。工党的哈里特·哈尔曼就一直为提高女性在政治领域中的地位积极奔走，对梅始终反对全是女性的候选人名单的做法，她就提出了批评，评价梅“没有女性支持者”。在梅当选首相之后，哈里曼说：

特蕾莎·梅没有女性支持者，当我们致力于为工党吸收更多的女性议员时，她在广播和电视上责难我们，他们党和我们党内的一些人都认为她“矫枉过正”，特蕾莎·梅是女人，但她却“没有女性支持者”。[210]

不过在私下里，许多工党女议员对梅的贡献还是给予了积极评价，一些中立的观察者也持这种观点。平等与人权委员会的前任主席特雷弗·菲利普斯（在担任内政大臣的时候，经常遭到梅的攻击）曾经说过：“我认为，在维护女性权益方面，特蕾莎·梅和哈里特·哈里曼一样咄咄逼人。平等是一件超越政治的事情，我们不能给人贴政治标签，而是应该根据他的所作所为以及他释放的信息进行评价。”[211]自由民主党人文斯·凯布尔曾在联合政府中与梅共事，他们一同采取措施，鼓励女性进入政府权力中心，在他看来，梅是一位真正的女权主义者，他说：

她是女中豪杰，而且也愿意提携其他女性。和玛格丽特·撒切尔不同的是，她鼓励女性团体的发展。这并不需要假装。有时候，工党中的一些人可能只是在做表面文章，但我认为，她绝对是发自内心的，“这是正确的事情”。

另一位自由民主党人琳妮·费瑟斯通在联合执政期间曾在梅的麾下任平等大臣，她也表示：“工党只是将妇女看作工具，而特蕾莎·梅维护女性的权益，反对针对妇女的暴力行动，她以一人之力改变了保守党的形象，她是女性进入政治领域的引路人，并给予她们鼓励。”

>>>

198.《资深保守党人呼吁吸引更多的女性以促进政党的繁荣》，《利物浦每日邮报》, 2005年6月16日。

199.《卡梅伦认为候选人资格有利于形成社会凝聚力，梅督促保守党吸引更多的女性》，塔尼亚·布兰尼根，《卫报》, 2005年6月17日。

200.《我们必须正视不堪的历史》, 海伦·罗比洛，《泰晤士报》, 2005年6月29日。

201.安妮·詹金的演讲，在牛津大学举行的会议，《右翼女性再认识》, 2015年6月29日。

202.詹金的演讲，同上。

203.《梅：保守党人都是男人、白人……和性别歧视者》, 玛丽·伍尔夫，《独立报》, 2005年9月10日。

204.同上。

205.《新闻之夜》, BBC，2016年10月2日。

206.《现代主义者说，我们要么改变，要么灭亡》, 乔治·琼斯，《每日电讯报》, 2005年10月4日。

207.《保守党女性积极支持女性成为议员》, 安德鲁·波特，《星期日泰晤士报》, 2005年11月20日。

208.《梅：我帮助我的对手进入了议会》, 蒂姆·希普曼，《星期日泰晤士报》, 2016年7月10日。

209.同上。

210.《哈里特·哈尔曼：在维护女性权益上，特蕾莎·梅没有女性支持者》, 阿努什卡·阿萨那，《卫报》, 2016年9月23日。

211.《梅和工党内主张平等的圣徒一样，努力维护女性的权益》, 阿努什卡·阿萨那，《泰晤士报》, 2011年12月24日。

>>> 11

在小圈子之外

特蕾莎·梅和保守党新的领袖戴维·卡梅伦可能都是在牛津边上风景如画的村庄里长大，在那里他们都上了这座小城的著名大学，可两人的共同点到此为止。2005年12月成为保守党领袖时，卡梅伦只有39岁，是四口之家受到特别优待的二儿子，做股票经纪人的父亲和做治安法官的母亲将他送进了伊顿公学，这个国家最上流的公学。他的童年是幸福和安全的；他的家庭富裕舒适。在与男爵之女萨曼莎·谢菲尔德的婚姻中，他努力再现父母之间牢固的关系和安逸舒适的家庭生活。在他当选保守党领导人时，他们有两个孩子（长子伊万，生下来就有严重的残疾，四年后在6岁时死亡；另一个儿子和女儿将在他的任期内出生）。卡梅伦夫妇热情友好，喜欢置身于朋友们之中，这些朋友像他们一样聪明、年轻、自信、涉足政治、善于交际。这个上层小团体将在未来十年主导保守党的政治。在人生的大多数时候，政治对卡梅伦来说很容易。不到五年前他进入议会，他和他亲密的朋友乔治·奥斯本站在党的顶峰。特蕾莎·梅不是唯一一个发现以下事实的人：卡梅伦精心修剪的手在掌舵，无论他的领导如何温和，依然有些令人不快。

现在梅已经是党的一个高层人物。虽然被看作老黄牛那样吃苦耐劳的角色，她还是受到新团队的尊重，尤其因为她为推动党的现代化所做的贡献。但她永远不会成为核心圈子的一员。卡梅伦任命她为影子内阁下院领袖，多年以来她的第六个影子内阁部长职位。这不是什么关键职务，在影子内阁中被认为是比较不重要的工作，梅也不再是排名最高的女性，社区与地方政府事务部的卡罗琳·斯佩尔曼逐渐夺走她的光芒。这份工作无疑是令人失望的。

梅进入新角色之后，无论如何，虽然初期还有所保留，但显而易见这份工作非常适合她。不像大多数部长，梅很少或者不需要制定新的政策。取而代之的是，影子内阁下院领袖要负责在下院通过政府的相关立法，她必须全面掌握政府的政策，在提出新法案的过程中坚持自己党的立场并提出建议，这实际上意味着她必须在下院投入大量的时间，在短兵相接的议会辩论中白刃上阵，磨练自己的技巧，这使她受益匪浅。

幸运的是，她的对手中不缺乏狠角色，首先是杰夫·胡恩，随后是杰克·斯特劳，从2007年起是哈里特·哈曼，梅随之成为自己党派中最强有力的议会好手之一，并非慷慨陈词、高谈阔论，但是清晰而富有成效。尽管多少有些不懂幽默的名声，不过她甚至学会了加上点奇怪的笑话。每周四事务问答时，梅与斯特劳和哈曼的口头辩论，很快成为议会辩论爱好者们不可错过的节目。梅被任命为影子内阁下院领袖时加入她办公室的沙亚·雷蒙德说：

> 她确实很喜欢每周四必定要和杰克·斯特劳吵上一架。有点比较“看谁攒了更多笑话”的意思。她总是兴致勃勃地享受每周四的辩论赛。实际上她和杰克·斯特劳的关系很好。

虽然总是竭尽所能在下院表现得轻松自在，但梅对自己的新角色极度认真。她现在与沙雷斯·瓦拉重逢，沙雷斯·瓦拉在保守党总部与她一起工作，6个月后进入议会，被任命为她的副手。瓦拉说：

> 在下院事务问答之前，我们在周四上午召开会议，内容必须是热点话题。我们努力准备她的演讲稿。如果有人提出的建议令她赞赏，她会说：“很高兴把这个纳入考虑范围。”从不会有“我不这么认为所以它不能加进去”的事情发生。她非常包容。特蕾莎经常胜过哈里

特。不会有其他的结果。特蕾莎也很有幽默感，有时你会在议会大厅亲眼得见，与杰克和哈里特打交道时这种幽默感会显现出来。上帝做证，她真的要政府解释清楚，她会问一些严肃的、追根究底的问题，让杰克和哈里特不得不绞尽脑汁，他们没法搪塞我们。

简单说梅在自己的岗位上比过去过得更舒服，除了影子内阁下院领袖角色赋予的议会党员协调责任，她现在比以往任何时候都缺少和其他议员社交的兴趣。相反，随着她声望日隆，保守党也时来运转，她与自己的丈夫菲利普更加亲密了。梅夫妇本来就十分亲密，菲利普在政治层面对她愈发重要。晚上与其和同事在一起，梅更愿意和丈夫一起吃饭。他经常会进出下议院，这对一位议员的配偶来说并不寻常，夫妻俩会在保得利大厦的议员餐厅或者休会餐厅里找张桌子。在那里，两个人会反复讨论解决今天的问题。菲利普具有敏锐的政治嗅觉，梅越来越依靠他。安德鲁·格里菲斯说：

我不觉得他们还需要其他人。他们毫无疑问肯定是议会里最亲密的一对。关于政治，他们确实彼此分享，确实相互讨论。对特蕾莎来说，菲利普从不缺席，上门探访，需要打黑领结的宴会，议会的深夜，他总是和她在一起。

菲利普的付出卓有成效。格里菲斯继续说。

有好多次我一天天费劲地准备保守党会议上的演讲，打磨每一个单词，和她一起检查，也许会组建一个小团队，我们会根据她的要求打草稿，随后她和菲利普一起开车去参加党的会议，我会接到电话，被要求重写。她和菲利普讨论过了，只是感觉上不对，她想要重写发言稿。他是她的参谋，她重视他的意见。于是就会有一个深夜起草的过程，也许是我自己，也许还有其他人也在为她的演讲工作。结果就是特蕾莎在屋子里用一个烫衣板代替讲台进行练习。辛苦的工作会持续到凌晨两点。菲利普就在那儿，并且参与其中。也就是说，他们不仅是一对夫妻，菲利普还是她政治生活的一部分。

威廉·黑格同意这种说法："菲利普真的是个非常和善、有趣和活跃的家伙，在政治上十分敏锐。我与他相处过很长时间，对他十分尊敬。"谢里尔·吉兰补充说："菲利普一直在支持特蕾莎。议员是一份非常寂寞的工作。首相的工作则更加寂寞。菲利普就像特蕾莎的靠山。"丈夫对梅的支持不可低估。在她成为首相之后的几天，随着菲利普·哈蒙德被任命为财政大臣，一个笑话在白厅传开了，哈蒙德现在只是"政府里第二重要的菲利普"。

梅被任命为影子内阁下院领袖之后不久，尼克·蒂莫西取代安德鲁·格里菲斯成为她的首席参谋，她做党主席的时候认识了他。蒂莫西曾在保守党研究部工作过一段时间，那是年轻保守党人的进修学校，校友包括卡梅伦和奥斯本以及前内阁大臣安德鲁·兰斯利，迈克尔·波蒂略和克里斯·帕腾。梅能成为她这个年纪的重要政治家之一，蒂莫西发挥的作用也许比别人更大，他充实了她的意识形态，让她在战略上有了关注的焦点，有些人认为到那时为止，她还没拥有这些东西。现在在唐宁街10号，37岁的蒂莫西依然扮演同样的角色，无论在政治上，还是在生活上，他依然是梅最亲近的人之一。

如果说在卡梅伦领导的早期，梅从未流露出被排除在核心圈子之外可能会有的失望，那么蒂莫西从第一天开始就表现出自己的不满。从伯明翰工人阶级聚居的瓷十字区脱颖而出，作为钢铁工人和学校秘书的儿子，他的父母14岁之后就没再接受过教育，蒂莫西自己考进了一所文法学校。1992年大选时，12岁的蒂莫西在学校立志成为一名保守党人，因为他被告知工党政府将关闭学校。17岁加入保守党，一年后他成为自己家里第一个上大学的人。他选择了谢菲尔德，因为比起其他的大学城，那里的生活费负担更轻，随后获得政治学一等学位。蒂莫西是阿斯顿维拉足球俱乐部的热心支持者，关起门来会嘲笑戴维·卡梅伦自称是阿斯顿维拉队死忠球迷有点可疑。(卡梅伦在2015年竞选活动中发表演讲，自称是西汉姆联队的支持者，西汉姆联队与阿斯顿维拉队的球衣颜色相近，后来他不得不改口，说自己“脑子进水”了。)

蒂莫西无法忍受保守党高层的特权小圈子（虽然他和乔治·奥斯本的顾问波佩·米切尔·罗斯之间有一段罗曼蒂克的关系），他用始终如一的政治构想表达了自己的不满，这种构想支持渴望成功的工人阶级和中产阶级的主张。他过去和现在都是选拔性教育的忠实支持者，他说自己在文法学校的经验是“变革性”的，同时认同社会改革家约瑟夫·张伯伦的思想，张伯伦也是一个伯明翰人。他引发了梅对阶级和社会流动的思考，这意味着，和卡梅伦不一样，很多人认为她比前任更能理解“蓝领保守党人”及其社区关心的问题，过去这些人可能会投票给工党，不过近些年来被英国独立党（UKIP）和“脱欧投票运动”在“脱欧公投辩论”中旗帜鲜明的主张吸引。绝非巧合的是，在政府中，梅遭遇的最严重挑战就是乔治·奥斯本在移民的影响问题上与她针锋相对，要不就是在成为首相的演讲中她承诺“为普通劳动者服务”。

蒂莫西只为梅工作了一年，那时她正担任影子内阁下院领袖，但在接下来的十年里，他将好几次回到她手下工作。他赢得了强硬的名声，尤其对公务员、共事的顾问乃至某些部长来说，但他对更多的基层工作人员很友善，被公认为是一个令人印象深刻的人。沙亚·雷蒙德说：

> 我认为特蕾莎的职业生涯在遇见尼克的那一刻改变了。特蕾莎有她自己的热情，而他带来一个能玩转政治体系的、更为政治化的头脑，他能确认特蕾莎是否走在正确的方向上，让她能够更上一层楼。毫无疑问，尼克是她背后的头脑。和特蕾莎一起工作，很难找出她的意识形态。她总是听从道德的罗盘而非其他东西的指挥。但这正是她和尼克合作无间的原因，因为尼克给了她政治头脑。

有一次蒂莫西离开梅的时候，正值脱欧公投前夕，他为“保守党之家”网站撰写一个专栏，为了解他的思想和性格提供了更多的头绪。他提出的许多政见，包括增加文法学校，对英国基础设施外来投资的警惕，遏制银行业和商业部门既得利益，这些意见已经体现在政策上和新首相进入唐宁街10号之后的言辞中。

这些专栏文章引人瞩目之处还在于，蒂莫西毫不掩饰地表现出对卡梅伦和奥斯本的不屑。在一篇文章中，他写道：

……虽然大多数保守党人士都希望帮助人们在生活中取得成功，但毫无疑问我们党内有少数人对其他人漠不关心。他们也许致力于保护狭隘的商业利益，捍卫特定阶级的价值观，他们从这些阶级上看到了自己的影子，或者只关心自己的前途，但他们缺少对他人的兴趣是毋庸置疑的。我们都知道那种人。他们那些势利的小动作、奇怪的评论，泄露出对普通百姓生活的无知……[212]

蒂莫西没有提到卡梅伦和奥斯本的名字，他写这篇文章是为了回应伊恩·邓肯·史密斯从内阁辞职，伊恩的辞职源于奥斯本的2016年预算案[1]，蒂莫西文章的背景清楚地表明了他讲的是谁。现在他和一个德国女人结了婚，蒂莫西在2016年脱欧公投中支持“脱欧运动”，反对卡梅伦（在一定程度上也是反对梅）。

蒂莫西对梅的影响引起了争论。一名现任部长将其与拉斯普京相提并论，拉斯普京是一个神秘、富有感召力、荒淫的神职人员，在俄国革命之前几年对罗曼诺夫家族有着重大影响（像蒂莫西一样，蓄着引人瞩目的大胡子）。这位部长说：“在尼克来之前，特蕾莎是一位聪明而有魅力的政治家，追寻着与众不同的世界观。他恰好为她提供了这样一种看世界的方式。没有他的参与，她不会做出任何决定。对

[1] 工作与养老大臣伊恩·邓肯·史密斯不满财政大臣奥斯本在预算中削减残疾人福利，同时为富人减税。

我们中的一些人来说，他的权力太大了。她不需要拉斯普京。”[213]阿梅特·吉尔是卡梅伦的前顾问，与蒂莫西关系良好，他有不同的看法：

我认为拉斯普京的指控太不公平了，他没有让特蕾莎陷入某种催眠魔力中……他们非常适合组成团队，他非常适合为她工作。当你为资深的政治家工作……你往往会怀有相同的信念，否则你不会为他们工作。[214]

当梅仍是影子内阁下院领袖时，着眼于她未来的前景，蒂莫西为梅设定了一项任务：更合群一点。她接受了他的建议，但完成时费了好大气力。日程秘书珍妮·夏基被要求在梅的行程表上预留出去茶水间的时间，用友好、非正式的方式认识她的保守党议员同事。她每个星期都尽职尽责地“出击”，但对她来说，和议员同事闲谈或聊天一点也没变得更加轻松。当时她团队里的一员回忆说：“特蕾莎从未投入过多热情和其他保守党议员打交道。尼克确保我们会把社交活动放在她的行程表里，每周三首相问答之后，强制她去议员茶室和议员们交流，周周如此，像钟表一样精准。”魅力攻势的目的在于让羞于曝光的梅保持足够的关注度，始终让她活跃在政治第一线，在未公开的长期计划中，当机会再次出现的时候，她必须能够向党魁之位发起冲锋。“保守党之家”网站每月都有民意调查，在影子内阁成员表现的排名中，梅通常是垫底的那个。蒂莫西提出提升她的形象是解决这个问题的第一步。

这位工作人员说：

从尼克的角度看，我不认为他的目的是“让特蕾莎这样做，确保她成为下一任首相”。她一直想成为首相，但那时候特蕾莎连党内高层的位置都不能确保。影子内阁下院领袖根本不是一个正式的委派。所以目标是尽最大可能让她留在党的高层，帮助她建立与其他议员的联系，越紧密越好。她可能的确有些厌倦，如果你在党内不像其他人那样受欢迎，那么与其他议员打交道、显示平易近人确实很难。

蒂莫西同时鼓励梅转变对媒体的态度，专心提供更少但更重要的描述，信息明确，主题清晰。蒂莫西离职之后，梅与议员的交流活动悄然式微，与此同时她仍然为媒体提供更为明确的消息，虽然她从未和某位记者发展出个人关系，大部分资深政治家都是如此，但她和她的团队变得擅长讲述有趣的故事，维护她的形象。

接下来几年，随着卡梅伦和奥斯本开始给保守党“排毒”，拥抱爱斯基摩犬和穿连帽衫的小混混，梅把精力放在Women2Win的活动和她影子内阁下院领袖的角色上。到目前为止，虽然梅在卡梅伦最重要的改革上帮助了他，但很明显她永远不会成为他核心圈子的一员。她不是一个“卡梅伦人”，不是诺丁山的一员[1]或是奇平诺顿圈子的一分子，不被政治小团体所左右，这个小团体的人通常年纪不大、从公学毕业，包括卡梅伦自己、乔治·奥斯本、奥利弗·莱文、史蒂夫·希尔顿、竞选总监乔治·布里奇斯、首席顾问埃德·卢埃林、迈克尔·戈夫，以及威廉·黑格，尽管他与这些人在社会阶层上相差较远。从2007年开始，媒体顾问安迪·科尔逊加入了这个紧密的团队，他得到重视是因为能体会普通人的感受，许多人都缺乏这种能力。20世纪90年代，蒂莫西之前的一代中有很多人在保守党研究部建立了友谊，长期致力于应对新工党的攻势——并从中学习。不管怎么说，“卡梅伦帮”否认与梅保持距离。其中一个圈内人说：

事情已经愈发明显，特蕾莎的人认为她在某种程度上被低估或者忽视了。但如果当时特蕾莎心怀不满，而她从未向卡梅伦表示反对，这似乎就不是一个问题。何况，不管怎样，她深入参与了决策。做出重大决定时，她总是在决策桌上。

---

[1] 卡梅伦住在诺丁山。

这位消息人士补充说，在这一时期政治圈里的人都不清楚梅的政治野心有多大。“如果卡梅伦有所忽视，那么他肯定不是唯一的一个人。”他说。

无论在新闻界，在更大范围的公众中间，还是在议会，没有人认为特蕾莎·梅将会是未来的首相。很久之后才开始出现这种说法，那时她已经是内政大臣了。实际上，唯一认为特蕾莎·梅有可能成为首相的是特蕾莎本人——这值得表扬。她了解自己的才能，而且对此保持开放的心态。

如果缺乏进入权力核心的通道让梅耿耿于怀，她也不会让自己的不满影响同事。安德鲁·兰斯利说：

她总是受到尊重，但并不受人喜爱。她从来都不是核心圈子里的人。他们会觉得特蕾莎从来都不是在保守党研究部一起成长起来的那群人的一分子。我不认为这会困扰到她。她担心的是他们不肯倾听。她的意见是“我能对他们畅所欲言吗？”

被排除在核心圈子之外，梅的回应很独特，她全身心地扑在影子内阁的工作上——同时建立了一堵怀疑之墙，这塑造了她与卡梅伦和奥斯本的关系，很可能很久之后他们才真正意识到这一点。基思·辛普森说：

看看她成为首相时发生的事情，似乎是对“卡梅伦帮”和所有伊顿老男孩的无情处决。原因有很多……我觉得，被傲慢地对待了二十年，压抑在她心中的东西开始沸腾。她下定决心喊出：“你上哪所学校不再重要，也不再有‘以友治国’……我不会再忍下去。”

埃里克·皮克尔斯开玩笑说，“卡梅伦帮”的成员几乎都比梅年轻10到15岁，双方是“被理解和信任的铁律联系在一起：他们不理解她，她不信任他们”。但是，虽然他们可能不了解她，沙亚·雷蒙德说，为她工作的每个人都知道，卡梅伦老谋深算，明白自己需要梅。“她不是诺丁山的一员，不是核心圈子成员，出于某些考虑她也不想加入。但她可能是保守党最杰出的女议员，没有人能取代……所以卡梅伦不得不起用她。”当她接手这份工作时，“卡梅伦帮”迅速地发觉梅有多么精干，这一印象在卡梅伦领导初期不断强化。皮克尔斯继续说：“她从来没进入过核心圈子，但只有极少数人在里面……我觉得他们一直都是尊重她的。”

瓦拉坚持认为被排除在决策圈外没有影响到梅，比起考虑自己在保守党的位置，她更关心抨击工党。“我们是反对党，我们的主要目标是进入政府。”他说。

从特蕾莎的角度来看，重要的是，无论做什么工作，她都不能出错。我觉得她更关心工作本身，而不是她被要求干这个还是干那个。在圈子里还是圈子外都不会让她感到困扰。令她困扰的是：“我需要做这份工作，那我要去做吗？”然后她会以极大的热情不负众望地完成工作。她是不断克服困难的人。如果你就像她一样充满自信，那么你可以说：“好吧，不管我在不在圈子里，我无所谓。我在工作，我会继续工作下去。工作结束的时候我自会得到评判。”

虽然梅在卡梅伦圈子里的声望高涨，但她在媒体和议员同事中不太受欢迎，许多人在她担任党主席以后仍心怀疑虑。雷蒙德说：

因为“讨厌派对”的标签，她依然被严重轻视。那时很多议员，党的老右翼，不认为党需要做出改变。在某种程度上，他们有点将卡梅伦的现代化方案归咎于她，包括爱斯基摩犬之类的东西。

2006年7月，戴斯蒙德·斯维恩担任卡梅伦的议会助理，负责在下院充当“眼睛和耳朵”，他的一封私人邮件泄漏出来，在邮件中他直率地警告说，梅并没有受到同侪的尊敬，建议虽然属于她的职权范围，但她并不适合代表保守党人参加正在进行的跨党派谈判，讨论上院改革。“这是一个敏感的问题，特蕾莎在党内不受欢迎也不受信任。加强控制是必需的。”电子邮件中这样写。[215]

党员们对梅的评价不高。在成为影子内阁下院领袖之后不久，2006年1月，在“保守党之家”的月度调查中，她29%的支持率是影子内阁中最低的。不到一年的时间，2006年12月，她的排名已经下降到排名表的最底部。那时关于梅的少数几则新闻只关注她的打扮和鞋子，此外常常注意的就是她的“丰满”，专栏上是这么说的。她在议会里穿低胸装让专栏作者们怒不可遏，之后她去参加丈夫的生日晚餐时也穿戴整齐，她开玩笑说自己曾经引发过“乳沟战争”。

梅继续在卡梅伦的计划中发挥领导作用，包括党的现代化和“排毒”运动。她被任命为关键小组成员，决定候选人是否能进入“首选名单”，这将对未来下一代保守党议员的政治生涯产生决定性影响。她依然支持Women2Win，在全国各地发表演讲，甚至在她最喜欢的鞋店之一——L. K. 班尼特的分店举办了一场名为“鞋子、购物和政治之夜”的网络活动。2006年，卡梅伦第一次作为党魁出席保守党会议，梅穿着一双豹纹长筒雨靴发表自己的演讲，结果受到了媒体赤裸裸的嘲笑。她告诉与会代表，自己是直接从社区公园过来的，保守党高层向媒体高调炫耀过这座公园，以突显保守党对环保的重视，他们这种做法受到了鼓励。

到达会议举办地伯恩茅斯的前一天，特蕾莎在一家高档餐厅和菲利普用“安静的晚宴”庆祝了自己的50岁生日。[216]一周之前，她举办了一个大型派对，就像发言人介绍的，来的都是“朋友，工作人员和同事们”。[217]安妮·詹金也是来客之一，她注意到出席的人里“朋友”很少。“我记得那儿有很多她的选民，随后想到，‘我不知道（自己的派对上）会不会来这么多选民。’我猜她对社交活动缺少足够的热情。”到场的客人形形色色，从桑宁当地的肉铺老板彼得·詹宁斯，到戴维·卡梅伦本人。

2007年，除影子内阁下院领袖之外，卡梅伦又任命梅为影子内阁妇女与平等事务大臣。她开始研究政策，关注的焦点不只是议会中女性代表不足，她对以下诸多议题发声：男女收入不平等、性贩卖、产假和陪产假、脱衣舞俱乐部。被问及未来谁将是下一位女首相时，她有点害羞地回答：

> 哦，我希望下一任首相是戴维·卡梅伦，无论下一位女首相什么时候出现，我希望她也来自保守党。我们有很多伟大的女性，有的在议会党团中，有的作为候选人努力工作。单单指出一个名字是不现实的，也是不公平的。我们有众多的选择！[218]

虽然仍不被媒体看好，但是卡梅伦和科尔逊开始依靠梅主导对工党的进攻。她的形象直率严肃，这意味着她值得信赖，能采取更多个人进攻的方式，保守党希望向对手开火，同时不弄脏双手。2007年7月，托尼·布莱尔最终选择为戈登·布朗开路；而保守党这边，卡梅伦仅仅上台19个月，选战工作几乎为零，正准备迎接提前到来的大选——这次选举从未到来。尽管前期相当受欢迎，布朗对党员大会期间民意调查的不利结果感到震惊，取消了利用提前大选加强自己地位的计划。这场失败被称为“从未发生的选举”。随着国家的经济陷入不景气，工党再也没有机会举行大选，直到2010年5月，布朗被迫启动大选。卡梅伦刚当上党魁的时候，梅卓有成效地抨击了当时的文化部长泰莎·乔维尔，乔维尔的丈夫牵扯进意大利前总理贝卢斯科尼的丑闻。现在她对着布朗开火了。梅在下院对陷入困境的首相的嘲讽令人难忘：“他已经从闪光戈登变成了输光戈登。”[219]

在随着布朗上升而进行的洗牌中，哈里特·哈曼已经是工党副主席，而梅成为影子内阁下院领袖，结果两个主要政党中最重要的两位女性领导人每周都会争论一次。给议会做速写的作者喜欢这种场面。哈曼在自己的第一次会议上提出彼此“停战”，以避免一来一回变成

“手提包大战”[1]。不过，虽然梅曾经假设，女性议员之间的辩论可能比她们的男同僚更加文明，但她还是对哈曼的做法表示失望。“妇女正常的辩论风格是不同的。”她说。

这不是说女人不能进行那种“攻击性”的辩论，正如哈里特·哈曼质询首相时我们看到的那样，我认为妇女的正常辩论方式是，我不会使用“柔和”这个词，因为我认为这会造成错误的印象，因为它与更有攻击性的辩论形式一样有效，但我认为它更倾向于双方取得一致……而不仅仅是为了驳倒对方的政治观点。我想我们应该有更高的追求。220

2009年1月，卡梅伦改组了自己的班底，为春天即将到来的选举做准备，将梅升为影子内阁就业和养老金大臣（她依然兼任妇女与平等事务大臣）。这个位置在影子内阁的排名上升了几位，但距离影子内政部、外交部或财政部这样的大部门依然差得很远。威廉·黑格证实，在这段时间，党内大多数人依然将梅视为中继打者[2]——专业全能，值得信赖，但缺乏成为明星球员的天赋。他说：

连续几任领导人都对她信赖有加，主要让她做质询工作，出于同样的理由，我给她的第一份工作也是对政府提出反对意见，这种做法贯穿了伊恩·邓肯·史密斯、迈克尔·霍华德和戴维·卡梅伦几任领导人。值得注意的是，他们总是让她做一些需要勤奋和专注、需要把控细节、中等难度的工作。没有一个人给她最重要的质询工作……但他们让她完成的任务都相当复杂。

和许多人一样，沙亚·雷蒙德认为，梅稍后登上更重要的职位后，她的能力才得到充分的重视。他说：

[1] 撒切尔夫人执政风格强硬，她使用的黑色手提包材质硬朗、轮廓鲜明，衍生“handbagging”这个词，意思是“猛烈抨击”，用来描述撒切尔夫人对政敌的攻击。

[2] 板球比赛中第5至第8个出场的击球手。

她没在政治比赛中上场，因此我觉得人们没有充分注意到她的才能。除非你直接与她一起工作，否则我不认为你能充分了解她的才能——除非她被放在一个更重要的位置，在那个位置上她受到真正的挑战，就像在内政部。

当被问及梅的才能是否受到反对党连续几任领导人的赞赏，埃里克·皮克尔斯说："不，当然不是。包括了不起的威廉·黑格。你必须真正了解她，而认识和欣赏她并不容易。"那时也没人讨论梅成为未来领导人的事情。沙雷斯·瓦拉说："确实没人认真谈论过领导权的问题。你有其他人选。虽然败给戴维·卡梅伦，但戴维·戴维斯仍然在幕后，同时你也有其他人选。特蕾莎的名字很少被提及。"

梅被任命为就业和养老金大臣，媒体的反应并不乐观。《每日电讯报》的戴维·休斯严厉抨击卡梅伦把职位给了"缺乏活力"的梅，还说："认为梅夫人会担起挑战国家福利主义的责任，这种想法是荒谬的。"结尾处写道："毫无疑问她本可以摇摆不前，做点更轻松的事情，这些事情不会告诉别人在福利改革开始之前，保守党人就已经放弃了。"[221]

梅并未被吓倒，缺乏相关经验，她就投入时间来熟悉自己的新职位，但新闻界对此的反响不佳，她的团队也有一种印象：梅发现这工作非她所长。沙亚·雷蒙德说："我认为她不喜欢就业和养老金大臣这个职位。我知道她手下的人发现这工作非常棘手。"经济衰退导致失业率上升，所有的党派都开始考虑提高退休年龄、养老金计划自动注册之类的议题，梅发现自己从未像现在这样处在媒体的聚光灯下，这种经历并不怎么舒服。

虽然私底下对就业和养老金大臣的任命有所疑虑，但梅永远不会让周围的人发现她的不安，尤其是卡梅伦圈子成员，或是她新的部长团队。马克·哈珀就任残疾人事务部长后开始在梅手下工作。他说：

我在质询中与她配合无间，我认为她很好地适应了这份工作。我在报纸上看过关于她不放权的报道。我的经历完全不是这么回事。我一直得到她的大力支持。很明显我们各有专注的领域，而我们共同解决其他领域的问题。我认为工作进展得十分顺利。

谢里尔·吉兰补充说："我一直认为她的明智和深思熟虑贡献良多。随着时间的流逝，我对她的印象越来越深刻。"

梅部长现在的对手是詹姆斯·波内尔，他比哈曼和斯特劳更有教养，两人之间辩论的调子不那么吵闹，不那么低俗。波内尔在工党内属于坚定的右翼，布朗的领导显然让他不舒服，所以一开始梅就决定拉近和他的关系，赞扬他削减福利的做法，同时暗示他的许多想法是从保守党偷走的。她自己开始对福利体系进行重要审查，她的提案给影子内阁留下了深刻印象，伊恩·邓肯·史密斯在选举后成为国务大臣，那时他将梅提案中的部分内容付诸实践。黑格说："我记得她关于如何进行改革福利的重要演讲。"

梅上任一个月后，叛逃到保守党的前工党顾问戴维·弗洛伊德爵士加入她的团队，担任影子内阁上院部长（他今天在她的政府中仍有一席之地），他写过一份颇有影响的福利改革报告。弗洛伊德对梅十分重视，向卡梅伦和奥斯本反映了自己的意见。他认为她被低估，没有充分发挥作用——据说他将梅描述为一个"令人印象深刻的、严谨的管理者"[222]——他的建议发挥了决定性作用，说服奥斯本在选举之后给予梅更重要的工作。到2009年春天，卡梅伦说她是自己最高效的同事之一。

卡梅伦发出赞美几天之后，2009年5月8日，议员费用丑闻的风暴突然袭来。梅的个人支出记录与众不同。她的个人支出无可挑剔，对个人私利毫无兴趣，这是一个理性规则的拥护者，抱持审慎、节俭的人生观。她各个党派的众多同事都难以抵御诱惑，滥用这个臭名昭著、弊端丛生的系统，而她从未掉入过这个陷阱。每逢晚间投票，她和菲利普会住在皮姆利科的公寓，这笔相关支出有时候是零，从未达到每年6000英镑的上限，这一标准最高时达到24000英镑。《每日电讯报》说梅是一位“开销圣人”[223]，与大多数影子内阁成员不同，她不需要偿还任何钱。

杰克·斯特劳、哈里特·哈曼在工党的职位与梅相当，和他们一样，在担任影子内阁下院领袖的同时，梅还任职于下院委员会，这个由议长迈克尔·马丁为首的机构负责解决费用问题，当时下院首先被要求根据信息公开的申请提供议员们的开支信息。因为不赞成强迫议员与其选民分享私人生活的详细信息，马丁在某种程度上为失败负责，很快就被迫离职。因为未能劝说马丁采取更有力的应对措施，梅、斯特劳、哈曼以及委员会其他成员共同承受责难。未经授权就公布的会议记录表明，梅同意至少某些个人信息应该保密。[224]丑闻带来了严重的后果：触目惊心的头条标题曝光了壕沟和鸭舍的费用、伪造的抵押贷款和大量装修账单；议员下台甚至面临起诉，内阁部长辞职，自杀式威胁和婚姻破裂；选民叫嚷要严厉制裁，整个政治制度处于危机之中，而未能防止这场灾难的梅很大程度上被忽视了。

费用丑闻主导着2010年大选的进程。领导层越来越重视梅，标志之一就是她被要求负责北诺维奇的保守党竞选活动，那里的现任工党议员因为超额开支而离职，不得不进行递补选举。保守党候选人是克洛伊·史密斯，一名年轻的管理顾问，18个月之前她在选举中得到过Women2Win的帮助。像往常一样，梅证明自己是一个永不懈怠的活动家。史密斯说：

我很自豪……参加诺福克郡议会选举，但面临一个十分棘手的问题，因为它原来是由广受欢迎的工党议员吉恩·吉布森占据，我很高兴因为补选获得了全国性的关注与支持。那时候，政治斗争十分激烈，伴随着费用丑闻和保守党赢得2010年大选的前景……所以我也很高兴能和特蕾莎这样认真、有能力的人一起工作。她是一个实干型的领导人……亲力亲为，切实可行又不失战略眼光。特蕾莎非常支持我成为候选人，我非常喜欢尽我所能与她一起工作。

2009年7月23日，史密斯当选为北诺维奇的议员，保守党自1997年以来第一次赢得这个选区，这个地方在党的目标名单上只排在第162位。她的胜利给了许多保守党人真正的信心，他们现在可以继续前进，赢得大选。梅的选举工作，特别是她通过上门散发传单提供一份"与选民的合同"，这一创新被看作史密斯成功的关键。

几个月后，这份合同被推广到全国选举运动，而在卡梅伦及其团队眼中，梅的分量进一步上升。史密斯说："我们在2009年的成功为赢得大选先声夺人。当时我们的一些竞选活动创新被其他候选人广泛运用。"

但是即使"卡梅伦帮"现在私下可能高度关注梅，在关键时刻领导人会本能地将自己包围在核心圈子之中，当选举在新的一年正式开始，他的本性就恢复了。梅参加了4月12日在巴特西发电站发布保守党宣言的活动，身穿闪闪发亮的宽领蓝色外套，被嘲笑为"直接从星际迷航里出来的"[225]和"有点科幻"[226]，让评论家照例高兴了一下，但她除了缺席全国竞选巡游活动之外——实际上，是很普通的那种女政治家。

如果2010年大选最后证明对梅来说是一届低调的大选，那么有件事值得引起注意——菲奥娜·希尔加入了梅的团队（当时的名字是菲奥娜·坎宁安，她离婚之后恢复了原来的姓氏），她将成为梅最亲密的顾问和朋友之一。希尔出生在苏格兰的格林诺克，以前是一名记者，一开始在《苏格兰人》报道足球，据称被一家俱乐部拒之门外，俱乐部经理人抱怨说自己受到她严厉的拷问。随后她在报纸的专题报道部门工作过一段时间，那儿的前同事表示她没有表现出对政治的兴趣。

在加入威斯敏斯特的天空新闻团队之后，希尔看起来对政治的唇枪舌剑热情高涨。结束保守党新闻办公室的工作之后，希尔为英国商会短暂任职，回归后与克里斯·葛瑞林、安德鲁·兰斯利一起加入梅的团队。她在记者中赢得了直言不讳的好评，喜欢召开直截了当、信息丰富的通气会，经常有内部消息，不少事情是从酒吧泄露出去的。她外向、友好、有趣，很快就被誉为"街头霸王"，喜欢讲"粗俗笑话"[227]。她尝试参选赢得一个议会席位，不过失败了，梅对此可能感同身受。

在政府里，像尼克·蒂莫西一样，希尔有着出色又令人敬畏的名声。一位匿名“高级官员”描述了内政部司空见惯的场面：希尔把脚放在桌子上，穿着适合夜晚出去游逛，对一个公务员“破口大骂”。[228]但所有与之合作的人都承认她很有才华。担任内政部长期间，自由民主党人诺曼·贝克与梅的顾问和梅自己都发生过严重冲突，但仍然将希尔描述为“第一流”的。[229]相比之下，他对蒂莫西的赞赏不多。和同事相比，希尔的工作更多与媒体相关，尼克·克莱格的参谋长乔尼·奥茨说过，低估希尔的影响是一个错误，也不能认为她仅仅是一个新闻官员。“她是一个非常认真和实际的政策制定者。”他说道。[230]她的老板对时尚和衣服感兴趣，希尔对梅的建议可以从即将发生的恐怖袭击，转向最适合参加保守党舞会的全套服装；一个极有价值的人。她还分享了梅对食物、烹饪和食谱的热爱。根据一则轶事，内政大臣梅在美国旅行期间，希尔说服她试着用美式口音说：“哦，不，你没有！”梅“勇敢”地尽力尝试，不过搞不定。这显示了希尔的幽默感，同时证明即使梅劳累不堪，在她的陪伴下也能如此放松。[231]

2016年10月梅成为首相时，蒂莫西和希尔将在唐宁街成为她的联合参谋长。早在2010年，随着竞选活动的结束，他们开始形成强大的核心圈子，将在未来几年内围绕在梅左右。缺少朋友，在议会中没有真正的盟友，取而代之，一个更加个人化的支援团队对梅更具吸引力。与菲利普·梅一起，蒂莫西和希尔将迅速发展为三位一体，在政治和实践层面上支持、保护和鼓舞梅，在接下来6年时间里坚守这个国家最难坐的职位之一：内政大臣。2010年春天，这个小团队第一次聚集在梅身边，最终他们会在唐宁街10号战胜拥有特权的上层集团，彻底击败来自唐宁街的诺丁山成员，后者也许永无翻身之日。

>>>

212.《保守党为布里克斯顿、伯明翰、博尔顿或布拉德福德工薪阶层孩子提供了什么？》，尼克·蒂莫西，“保守党之家”，2015年3月22日。

213.《伯明翰拉斯普京》，西蒙·沃尔特斯，《星期日邮报》，2016年9月4日。

214.《特蕾莎到底在想什么？》，尼克·罗宾逊，同上。

215.《卡梅伦助理背后中伤邮件泄露，保守党深陷旋涡》，伊莎贝尔·奥克肖特，《星期日泰晤士报》，2006年7月9日。

216.《会议间谍》，乔纳森·伊萨贝，《每日电讯报》，2006年10月2日。

217.同上。

218.《迈克尔·马丁应否辞职？你决定了吗？》，《独立报》，2008年12月8日。

219.《当日议会记录》，英国国家通讯社，2008年6月26日。

220.“女性议会广播”，2008年4月。

221.《特蕾莎·梅不会改革福利系统》，戴维·休斯，“电讯报在线”，2009年1月19日。

222.《中跟鞋大臣想要强硬，而非凶恶》，安德鲁·波特和罗伯特·温内特，《每日电讯报》，2010年5月15日。

223.《节俭的少数：拒绝意外之财的上班族》，戈登·雷纳和罗莎·普林斯，《每日电讯报》，2009年5月16日。

224.《那些议员想试图阻止你看他们的报销费用》，本·利普曼和阿拉斯泰尔·杰米森，《星期日电讯报》，2009年10月18日。

225.《对大社会的漫长等待》，安妮·麦克韦沃，《伦敦标准晚报》，2010年4月13日。

226.《卡梅伦的灵感？保守党宣言：对一张保守党活动照片的剖析》，拉吉夫·夏尔和西蒙·奇尔弗斯，《卫报》，2010年4月14日。

227.《对旧保守主义有强烈渴望的政治顾问》，蒂姆·蒙哥马利，《泰晤士报》，2016年7月16日。

228.《当心梅的助理！真正管理新政府的人》，伊莎贝尔·哈德曼，《旁观者》，2016年7月16日。

229.《印象：菲奥娜·希尔和尼克·蒂莫西》，BBC第四频道，2016年10月2日。

230.同上。

231.《特蕾莎·梅，公众想象之外的另一面》，戴，同上。

>>> 12

内政大臣

2010年5月6日星期四午后不久，40岁左右的四男一女聚集在牛津郡一个舒适的客厅里——特蕾莎·梅在不到25英里外的村庄生活，那段日子对她性格的形成影响重大——他们做出的一个决定对她未来成为首相一事产生了直接影响。这里面只有一人通过选举担任过公职，那就是乔治·奥斯本。六年多以后，梅入主唐宁街10号最先采取的行动之一，就是残酷地将奥斯本从政府中解雇。

那是2010年大选之日，被广泛认为是一代人彼此最亲密的一天。根据传统，政党不会在选举日举行竞选活动，在大选结束前的宁静中，奥斯本以卡梅伦首席顾问的非官方身份，将身边关系紧密的保守党小团体中的重要人物聚集在一起。他们在卡梅伦战略总监史蒂夫·希尔顿的家中聚会，希尔顿的妻子瑞秋·史密斯是迈克尔·霍华德的前任顾问。他们的农场别墅在阿斯托尔·利美丽的乡下，这里比起大约7英里远的迪恩农场更为私密，那儿是卡梅伦在选区的家，现在已经被记者包围了。现在这个时候，奥斯本希望平心静气地讨论重要的事情。在大选开始之前，卡梅伦进行了36小时马拉松式直升机之旅，走遍了这个国家，现在正睡觉恢复精力；与此同时奥斯本开始草拟政府名单，他希望自己亲密的朋友和盟友能领导这个政府。[232]

全国各地的议员和候选人都在尽全力放松，他们意识到即将到来的是一个漫长的夜晚。梅一家在桑宁自己家附近的投票站提前投票。卡梅伦一家本来也想这样做，但当时抗议者爬上了卡梅伦威特尼选区斯派尔斯伯里纪念堂的屋顶，结果堵塞了道路，四个小时之后他们才完成投票。保守党的领导人心情愉快地从附近一个农场买了鸡蛋，在迪恩农场安安静静吃了一顿热乎的早餐。一整天除了投票几乎没事干，绝大多数政治家在等待命运时心情紧张，相比之下，希尔顿家客厅里的气氛是放松的。希尔顿、埃德·卢埃林和奥斯本一起坐在沙发上。希尔顿从牛津时起就是卡梅伦的朋友；埃德·卢埃林是卡梅伦的参谋长，在伊顿和牛津比卡梅伦高两届。凯特·福尔是卡梅伦的另一位牛津朋友，担任卢埃林的副手。还有联络主管安迪·科尔森，团队中唯一不是出身于公学和牛津大学的成员。这些人即将以"奇平诺顿帮"为人们所知，心情激动的五人制定了一个计划，在这个国家最重要的政府部门提供了一个跳板，最终将一个绝非贵族出身的中年女性、前文法学校女生送到了首相的位置上。

几个月前，奥斯本首先提出让梅出任内政大臣这一关键职位的想法，卡梅伦初步讨论了自己希望领导的政府应如何构成，内政大臣的任命也是讨论的主题之一。讨论没有做出任何最终决定，也没有向梅透露只言片语。这一升职并不容易理解。直到2010年大选，梅虽然被视为有经验的老手，但只不过是一名中层，政府中最棘手、最具影响力的工作绝不会考虑让她去做。工党政府最后任期结束时，内政部已经变得一团糟，人们认为局面几乎无法控制，可能是整个政府中最具挑战性的部门。之前五年换了四任工党内政大臣，在一个又一个危机中蹒跚前行。即使是最后一位保守党内政大臣迈克尔·霍华德，他在1997年大选之前掌舵四年，也是拼尽全力去控制这个庞大、无序扩张的帝国，官方称其为内政部。在卡梅伦核心圈子之外没有任何人能想到，像梅这样政治生涯看起来正在走下坡路的人，会被派去这个恶名昭著的陷阱。最有可能出任这一职位的是克里斯·葛瑞林，他自去年以来一直掌控影子内阁内政部，在政坛有好勇斗狠的名声，看上去将会继续留在这个岗位上。

虽然在野的时候卡梅伦没有晋升过梅（从影子内阁下院领袖到影子就业和养老金大臣是一个平级调动），但他开始觉得她的才能没有被充分利用。无论是卡梅伦还是奥斯本都非常清楚，他们的最高领导层缺少一位女性，承受着提拔一位女性高层的压力。然而，这不是唯一，甚至也不是最重要的考虑，无论如何，他们日益感到应该提拔梅的职位。在野生涯的后半期，两个人都被梅的职业道德、忠诚和能力所折服。随着2010年大选的临近，她被看成英国中产阶级理性、正常的声音，受到团队越来越多的信任。内政部是给她（好坏参半）的奖励。

参与讨论的其中一人说：

乔治是这件事的主导者。他觉得在内政部他们需要一个老手，可能比任何其他部门更甚。我们需要一个非常可信又有能力的人，她已经一次又一次地证明了自己。之前并没有（与梅）进行过讨论。事情不能这么办，毕竟，话不能说得太早。所以，就像经常发生的那样，最后的决定是在漫长的选举日做出的，那天没有太多其他事情可做。不过乔治肯定在早些时候就已经提过这事了。

安迪·科尔逊说：

2007年，当我第一次开始为保守党工作时，党内一般认为她的事业已达顶峰。媒体认为她不合群又过时，虽然在影子内阁之中，她只是偶尔参与中央战略小组。确实受到重视，但很少完全融入其中。不久戴维·卡梅伦就来了，不管怎么说，他十分倚重特蕾莎——特别是在困难时期。疾风知劲草，她从未……逃避为她的老板战斗。特雷莎成为值得信赖的帮手，为我担任联络主管，她不像其他人，从不在我背后玩那些自我满足的发布会游戏。[233]

梅应该成为内政大臣——奥斯本的试探性意见在选举前夕变得更加坚定，那时候克里斯·葛瑞林意外出事了。那年的3月份，葛瑞林在政策研究中心举办的活动中发表演讲，对两名基督教酒店老板表示同情，他们因拒绝为同性恋夫妇提供房间而遭到起诉。评论员获得了葛瑞林发言的录音，他宣称："我认为如果一个人在自己家里提供带早餐的住宿服务，这个人有权决定谁能进入自己的家。"[234]这篇相关报道在4月3日发表，离竞选活动正式开始还有9天。同性恋权利活动家立即宣布葛瑞林的话令人反感。更重要的是，在卡梅伦和奥斯本眼里，对保守党的长期排毒计划来说，影子内政大臣的发言具有强大的政治破坏力。石墙权益争取组织的负责人本·萨默斯基尔将其形容为"令众多考虑投票支持保守党的同性恋人士异常震惊"。最令人担心的是，同性恋新闻网站"粉红新闻"在4月5日的调查中发现，无论男女，同性恋选民对保守党的支持发生了引人注目的下降。长达数月甚至数年的重新定位可能会被几句漫不经心的发言毁了，卡梅伦对此怒不可遏，他对葛瑞林大发雷霆。影子内政大臣对自己的讲话感到非常抱歉，但在竞选期间恰当地保持低调，评论员质疑他是否被故意隐藏。

在选举日的下午，希尔顿家客厅里的人明白需要找到一个新的民政事务发言人。奥斯本再次提名梅，得到了一致同意。卡梅伦现在结束休息加入讨论，他同意了这个计划，党鞭帕特里克·麦克洛林也表示赞同，他到客厅时奥斯本正准备前往自己的塔顿选区。[235]无论如何，他们觉得，即使梅把这工作弄得一团糟，反正没人期望内政大臣能干太长时间，顶多一两年。她随时会被解雇，更有可能因为一场意想不到的灾难而被迫辞职。那天坐在希尔顿农场别墅里的人谁也没想到，梅将在这个恶名远扬的棘手位置上工作六年多，成为现代以来在位时间最长的内政大臣，她离开内政部只是为了走进唐宁街10号的大门。

然而，回到2010年，让梅成为内政大臣的计划（她自己对此一无所知），在实施之前就差点流产，就在计划确定几个小时之后，奥斯本开始改变主意。他和塔顿当地保守党的工作人员一起度过这天剩余的时间，随后回到家里，看电视宣布大选的结果。选举日晚上10点播放投票后民意调查的结果，这已经成为现代英国政坛的一个固定套路，也是最激动人心的部分。2010年的投票后民调结果在投票站关闭后几秒钟内发布，这是充满戏剧性的一幕，同时也是英国政治进程合法性的重要证明。梅日渐成为受到卡梅伦和奥斯本信赖的同僚之一，有鉴于此，她被委以重任：在重头戏BBC选举夜节目上，代表保守党对民意调查结果发表回应。随着大本钟敲响10下，BBC的老将、选举夜主持人戴维·丁布尔比开始播报：

10点钟。下面就是我们要说的：这届议会将没有一个政党占据多数席位，保守党是议会最大党。具体席位：保守党307席，距离他们需要的压倒性多数326席只差19席；工党255席；自由民主党59席，其他政党21席。

投票后民意调查非常接近最终的选举结果，保守党将赢得306席，而工党赢得258席，自由民主党赢得57席。这一结果在选举前的民意调查中也基本有所反映，尽管自由民主党的支持率被普遍夸大了，然而好几个月前就有预测说这将是一个无绝对多数议会。然而，英国的两党制及其战后一系列多数政府的影响根深蒂固，虽然所有迹象都表明一个无绝对多数议会几乎是不可避免的，但分析家、政界人士和选民心理上似乎还没准备好。投票后民调结果在政坛掀起一阵冲击波。所有观察员都清楚，国家将要面对的，有可能是一个不稳固的少数派政府，或者是自1940年至1945年战时政府之后第一个真正的联合政府。各党派在随后几分钟、几小时乃至几天内如何回应将至关重要。

在BBC的演播室里，梅遇上一个强劲的对手——曼德尔森勋爵，新工党的缔造者之一，不久前有些出人意料地出任戈登·布朗政府的商务大臣，也是这位工党领袖最亲密的盟友。民意调查结果显示，工党已经落后保守党50多个席位，曼德尔森现在开始采取行动，宣称保守党已经在选举中“失败”，现任首相布朗有权优先在小党派的支持下寻求建立一个稳定的政府。在塔顿家中观看选举结果的奥斯本知道，这十分关键，绝不能让选民们产生工党有权组建政府的想法。需要对曼德尔森发起挑战。然而令奥斯本失望的，BBC演播室里坐在那位贵族身边的梅，她的表现远不够强硬，没有为保守党赢得先机。当主持人杰里米·帕克斯曼问她和曼德尔森谁“赢得”大选时，商务大臣宣称“公众”，而梅的答案是“改变”，而不是更明显的“保守党”，这让奥斯本十分沮丧。

梅离开BBC的演播室前往梅登黑德的马格尼特休闲健身中心，这时奥斯本言简意赅地向助手抱怨说，需要找到比梅更有力的人选，像曼德尔森那样的，不过很快他就忙于安排如何回应有可能出现的联合政府。在保守党和自由民主党一起组建政府的权利得到保障之前，他没时间再关心梅的未来。

接下来至关重要的五天中，整个国家屏住呼吸，政治家们全身心投入一系列谈判中，看看谁最终会得到唐宁街10号的钥匙。最终，关于保守党议会席位优势的选举统计被证明是不可更改的。5月11日星期二晚上，戴维·卡梅伦被女王任命为首相，保守党和自由民主党联合政府的首脑。当他和奥斯本终于可以把注意力转向内阁时，形势又变得对梅有利。双方同意内阁大臣职位的分配方案，同时明确由各自党的领导人任命这些职位，卡梅伦、奥斯本和保守党的谈判代表，包括埃德·卢埃林、威廉·黑格，还有卡梅伦的政策顾问、导师奥利弗·莱特温，重新草拟了一份内阁部长名单。

在联合政府谈判过程中，情况变得再明白不过，同时也招致了众多批评：在保守党和自由民主党的谈判小组中连一个女人都没有。保守党小组同意一个女人——极有可能是梅，影子内阁中职位最高的女性——应该得到一个最高级的职位。此外还有一个考虑：卡梅伦担心，出于组建联合政府的需要，内阁中必然会包括自由民主党人，但仍会遭到右翼保守党后座议员的抵制，他们中很多人当部长的希望现在破灭了。为了重新平衡内阁，有人建议右翼后座议员的领袖应当被吸收进政府。小组选定了伊恩·邓肯·史密斯，他的福利改革工作广受好评。把他放在就业和养老金大臣职位上的目的显而易见——而属于左翼的梅失去了部长职位，她在影子内阁一直出任此职。葛瑞林在卡梅伦眼中是不受欢迎的人，任命梅为内政大臣是顺理成章的。

威廉·黑格说：

一个联合政府来临的时候……在重要的职位上有一位重要的女性就变得非常重要。克里斯·葛瑞林曾经是影子内政大臣。他那时并非戴维·卡梅伦的宠儿，并且被降了级。联合政府正在成型，我们想把伊恩·邓肯·史密斯带到内阁以巩固其地位……如果内阁中有自由民主党人，我们需要内阁里有人更多地和保守党右翼站在一起，这个位置给他合情合理。这意味着我们要改变她在野时的职位，考虑到……多年以来她处理繁重的工作赢得的普遍赞誉，我们为她选择的职位是：内政大臣。

谢里尔·吉兰认为梅被意外任命为内政大臣有一些装饰门面的因素。“并非否定她的能力，但是卡梅伦正在寻求建立一个女性众多的内阁。”

有些人清楚任命梅为内政大臣的相关争论，其中一人表示，这一决定驳斥了“卡梅伦帮”低估她的说法。这一消息来源说：

有观点认为戴维和乔治曾经雪藏这位未来之星，其实那时的情况并非如此。在野那些年她一直积极参与其中。从这个角度看，通过任命她为内政大臣，戴维和乔治其实率先发现了她的潜力——最后这一任命给所有人带来巨大的惊喜。

2010年5月12日星期三上午，天上下着蒙蒙细雨，百余台相机镜头咔嚓作响，梅在安德鲁·兰斯利身边走进唐宁街，两个人1997年共同进入议会，两年后一起加入黑格的影子内阁。新首相在内阁会议室组建自己的新政府，卡梅伦邀请她成为女王陛下的内政大臣，历史上第二位女内政大臣，第一位出任此职的女保守党人，这让梅大吃一惊。就这一次，梅失去了冷静沉着的风度。在外面等候的安迪·科尔逊形容她从房间出来时的表情 “真值得一看”。科尔逊祝贺她的时候，平时神秘莫测的梅结结巴巴地说：“我不太相信。”[236]

还没来得及仔细品味自己的任命，她即将面对的挑战已经显露峥嵘。她说：

当我第一次进入唐宁街10号，戴维·卡梅伦要我充当内政大臣的角色，我走出内阁会议室……别人对我说的第一句话就是："你的卫队正等着你。"我根本没有想过这些。成为内政大臣以后，我从未开过车。[237]

梅的新部门职能十分广泛，主要负责政府面临的三大迫切挑战：移民，安全，法治。虽然像一些评论员很快指出的那样，内政部的一些职能，包括法庭和监狱系统以及部分宪法相关事宜，已经在2007年转交给司法部，如果说在梅任职期间，内政部的工作有所增加的话，那就是国际恐怖主义的威胁抬头，以及对不断增长的移民的关切开始主宰政治议程。从毒品到针对女性的暴力，从剥削儿童到引渡罪犯，内政部简报涵盖了相关一切内容。在工党执政时期，内政部变得混乱不堪；"南辕北辙"，梅的前任之一约翰·里德说过这样令人印象深刻的话。几乎没人相信梅会比她的前任做得更好。

新闻界对梅的任命反应十分冷淡，而且新政府的第一天没有更多的女性内阁部长被任命，关注点主要集中在她的性别上。普遍的看法是，这一任命主要是为了缓解新政府最高层缺少女性造成的不良印象。《伦敦晚旗报》因此这样描述她的晋升："戴维·卡梅伦第一任内阁最大的惊喜就是任命特蕾莎·梅为内政大臣。这一举动看起来至关重要，如果内阁全由清一色穿西装的男人组成难免会受到指责，但仍然令人震惊。"[238]戴维·休斯在《每日电讯报》上刻薄地写道：

现在，如果保守党和自由民主党的前座议员中都缺少第一流的女性，那么你该如何解决性别平衡问题？于是，你把国家最重要的一个部门……给了特蕾莎·梅……梅夫人有这个资格吗？完全没有，而这事儿就这么发生了。[239]

他的同事杰拉德·沃纳强烈抗议说："梅是一个女灾星，一个'失职'定时炸弹，等着在更敏感的国家部门爆炸。"[240]威廉希尔有限公司为梅在下一次选举之前离职开出7/4的赔率。几乎没有人下注。撇开这些不友好的话，新政府的组建带来诸多难以预料的可能性，尤其是战后第一次出现联合政府，如果单独宣布对梅的任命，也许还能引起更大的反响。记者们忙着写卡梅伦和尼克·克莱格在唐宁街玫瑰花园里互相吹捧，很少有人关注梅。

不过按照传统，内政大臣是首相、财政大臣、外交大臣之后政府中第四重要的职位，如果说这一任命同时吓到了媒体和梅自己，对她周围的人来说同样是个意外。马克·哈珀曾经是梅在野时的团队成员，她以为梅会成为就业和养老金大臣。"我们都这么想，包括她自己，这就是未来她在政府中的工作。显而易见，我们已经开始着手与就业和养老金部的常务副大臣一起开会，为进入政府做准备。"担任过内政大臣的迈克尔·霍华德说：

这是一个小小的惊喜，因为她没有出任过影子内政大臣。如果你的党进入政府，在影子内阁的工作经历并不能确保你得到一个职位，不过会让你隐约感觉自己会得到一个职位。

梅一定会在内政部做出超越前任的成绩，即使是梅的朋友和盟友对此也没有太多信心。安德鲁·格里菲斯是梅的前幕僚长，几天前刚当选为伯顿选区议员，他说：

我不得不说，戴维让她出任内政大臣让我十分惊讶。我没想到，我觉得保守党议员里也没人想到。我相信这对她是一个惊喜。这是一个非常困难的工作，我认为没人能做出预测：她是尽自己所能多坚持一段时间，还是足够勇敢、坚强、决断，顺利完成自己的工作。但实际上这让她有机会展示自己的能力。特蕾莎完全适合政府。在绝大多数情况下，在野指的是提出意见而非实干。因此在野意味着像孔雀那样爱炫耀，意味着发表最伟大的演讲逗观众笑（他们乐此不疲）。但执政是另一回事儿。它是坚忍地工作，全身心投入，做好一切细节。这就是为什么特蕾莎成为内政大臣之后，对她的评价发生了巨大变化。

除了内政大臣，卡梅伦同时任命梅为平等事务大臣，有些人对此感到不安。她对同性恋权利某些值得商榷的投票记录被一些媒体提及后，社交媒体开始活跃起来，她升职几个小时之后，恶意发布的信息在推特扩散开来，脸书上发起一场请愿要求卡梅伦改变主意。几天之内这场请愿就获得了将近7万个签名。早年在议会里，梅确实对一些平权议题投过“不正确”的票。2000年担任影子内阁教育大臣时，她反对废除“第28条”，这一有争议的保守党法律条款禁止在学校“鼓励”同性恋，梅说：“学校的公共支出没有用于提倡同性恋，孩子们得到保护，得知这一点会让家长感到安慰。”她也投票反对同性恋收养孩子，反对统一两性最低合法性交年龄。但是，随着岁月的流逝，梅的观点发生了变化。8个月前，她投票支持同性伴侣的民事伴侣关系。1967年，工党的罗伊·詹金斯呼吁政府议员支持普通议员的议案，最终实现同性恋行为的非罪化，诋毁她的人将发现，自那时以来，梅有望成为在同性权利上最进步的内阁大臣。

在梅的第一个完整工作日，卡梅伦充分显示了他对内政大臣职位的重视，5月13日星期三，开完联合政府第一次内阁会议，他前往内政部与工作人员见面。在马士罕街2号现代建筑中央大厅里，卡梅伦向500多名公务员发表演讲，他告诉他们：“我来这个部门是要……让人知道打击犯罪、保证安全、移民改革、打击恐怖主义这些议题在我看来有多么重要——这些都是非常重要的工作。”

辅助内政部大臣梅的男女部长名单随后公布。她大学时期的老朋友达米安·格林被任命为移民部长，尼克·赫伯特成为警察部长，联合情报委员会的前负责人内维尔·琼斯女男爵被提名为安全部长。自由民主党人这边，琳妮·费瑟斯通在第二天被任命为头衔有些复杂的刑事信息和平等事务部长。也许从梅的个人角度来看，另一件事要重要得多：正式任命尼克·蒂莫西和菲奥娜·希尔为自己的政府特别顾问。

和卡梅伦告别之后，梅开始第一次履行内政大臣的职责，前往伦敦南部克拉珀姆交汇站拜访温斯坦利区一个社区互助警察队。新闻界和往常一样主要关注她的鞋子；有人指出，为这次简短的行程，她已经把去内阁穿的黑色浅口鞋换成了豹纹鞋。但她的话值得引起注意。虽然梅遵循传统，成为内政大臣后首次正式访问会见了警方，但她明确表示他们别指望接下来会很轻松。“作为一个新政府，我们的承诺之一是让警察更多地到街上去，做他们该做的事情，公众希望看到他们负起责任。”她说。“为了做到这一点，我们必须减少官僚主义。”梅拒绝保证警察数量不会减少，并补充说，她将立即开始着手设立民选警察局局长——许多高级官员反对这一举措。她最后说自己“非常渴望着手工作”。[241]

梅将要“着手的工作”包括哪些方面逐渐显露无遗。她现在听取了安全部门第一次情况介绍，集中思考如何运行一个最复杂、头绪最多的政府部门，她在野时从未在影子内阁中担任过这个职位。在接下来的几天中，她不得不努力从一桩复杂的移民法律案件中找出头绪，应对枪械大屠杀（坎布里亚郡德里克·伯德枪击案），制定关系公民自由的法案，还要在警察会议上发表演讲。几个月过去了，她面临的挑战有增无减：国内外的恐怖阴谋和暴行；儿童性虐待丑闻；难民危机和加来难民营；皇室保护不力事件；奥运安全；有关暴力侵害妇女和追踪骚扰的立法；警察改革；同性恋权利；反极端主义措施；希尔斯堡惨案和斯蒂芬·劳伦斯谋杀案调查；对截停和搜查、酒精定价以及拘留精神病患者的进一步考量；备受瞩目的引渡案件，包括加里·麦金农和阿布·哈姆扎；驱逐阿布·卡塔达出境；调查马德琳·麦卡恩失踪事件和亚历山大·利特维年科谋杀案；2011年暴动；毒品政策，网络犯罪和性剥削；人口贩卖；护照延误；卧底警察丑闻；反犹太人袭击；手机黑客；“史努比宪章”。还有移民问题。一直有移民问题。梅在内政部的六年里必须处理的问题清单花样繁多、令人眼花缭乱、难以应付——永无止境。

梅必须在内政部投入大量时间。她开始习惯和自己的红箱子[1]工作直到深夜，虽然定下规矩凌晨一点以后停止工作，但她自己经常违反这一规定。琳妮·费瑟斯通证实，内政部的节奏是无情的。“她非常勤奋，”她这么说梅。“我们每星期举行三次部长会议，总是发生非常糟糕的事情。类似‘哦，天啊，今天头版出了什么事？’”梅经常接到国家面临威胁的情报，在家里度过一个短暂的不眠之夜。埃里克·皮克尔斯说：

我经常思考这件事情：她和首相收到的都是真正可怕的情报。他们要面对的事情从某种意义来说不同寻常，而我们则一无所知。她知道的那些事情会让你我在夜里惊醒。我觉得她的应对非常出色。

2012年成为内政部部长的马克·哈珀赞同这种说法：

我一直非常清楚她每天都在监视国家面对的所有威胁，她每天都在和那些保护我们的人交谈，让你的头脑专注于重要之事上，你永远不应……忘记……你要一直集中注意力。你必须出色地完成自己的工作，否则可能造成相当严重的后果。她是一个非常非常专业的人，对待工作非常、非常认真。

有时候梅不得不分散精力去应付工作之外的事情，但她从不让自己深陷其中，坚持认为那些不得不承受的关注并非沉重的负担。“成为内政大臣的意义之一就是，理所当然的，你往往会看到生活中最艰难的部分。”她说。“幸运的是我睡眠很好，虽然比我想要的时间短。你可能说只有五六个小时。但这儿有很多工作要做。”242

尽管工作日程表令人筋疲力尽，但梅没有放弃自己的私人生活。

---

[1] 红箱子是英国首相和内阁大臣们的红色机密箱，使用红箱子的传统有150多年。

即使在最繁忙的时候，她和菲利普也会一起享受生活的美好。他们经常在剧目首演时被剧评家们发现，歌剧、板球比赛和赛马会也一直没间断过。这对夫妇的生活显然充满乐趣。梅总是说：

红箱子严禁被带上床，实际上卧室都不能进。如果我有很多工作要做，我就让菲利普自己去休息。但是他在这种事情上非常细心周到，所以可能会出人意料地拿给我一杯茶。他也经常送花，这真是不错。[243]

两个人继续每年在瑞士散步休假，去英国的风景区享受周末，有一次他们选择在康沃尔郡博德明市普瑞米尔酒店度过圣诞节前假期（有两名警察跟随），每晚只需34英镑，这种节俭让客人们十分意外。支持者们也不会被忽视，有可能的话，梅喜欢在桑宁过夜，特别是周末，绝大多数星期六都用来进行街头竞选活动，挨家挨户拜访。她永远不会放弃对时尚的爱好，偶尔会参加最喜爱的设计师举办的演出。鞋子仍然带给她掺杂负罪感的快乐。她开始在最喜欢的两家商店L.K.班尼特和罗素&布罗姆利申请打折卡，这是年度注册会员的福利。梅也没有放弃Women2Win，继续作为其代表参加活动，同时成为女子网络社团粉红鞋俱乐部的赞助人。作为内政大臣，她将在议会大厅举办女记者招待酒会。

继续讲述梅在内政部的第一天，她的新部长团队正在确定下来。刚开始大家有些不自然。琳妮·费瑟斯通说："我们有一个'你好会议'，会上没人说话。"记者被召集到内政部，参加梅在新职位上的第一次访谈会，他们也认为内政大臣的工作十分繁重。一群国内事务记者被邀请到马士罕街与梅会面，BBC的丹尼·肖是其中之一。他后来回忆说："气氛很尴尬。我们在梅夫人周围站了一个半圆，温和地询问她对内政部有何打算，但被她挡了回去，一点口风也不漏。"[244]成为内政大臣后第一次接受报纸采访，她对亲保守党的《电讯报》的两名记者"丝毫口风也不漏"，两个人感到绝望。采访中他们满怀疑惑地听着，她有点蹩脚地自我标榜道："我觉得我很强硬，必要的时候也愿意强硬。我很实际，这非常重要。就我而言，我希望人们会说，她很强硬但很公平。"[245]

在内政部的头几年，梅对待记者的态度几乎没有改变，即使是顶尖记者。BBC的前政治编辑尼克·罗宾逊说：

> 坦白讲，我有一次极为糟糕的经历。那时我还是BBC的政治编辑，我曾经拒绝和内政大臣一起吃午饭，向她的职员抱怨说这纯粹是浪费双方的时间，她说的每一句话都可以在保守党总部的新闻稿中看到。[246]

截至2010年5月底，唐宁街给出了内阁排名的官方名单，尼克·克莱格为副首相，肯·克拉克为司法大臣，将内政大臣从传统排位挤到了第六名。在梅第一年工作结束之前，没有人会对她的排名认真。梅在政府的第一阶段也接近尾声。现在可以开始真正的战斗了。

>>>

232.《乔治·奥斯本：朴素的财政大臣》，嘉南·加内什，反击出版社，2014年。

233.《可靠的特蕾莎·梅对抗威斯敏斯特机智的迈克尔》，安迪·科尔森，《每日电讯报》，2016年7月2日。

234.《秘密磁带显示保守党支持同性恋禁令》，托比·海姆，《观察家报》，2010年4月4日。

235.《同心协力：2010年选举和联合政府》，亚当·博尔顿和乔伊·琼斯，西蒙-舒斯特出版公司，2012。

236.《可靠的特蕾莎·梅对抗威斯敏斯特机智的迈克尔》，安迪·科尔森，同上。

237.《荒岛唱片》，同上。

238.《梅打破新内阁全是西装男人的模式》，保罗·沃，《伦敦标准晚报》，2010年5月12日。

239.《特蕾莎·梅是目前为止唯一沉闷的内阁任命》，戴维·休斯，“电讯报在线”，2010年5月12日。

240.《特蕾莎·梅，女性和平等的代表，第一次采访惨不忍睹》，杰拉德·沃纳，“电讯报在线”，2010年5月12日。

241.《特蕾莎·梅：巡逻中的警察优先》，克里斯·梅森，《独立报》，2010年5月13日。

242.《荒岛唱片》，同上。

243.《特蕾莎·梅采访：红箱子严禁进入卧室》，朱迪斯·伍兹，《每日电讯报》，2016年7月9日。

244.《特蕾莎·梅：内政部破纪录者》，丹尼·肖，BBC新闻，2016年7月12日。

245.《介入解决小流氓：新内政大臣说更多巡逻的警察会让公众对干预产生信心》，罗伯特·温内特和安德鲁·波特，《每日电讯报》，2010年5月15日。

246.《特蕾莎到底在想什么？》，尼克·罗宾逊，同上。

>>> 13

极难对付的女人

对那些在公众面前和私底下都克制有礼的人来说，特蕾莎·梅已经是遍体鳞伤，有时甚至要进行不合时宜的战斗。在野的时候，她是一个没有多少真实权力的中层政治人物，生气的时候只好咬紧嘴唇。一旦进入政府，被安排在白厅最重要的部门之一，她摆脱了这样的束缚。党鞭办公室可以证实，一直以来，梅对那些她认为懒或者不能胜任工作的人缺少耐性。从2010年起，她开始掌控聘用数千名公务员的大型部门，还有一批部长和顾问，与其他政府部门一起工作，这一特点被迅速放大。

但是，真正令梅生气的是那些不尊重她的人，或者某种程度上无礼的人。一旦被惹怒，她总是寻机报复。她的怨恨会持续多年。受害者也许会发现自己被冷藏起来，或者受到冷漠的鄙视直到时机合适被施以更严厉的惩罚。梅谈起与她不和的人，或者和这些人对话时，一个词被反复用来描述她的说话方式："冰冷"。虽然梅喜欢吹嘘自己不会向媒体传播小道消息或者透露秘密情报，但她的特别顾问菲奥娜·希尔和尼克·蒂莫西都非常乐意为她干脏活。埃里克·皮克尔斯说：

对你来说，最糟糕的事情就是不尊重她。如果你对她不够恭敬，而且错误地对记者透露了她的消息，她那两个我见过的最高明的特别顾问将在极短的时间内找到你，因为他们是一流高手，他们是万事通，所以即使消息来源经过最严格的保密也没有用。

在担任内政大臣的六年多时间里，梅与数不清的同僚、议员、官员、组织和个人卷入长期的纷争，只要他们挡了她的路。她几乎总是能凯旋——从最后的结果来看。对于一些人来说，她成为首相意味着他们最后被抛弃的时刻到来了，她进入唐宁街10号后的第一件事就是把诺丁山成员的血腥尸体放在门外。因为，如果在野时她不信任戴维·卡梅伦和他的上层圈子，那么进入政府后这种倾向只会有增无减。戴维·洛斯曾经代表自由民主党在内阁中任职，见证了联合政府的那些日子，他曾经说过：

特蕾莎·梅很明显与保守党的"核心圈子"有隔阂。她不是"那些男孩中的一个"，也没有得到那样的待遇。事实上，内政大臣是一方，戴维·卡梅伦、乔治·奥斯本、迈克尔·戈夫和他们的核心圈子是另一方，双方之间明显隔着厚厚的冰层，我从未见过融化的迹象。[247]

在六年内政大臣任期里，与梅发生过争执的包括保守党同事卡梅伦、奥斯本、戈夫和肯尼斯·克拉克——他在2016年领导人选举期间称她为"极难对付的女人"，令人印象深刻——还有自由民主党的尼克·克莱格、温斯·凯博和克里斯·休恩。和她发生公开冲突的名单还包括：诺曼·贝克，被指派到她部门的三位自由民主党部长之一；以及保守党的内维尔·琼斯女男爵。梅认为英国边境部队负责人布罗迪·克拉克和警察联合会全体高级管理人员出了问题，随后将他们"解决"了。2016年梅进入唐宁街10号，许多议员和前大臣被粗鲁地从她的政府中扔出来，他们这时才醒悟过来：自己之前某些时候已然对梅、希尔、蒂莫西有所怠慢或冒犯。

刚进入政府不久，2010年5月，梅让同事们意识到她不会是一个好说话的人。联合政府首先采取的一个主要措施就是通过一项财政预算案，削减60亿英镑的政府开支。卫生部与国际发展部被"围栏"保护起来，而包括内政部在内的其他部门必须分担更多的责任。

戴维·洛斯当时已经是财政部首席秘书，他描述了自己如何给每一位内阁同事划定了5月21日午夜的最后期限，让他们同意这一方案。那些很快就同意的人，他标成“好男孩”（很显然没有任何“好女孩”），而迟迟不同意的人被称为“棘手小组”。梅毫无疑问在后一阵营中。洛斯写道：

令我惊讶的是，特蕾莎·梅坚持到我的部门来见我。我们在数字上针锋相对……前来见我的人中，特蕾莎·梅是地位最高的内阁大臣，这让我吃惊，她也是最后一个同意的……她看起来很紧张，经常看着自己的笔记……最后，内政部在5月21日星期五晚上11点（离最后期限午夜只有一小时）被迫接受了我的最低报价。[248]

关于支出的谈判经常要持续到最后一刻，梅使出浑身解数对抗洛斯的继任者丹尼·亚历山大，有时候还要面对财政大臣奥斯本。然而洛斯说自己和亚历山大都很佩服她。“她是一个难对付的谈判代表，坚定地维护自己的立场。但她是一个直截了当的人，丹尼·亚历山大喜欢和她打交道，也尊重她：‘她很强硬，但她会倾听并做出回应。’这就是首席秘书的看法。”

另一个自由民主党人进入内政部不长时间就和梅发生了冲突，之后同样出人意料地成为她的崇拜者之一。随着新团队在马士罕街安定下来，梅的私人秘书告诉琳妮·费瑟斯通内政大臣想见她。“我们坐在扶手椅上——有点像进了校长办公室——她说：‘琳妮，琳妮，我觉得我们不能再写博客了。’”梅注意到费瑟斯通在她自己定期发表的博客中批评了新任就业和养老金大臣伊恩·邓肯·史密斯，原因是他保留了一家有争议的公司来评估申请救济金的病人。费瑟斯通继续说道：

她说：“这不合适，批评其他大臣违反了大臣之间的规则。”我立即发火了。一个保守党人告诉我要怎么做，这让我在离开特蕾莎办公室时怒气冲冲。我搜索了一下自己的文章，发现它已经遍布全球，每个媒体上都是“联合政府分裂，不和”，等等。我明白了当你是部长时

（事情就不一样了）。所以在大发雷霆之后，我可以承认她的观点十分正确。这件事在很早以前就预示了特蕾莎是个什么样的人。一个深刻的教训是："特蕾莎是正确的。"

接下来费瑟斯通与梅建立了良好的合作关系，两个人富有开创性的立法实现了同性婚姻的合法化，但像所有与梅一起工作的人一样，她很快就明白她们的互动不会是温情脉脉的。"我们永远不会产生两个女人之间的友谊，"她说，"不过，我非常羡慕她。"费瑟斯通认为，梅卷入了众多备受关注的纷争，包括和她自己党内的一些高层人物，因为男人经常发现她很难相处，也不明白比起强行命令，说服更能让她服从。"我不认为那些男人能对付她。"她说，"我一直认为，所有认为特蕾莎难对付的人，包括戴维·卡梅伦，都不习惯有人像她那样坚持己见。我从不认为她的争辩本身有什么错，这正是她要为自己争辩的。"

不管怎么说，在马士罕街的早期，有迹象表明梅也许可以和她的同事，包括联合政府中自由民主党的新伙伴一起工作。在成为内政大臣两个星期后的5月27日，梅确认工党受到广泛抵制的计划将在新政府上台100天之内取消，这一计划旨在强制推行身份证。这将是联合政府的就职立法。梅宣布这一行动时说："这项法案是政府诸多措施的第一步，目的是放松国家对正派、守法公民的控制，将权利交还给他们……（我们）的目的是让身份证和造成侵扰的身份证制度成为历史。"[249]两个月后，托尼·布莱尔标志性的政策"惩治反社会行为条例"（简称Asbos）和身份证一起被扔进梅的垃圾箱，梅对其评价为"噱头大于实际，以犯罪判定相威胁，采取强制高压的手段"。公民自由推动者们和自由民主党对此感到欣慰。尼克·克莱格的顾问肖恩·坎普说："联合政府几乎在上台的第一天就铲除了身份证计划。我们当然非常高兴。"

比起某些人的预想，梅这位内政大臣看起来更倾向自由，她上任一个星期之后，种种迹象不断证明了这一点，她在BBC《提问时间》节目中的坦白令人惊讶。同性恋问题上的投票记录让她受到挑战，这让许多人反对任命她为平等大臣。她直言不讳地说“我改变了主意”，并补充说在同性夫妇收养的问题上她现在认为，对一个孩子来说，拥有充满爱心的双亲比他们的性行为更重要。她补充说，如果再有一次机会，她会做出不一样的投票选择。对她态度的转变，新闻界绝大多数的回应都十分积极。《电讯报》的克里斯蒂娜·奥登写道：“一个大政治家才能坦承自己改变了主意。而在昨晚的《提问时间》上，特蕾莎的表现极为出色。”她总结说，“在这个新的政治时代，一切皆有可能，但有一件事是可以肯定的：特蕾莎·梅是一个明星。”[250]

在家看电视的费瑟斯通同样受到鼓舞。自从被任命为内政部部长，她一直在思考是否应该尝试推进自己感兴趣的项目，作为一个长期的平权运动参与者，为同性恋夫妇争取平等的婚姻权利。看到新老板在《提问时间》的发言，她意识自己的机会可能来了。费瑟斯通说：“在整个国家面前，她说‘我犯了一个错误。我真的很抱歉，我现在明白了，拥有充满爱心的双亲比他们的性行为更重要。’非常勇敢。”费瑟斯通询问自己的私人秘书应该如何让同性婚姻得到法律的承认。他建议她采取传统的路线，先写相关意见递交给内政大臣，然后是整个内阁，全过程被称为“逐一报告”。费瑟斯通说：

> 我的私人秘书把它送到她的私人办公室，放到她的红箱子里呈送给她。她返回意见并说：“同意。”而且，就像她说的，她开始“逐一报告”……除了伊恩·邓肯·史密斯和菲利普·哈蒙德，其他内阁部长都表示同意，这并不完全出乎意料，反正卡梅伦也驳回了他们的意见。

费瑟斯通提出的法案和梅对同性恋婚姻问题的大胆决定，在保守党宣言或联合政府协议中并未提及，在一开始就引起了极大的争议。当时许多宗教领袖和保守党议员严厉批评这个计划，但多数保守党人已经将其视为联合政府的主要成就之一。费瑟斯通说，教会团体担心被迫在宗教建筑中为同性夫妇主持结婚仪式，她自己的许多顾问和众多保守党议员表示反对，即使面对这样的阻力，梅也从不动摇。牧师的女儿肯定发现英国国教的反对意见难以承受。但是，费瑟斯通说，她没有退缩。“她的决心始终不曾动摇。她开始为这件事出力。很多主教心怀忧虑，实际上很多人心怀忧虑。她经常和他们见面，或者和那些担心的人交谈。她全力以赴支持此事。”

为了打消人们对同性婚姻的顾虑，2012年梅在一篇文章中写道：

我通常不会谈论自己的信仰。在英国的政治中，我们往往对此类事情感到不舒服。但是，作为一个每周日去教堂的英国国教教徒，我的父亲是教区牧师，我了解英国教会。这就是为什么我想强调，这和告诉教会——或任何宗教团体——应该怎样做毫无关系。

她的结论是：“婚姻是我们最重要的制度之一。它将我们结合在一起，带来稳定，使我们更加强大。所以我不相信国家应该阻止人们结婚，除非有非常充足的理由——而同性恋并不是其中之一。”[251]

2011年10月，在保守党会议上，戴维·卡梅伦个人支持同性婚姻合法化。在议会漫长的辩论之后，尽管有一半以上的保守党议员投反对票，在工党和自由民主党的支持下，同性婚姻法案于2013年7月以400票对175票在下院得到通过，第二年春天成为法律。几十名同性夫妇在2014年3月29日午夜完成结婚誓言。截至2015年10月（国家统计局最新数据），英国已经有超过15000桩同性婚姻，立法被认为是联合政府最重要的改革之一。

在接下来的几年中，梅与费瑟斯通之间的关系将会变得富有建设性，考虑到彼此不同的政治观点和梅难以相处的名声，这段关系甚至可以说异常热烈。自由民主党人现在说：

我的党对我如此喜欢特蕾莎十分吃惊。我们一直很喜欢对方。我很多次强烈反对她的意见，但我认为她是一个有原则的人，有很强的判断力，确实没有受到愚蠢的政治游戏的影响。

然而，梅与内政部第三位女部长的关系似乎不那么成功。费瑟斯通开始将梅看作一个潜在盟友，与此同时，反恐与安全部长、保守党人内维尔·琼斯女男爵正背道而驰。对联合情报委员会前主任的任命从一开始就充满矛盾。作为一个职业外交官和情报专家，内维尔·琼斯认为自己的角色不是一个对梅唯唯诺诺的下级部长，而是代表整个政府负责安全工作。当上内政大臣几个月后，梅将内维尔·琼斯叫到自己办公室，要求查看与恐怖主义活动相关的原始情报，官员们警告她说这一阴谋是英国土地上潜在的恐怖主义暴行，与2008年孟买袭击案相似。根据随后的媒体简报（几乎可以肯定，是梅忠实的猎犬、特别顾问中的一位提供的），内维尔·琼斯拒绝讨论这个问题，说："抱歉，内政大臣，但我恐怕不能和你谈论这件事，因为你没有安全许可。"令人震惊的是，据报道梅什么都没说，只是给了内维尔·琼斯冰冷的一瞥，这也将成为她的标志性动作之一，随后直接从军情五处获取了相关情报。[252]梅后来否认了这个故事，坚持说双方有"良好的工作关系"，[253]但两名女性之间的气氛依然冷淡。

内维尔·琼斯发现自己在内政部越来越边缘化，她随后恳请戴维·卡梅伦授予自己"国家安全顾问"的称号，卡梅伦拒绝了。梅心里很清楚内维尔·琼斯是她的部长之一，应该向自己报告。女男爵夫人仍然对自己的角色有不同看法。一年之后她辞职了。她的辞职信没有按惯例感谢内政大臣梅，而是单独向首相致辞。没人顶替她的位置，在未来一年或更长时间里，马士罕街的部长们将是一个和谐的团队。团队的剩余成员对谁说了算毫无异议。

然而她与内阁里其他人的关系并不融洽，在2010年秋季的全面支出审查之前，梅为了自己部门的预算又卷入另一场冲突。削减是残酷的，相当于她102亿英镑预算的25%。警方只看到他们的经费被削减了20%。梅努力将削减幅度降低到17%，但奥斯本不会让步——削减势在必行。作为她节省开支计划的一部分，梅开始审查警察的薪酬，尤其把重点放在削减高达4.5亿英镑的巨额加班费上。警方的反应引起梅主持内政部期间最重大的斗争之一——也带来最辉煌的胜利之一。

担任内政大臣的头几个月，梅享受着漫长的蜜月期，在新闻界获得异常温暖的赞美，并赢得了议员同僚们的尊敬，他们第一次开始谈论她有可能成为卡梅伦的继任者。看到她在内政部接受质询时的表现，《每日邮报》的撰稿人昆丁·莱茨表示："坚韧但不歇斯底里，她有一种崇高的行动感，同时并不偏离常识。"[254]同一报纸的"以法莲·哈德卡斯尔"专栏这样评价她："长久以来她因为自己华丽的鞋子和雷鸟夹克受到嘲笑，一些同事并不赞成特雷莎·梅出任内政大臣。评论家现在承认她的表现已超出预期。"[255]

第一次作为内政大臣参加保守党大会之后几周，2010年10月底，梅遇到上任以来第一次真正的考验，根据接到的密报，当从也门飞往美国的两架货机在东米德兰兹机场做例行中途停留时，从上面发现了伪装成墨盒、实际装有大量塑料炸药的包裹。这将是梅第一次主持"眼镜蛇会议"——情报部长、警察、公务员和部长的顶级聚会，这一会议以白厅的秘密房间、内阁办公室A号简报间[1]命名，他们在这里开会。她成功地经受住了考验。一位不愿透露姓名的公务员后来声称，内政大臣在压力下的冷静与会上唐宁街10号职员们的"恐慌"形成鲜明对比。"她的冷静给官员们留下了深刻印象，她能够驾驭局面，同时也没有被政府危机处理委员会，即'眼镜蛇'令人生畏的手段吓倒。"公务员写道，"首相的顾问则相形见绌，他们焦虑不安、惊慌失措……"[256]

迄今为止，梅十分同意自由民主党同事们的意见，认为新政府必须和以往工党政府更为严厉的反恐措施保持距离，这些措施包括使用控制令来限制嫌疑人的自由而不需要通过法庭诉讼。此时她第一次在英国土地上经历了恐怖主义，以一种全新的决心竭尽所能去保护国家的安全。她的直觉在任职的第一年有所增强，她能够看到在野时保守党人看不到的秘密简报，这让她觉得比起保守党上台之前的预想，采取更为严厉的措施是合理的。这一观点成为她和尼克·克莱格及其团

---

[1] 内阁办公室 A 号简报间，Cabinet Office Briefing Room A，缩写为 COBRA，眼镜蛇。

队的主要分歧。戴维·卡梅伦将两种观点的冲突描述为“他妈的车祸现场”，[257]试图说服副首相改变主意理解梅对控制令的想法，但克莱格已经被迫在棘手的学生学费问题上让步，[258]坚持他的党在公民自由问题上不能被视为妥协退让。最后，在三方会议之后，克莱格、梅、卡梅伦同意用新的“恐怖主义预防和调查措施”取代控制令，减少了宵禁时间，允许可疑分子使用手机和电脑。克莱格和梅之间的关系滑落到了冰点。

2011年伊始，梅失去了一张熟悉的面孔，迎来了一个新的对手。这两件事是联系在一起的。梅越来越喜欢负责贴身保护她的警察保罗·赖斯，他之前也负责保护梅的前任——工党内政大臣艾伦·约翰逊，当爆出他和艾伦·约翰逊的妻子有染之后，赖斯被免职了。2010年9月，爱德华·米利班德当选为工党党魁后，约翰逊成为影子内阁财政大臣，爱德华·鲍尔斯成为影子内阁内政大臣。约翰逊因为婚姻问题辞职后，鲍尔斯取代了他，鲍尔斯的妻子伊薇特·库珀则接替丈夫成为影子内阁内政大臣，未来五年她都会在这一位置上。

库珀对梅有一种勉强的尊重。“她是一个成年人，有时围在她身边的人会玩些幼稚的游戏，她想要认真对待事情，我尊重她在议会中的风格，在那里她令人敬服。”库珀说，“问题是她往往小心翼翼地控制一切，不与别人分享，不授权，结果就是经常需要很长时间才能做出决定，哪怕正面临危机。”[259]库珀自己是工党中最受尊敬的干将之一，他们又重演了梅担任影子内阁下院领袖时与哈里特·哈曼的较量，威斯敏斯特观察员很快就注意到内政部质询时两位女性的冲突。

2011年3月，根据自己之前下令进行的审查，她详细说明了大力削减警察工资和加班费计划的细节，警方联合会对此发出愤怒的抗议，这一有影响力的行业联盟由普通员工组成，威胁要在威廉王子和凯特·米德尔顿4月29日的皇室婚礼之前举行穿越伦敦的游行示威（游行最终在一年后举行）。在这样的背景下，梅在5月第二次出席警察联合会年会。一年前她刚当上内政大臣就参加了这一会议，通常不耐烦的听众会恭敬地听她发表演讲，内容包括承诺恢复警方对嫌犯的指控权。今年的情况会有很大不同。

哈利·弗莱彻出席了在伯恩茅斯召开的会议，他是国家职业组织联合会缓刑监督官联盟的助理干事。他说：

> 那年我在休息室里遇到了特蕾莎，房间里只有我和她。即将发表演讲的她一点也不高兴。她忧心忡忡。我出去散步进了礼堂，那里被1200到1500名警察挤得满满的。他们都拿着那一期警察联合会的杂志。在杂志中间有一张A3纸大小的海报，上面写着“削减经费是犯罪”。舞台背景上也有“削减经费是犯罪”的口号。

弗莱彻看到梅的工作人员试图在午餐休息时去掉这个攻击性的横幅。“我走来走去，而她说：‘巨大的横幅写着削减经费是犯罪，你不能让内政大臣坐在下面。”他回忆道。“警察联合会的人告诉她为时已晚。”下午会议开始时，横幅还在那地方。

梅现在被迫在台上听警察联合会秘书长保罗·麦基弗发表演讲，他指责政府削减警方经费是“错误的”。让梅十分尴尬的是，在与诺桑比亚的视频连线中，巡警戴维·拉斯班德正等待发言，去年夏天他被一个疯狂的枪手弄瞎了眼睛。他突然问梅是否认为他35000英镑的工资太高了。“你晚上怎么能睡得着？”麦基弗在舞台上质问自己身边局促不安的梅。她自己的演讲迎来的是一片死寂。弗莱彻说：

> 特蕾莎站起来说话，警察们开始举起A3纸大小的海报喊“削减经费是犯罪”。她做了一个《我们都在一起》的演讲，然后回到休息室。要休会一段时间，所以我也回了休息室——她异常愤怒，真的是怒火四射。她觉得有人想要公开羞辱她。而且我知道——我知道——我只能说，她会为自己讨回一切。

梅确实实施了报复——但她耐心地等待时机。三年后，她在2014年警察联合会年会上的发言被认为是现代英国政治中最伟大的演讲之一。在这次演讲中，她发誓要终结警察联盟的权力，直接挑战那些侮辱过她的人，威胁如果警察联合会不着手处理可疑的财务惯例，她不惜投入议会的全部力量。她指责官员滥用截停和搜查权令黑人不满，对待家庭暴力敷衍了事让女性失望。听众听得目瞪口呆，她提醒他们最近发生的丑闻，用最明白不过的话指责那些自满的势力，说问题要比几个“坏苹果”大得多。“问题也许出在少数警察身上，但这仍是一个重大的问题，也是一个需要解决的问题，”她继续说：

这种态度暴露了那些警察对公众的轻蔑，而他们本该服务于公众——这个国家的每一个警察，每一个警界领导者，乃至警察联合会中的每一个人都应该直面它，在警察队伍中消灭这种态度。在这个大厅里，如果有人质疑我们警务模式面临的危险，有人低估最近发生的事件和暴露的问题对公众和警察之间关系造成的损害，如果有人认为警方无须做出改变，我就在这儿告诉你们，是时候面对现实了。

梅要求工会批准她提出的一系列改革，最后总结道：“联合会是在议会法案的授权下创建的，也能用议会法案加以改革。如果你们不主动求变，我们将强迫你们改革。”[260]

哈利·弗莱彻再次出席了会议，看到了梅眼中的光芒。只有这一次，在彻底战胜这个最无礼的敌人后，内政大臣丝毫不想掩饰自己的耀武扬威。弗莱彻说：“她只是把他们撕成碎片，她确实把他们撕成了碎片，后来我又在休息室里遇见了她，她变得活力四射。”几个小时后，吓坏了的代表们乖乖投票接受了梅要求他们进行的六项改革。梅的演讲受到极为热烈的好评。评论员丹·霍奇斯将其描述为“英国政治家在和平时期发表的最令人难以置信的演讲之一”。[261]《电讯报》的“领导者”专栏也不吝赞美之词：“对警察部队的历史和梅自己的政治生涯来说，她的杰出演讲可能都是一个决定性的时刻。”[262]

梅的行动和自己的话一样犀利，她在担任内政大臣的六年内将警方改头换面。首先，警察联合会被剥夺了所有的公共拨款。尽管受到严重警告，但实际情况是随着警察人数的减少，犯罪率也下降了。到她演讲时为止，大选后四年里犯罪率下降了20%，是三十多年来的最低水平。废除过时的薪酬结构，解决加班费问题，在这些节省开支的措施之外，梅还推动了多项富于建设性的改革，包括为年轻人才提供上升的“快车道”，建立新的警务学院。截停和搜查权受到严格管控，目的是消除对黑人社区造成的不成比例的影响，将打击针对女性的暴力行为作为重中之重。她提高对举报人的保护力度，加强监察制度。下令调查过去警方涉嫌的丑闻，包括有迹象表明被谋杀的黑人少年史蒂芬·劳伦斯的家属遭到监视，卧底警官被指控和他们监视的活跃分子之间关系不当，以及私人调查员丹尼尔·摩根被杀案件，摩根曾经关注过警察的贪腐。截至她发表演讲的时候，选举警察局局长已经成为惯例。不过2012年11月举行的第一次选举投票率极低，在10%至20%之间，这是梅在内政部罕见的失误之一。

总体来说，梅对警察的改革受到了一致赞誉。警方联合会的演讲发表一年后，查理·埃尔菲克成为内政部党鞭，他说：“她对警方的强硬是非常正确的。警方显然对此十分不安。但非常重要的是，警方明白他们也受制于法治。”迈克尔·霍华德补充说：“她的畅所欲言非常勇敢。”哈利·弗莱彻相信警察联合会改革的时机已到——其领导人在对抗梅时犯下战术错误。

我个人觉得警察联合会在2011年犯了错，他们高举那些相当不客气的标语和海报，这是一个战略性错误，反而给了内政大臣力量。显而易见，保守党连续执政对警方非常有利，所以他们没有预料到自己的组织和财务会遭到猛烈攻击。作为一个保守党人，她决定鼓起勇气挑战警察。我认为她将其视为改革前的最后一届联合会。

回到2011年，无论如何，梅很快就发现自己非常需要警方的支持。那个夏天，首都的警务工作陷入危机。电话黑客丑闻已经持续了几个年头，据说《世界新闻报》已经得到了名人和皇室成员的个人语音邮件，这件事又重新成为热点。有指控说该报已经窃听了被谋杀的女学生米莉·道勒的手机。伦敦警察局的高官被指控与媒体有不正当关系，局长保罗·斯蒂芬森和副局长约翰·伊茨全部辞职，这让“出离愤怒”的梅十分沮丧，她试图说服斯蒂芬森坚守岗位。[263]

两周过去了，伦敦警察局仍然没有任命一名全职局长，2011年8月4日，四个孩子的父亲、29岁的黑人马克·杜根在托特纳姆被警察开枪射杀，当时他们正试图拘捕他。两天后，杜根的家人和朋友开始向托特纳姆警察局游行示威，原本这只是一系列和平抗议活动。几个小时之内，这次示威活动就演变成一场全面暴动，造成26名警察和数目不明的抗议者受伤。接下来几天时间内，混乱首先在伦敦蔓延，然后扩散到更远的城市。很明显这是自发的暴行、抢劫和斗殴，原因和动机有待社会学家和政界人士继续深入挖掘。梅特别强烈地谴责了那些后续骚乱中被捕的人，他们往往会抢劫经销体育用品和电子产品的商店，真实原因是目无法纪和贪婪，而不是对警察的怒火。梅也与包括脸书和推特在内的众多主流社交媒体发生了长时间的争执，她暗示这些媒体允许骚乱者使用他们的服务来传播混乱。不过，内政大臣现在关心的是如何迅速结束危机。

面对伦敦发生的戏剧性事件，梅的许多同事花费了很长时间才做出反应。暴乱发生在盛夏的一个周末，这让他们的情况变得更糟，当时白厅和马士罕街的人差不多都走光了，卡梅伦、奥斯本和梅本人都在度假，尼克·克莱格名义上负责国家的运转。伦敦市长鲍里斯·约翰逊也走了。内政部值班部长琳妮·费瑟斯通直到8月7日星期日12点半才做出公开回应，这时距离骚乱爆发已经过去整整16个小时了，她读了一份准备好的声明，丝毫不能减轻以下忧虑：国家陷入无法无天的境地，而领导人都不在国内。当天晚上，也是骚乱以来的第二个夜晚，暴行蔓延到布里克斯顿、沃尔瑟姆斯托和牛津环地区，商店、汽车和餐馆遭到破坏。8月8日，梅结束一年一度的瑞士休假，飞回伦敦主持大局。

直到第二天骚乱波及伯明翰，卡梅伦才中断自己在托斯卡纳的假期。而约翰逊得知首相和内政大臣已经回国的时候，正计划飞往美国与正在那里度假的家人会合。同事们正往回赶，卡梅伦即将主持召开眼镜蛇会议，在等待的同时，梅发表了一个电视声明，她设法向公众保证政府控制着局面，同时将骚乱轻蔑地称之为“罪行”。透露被捕人数超过200之后，她继续说：

这绝对是犯罪行为，我们应该对此直言不讳。所以我说这些人会被绳之以法，他们会为自己的行为承担后果，我呼吁当地社区所有成员积极与警方合作，帮助警察逮捕这些罪犯。[264]

她的话看起来立竿见影。骚乱持续了好几天，蔓延到大曼彻斯特和西米德兰兹郡，但政府对局势的控制已经恢复了。梅取消所有警察的休假，向伦敦各处派出16000名警察，同时下令警察局局长们加大逮捕力度。当时讨论过部署水炮和塑料子弹，但内政大臣自己反对使用，无论如何，混乱的状况在这周末已经结束。一旦秩序得到恢复，政治家和国民不约而同地开始绞尽脑汁思考，想知道究竟发生了什么事，危机迅速失控的原因何在。总共有3000多人被捕，1000多人被起诉。更糟糕的是，在与骚乱直接相关的事件中有5人丧生，商店和其他企业估计损失了2亿英镑。

骚乱的影响仍在持续，梅要循自己的惯例和某位同僚吵上一架，这次是鲍里斯·约翰逊，起因是市长提议采购水炮，为将来可能遇到的麻烦做好准备。在英格兰和威尔士的街道上部署水炮必须得到内政大臣梅的许可，她利用法律上的细节拖了几年。在2014年春天，她还没做出决定，约翰逊先一步从德国购买了三门二手水炮。“这是对内政大臣赤裸裸的胁迫，而她才是决定水炮是否可以在英国大陆部署的人。”后来出任内政部长的诺曼·贝克说。[265]尽管卡梅伦个人支持使用水炮，梅依然在拖延时间，直到2015年6月才最终宣布。面对市长的侮辱，她拒绝了这一提议。约翰逊从政府议员席上郁闷地看着，梅20分钟前才用电话告知他自己的决定，她告诉下院他买的水炮不适用。“它们已经用了25年，更换大批零件和彻底维修之后才能达到最低标准。”差不多一年之后，梅透露出在水炮事件上羞辱约翰逊的乐趣，当时她在领导层辩论中刻薄地总结对手的谈判技巧：“上一次他和德国人打交道，带回来三门几乎全新的水炮。”

回到2011年，梅即将与保守党另一位难缠的角色爆发冲突，她的资深内阁同事、司法大臣肯尼斯·克拉克。两个人从联合政府成立之初就开始争吵，杀人犯是否应该终身监禁，携带刀具罪的监禁时间，他们在诸如此类的问题上意见不一，内政大臣始终比相对宽容的克拉克更为专制。梅批评了一位法官，后者裁定犯人申请从性罪犯登记册中删除自己的名字符合《人权法案》，随后司法大臣也通过书面形式警告了梅——并将记录公之于众。在野的时候，梅享有现代化推动者的名声，通常被归入保守党中的开明派，在内政部的18个月极大改变了这种看法。随着她对安全、移民和公民自由的态度愈发强硬，她与克拉克在思想上的分歧愈发凸显出来。

在2011年的会议季前期，梅激怒了内阁中的亲欧派，特别是克莱格和克拉克，她告诉一家报纸自己想要废除《人权法案》，认为这一立法妨碍了英国驱逐外国罪犯和恐怖分子的努力。她在会上的演讲进一步刺激了他们。在演讲中梅说：

> 我们都知道关于《人权法案》的那些故事：暴力毒贩不能被送回家，因为他女儿住在这儿——他没出过赡养费的女儿；抢劫犯不能被赶走，因为他有一个女朋友……非法移民不能被驱逐因为——我没有编造——他有一只宠物猫。

她的演讲结束后几分钟，克拉克在一家报纸的分组会上发言，有人问他关于猫的说法。“我不相信有只猫就能留在英国。”他回答。“我会与她打个小赌，因为有只猫而不能被驱逐，根本就没这回事儿。”[266]几天后接受本地报纸采访时，克拉克变本加厉，用“既孩子气又可笑”来形容梅举的例子，避难者和他的宠物猫——现在据说猫的名字叫“玛雅”。[267]

克拉克描述了随后的骚动："对会议中心附近闲逛的记者来说这是从天而降的吗哪[1]。他们将这一事件变成了规模巨大的媒体争球[2]，最主要的成果就是一些不错的政治漫画，关于我的暇步士和特蕾莎的中跟鞋打架[3]。" 268

自由民主党人、能源大臣克里斯·胡恩不小心通过推特向一名《卫报》记者发送了公开信息，把梅的演讲比作英国独立党领导人奈杰尔·法拉奇的讲话，他不得不公开道歉，这让整件事情变得更为荒诞。

克拉克口无遮拦地找乐子——与此同时唐宁街10号明确表示支持梅——但内政大臣并不觉得好笑。媒体对她会上重要时刻的报道带来负面影响，梅稳健的名声也受到质疑，她在新闻界、公众和党员中建立声誉的艰苦努力遭到破坏。本来会议开始之后，她在党员中被认为是继任卡梅伦的第四人选，在野时曾经在民意调查中垫底，如今飞速崛起，而她领导公认棘手的内政部尤其给人留下了深刻印象。克拉克未经思考的言论让她身处险境，接下来的日子里她将面对一系列艰难的采访，被逼问宠物猫避难者案件的细节。她从未承认过这一点。

梅与克拉克的关系从未真正修复。之后几年还会爆发一系列争执，包括令人意想不到的十分钟激烈争吵，那时两人正肩并肩坐在下议院参加首相问答，见证者包括他们众多的议员同僚。梅试图允许情报人员在法庭上秘密做证，这随之引发了严重的冲突，克拉克认为这一举动与公开公正的原则背道而驰。他说：

特蕾莎和我无法达成共识，因为军情五处鼓励她走一条非常强硬的路线。公众认为我和她代表保守主义的左右两翼，这件事就是一个实例，但实际情况并非如此。还不如说，我不怀疑双方的立场都出自对公

---

[1] 《圣经》记载古代以色列人出埃及后，在旷野生活40年，上帝赐给他们神奇的食物吗哪。

[2] 争球原本是橄榄球术语，指双方各出8名队员用力推挤对方以获得球权。

[3] 双关语，暇步士的商标上有一只狗，而中跟鞋直译为"猫跟鞋"。

众利益的真诚评估，但我更注重遵循法律条文，而她更专断独裁。[269]

一般情况下，克拉克不管怎么说还是想设法弥补分歧，他写道：

> 那时候她是内政大臣我是司法大臣，比起对我们关系的那些戏仿，以及保守主义左右派别的标签，其实我和她的共识远远超过分歧，也就是说……在那些场合我和她开玩笑说我不是自己以为的左翼，而她不是自己假扮的右翼。当被问到和我的关系如何，她自己的笑话就是："我抓人，他放人。"[270]

2016年领导人选举期间，克拉克无意中透露了自己对梅的真实感受。在一次"天空新闻"的采访中，克拉克和党内大佬马尔科姆·里夫金德爵士聊天忘了关麦克风，他先批评了一众候选人，然后说起梅："特蕾莎是一个极难对付的女人，但是我们与玛格丽特·撒切尔一起工作过……我和她相处得不错……她很好。"克拉克后来写道：

> 几个小时后，天空电视台播出这次坦率的聊天，我回到了下议院，遇到我的议员们一边笑一边说他们有多喜欢我的表演。保守党人过来向我表示祝贺，其中四分之三彬彬有礼地说自己同意我所说的每一个字。[271]

这时候克拉克已经离开内阁两年了，梅是最受欢迎的领导人之一，她的地位克拉克长期求之而不得。她有资本宽宏大量，甚至欣然接受"极难对付的女人"这种说法。克拉克失言两天之后，在领导层为保守党议员举行的竞选活动中，梅的话引起一阵笑声："肯·克拉克说我是一个极难对付的女人。下一个发现这一点的人将是让-克洛德·容克（欧盟委员会主席）。"

不过，内阁大臣梅与另一位保守党同事之间的严重冲突，不会结束得如此愉快。

>>>

247.《联合政府》，戴维·劳斯，反击出版社，2016年。

248.同上。

249.《身份证计划在100天内取消，节省1亿英镑：梅宣布项目成为历史》，阿兰·特拉维斯，《卫报》，2010年5月28日。

250.《特蕾莎·梅将被证明是联合政府的明星》，克里斯蒂娜·奥登，“电讯报在线”，2010年5月21日。

251.《如果婚姻有益，它应该属于每一个人》，特蕾莎·梅，《泰晤士报》，2012年3月15日。

252.《可靠夫人对带刺女士：两位强有力保守党女士的争斗导致安全部长的离职》，梅丽莎·凯特，《星期日电讯报》。2011年5月15日。

253.采访，特蕾莎·梅，《安德鲁·马尔秀》，BBC第一频道，2011年5月15日。

254.《就像女学生代表一样，她很少措手不及》，昆特·列托斯，《每日邮报》，2010年7月27日。

255.以法莲·哈德卡斯尔，《每日邮报》，2010年9月8日。

256.《七日：一位公务员的秘密日记：地堡里没有废话，恐怖袭击重回议事日程》，《观察家报》，2010年11月7日。

257.《每日邮报》，2011年1月8日。

258.自由民主党在2010年发表宣言保证不增加学费，随后在联合政府中违背了这一诺言，2015年的民调结果因此变得惨不忍睹。

259.《特蕾莎到底在想什么？》，尼克·罗宾逊，同上。

260.《梅发誓削减警察联合会的权力，令其目瞪口呆》，维克拉姆·多德，《卫报》，2014年5月22日。

261.同上。

262.《特蕾莎·梅和警察的决定性时刻》，《每日电讯报》，2014年5月23日。

263.《伦敦警察：我们辞职，国际新闻公司事件中的其他人不应被辞退》，维克拉姆·多德，《卫报》，2011年7月20日。

264.《梅：暴动是纯粹的犯罪》，《地铁报》，2011年8月9日。

265.《格格不入》，诺曼·贝克，反击出版社，2015年。

266.《2011年保守党大会：肯·克拉克和特蕾莎·梅为宠物猫陷入争吵》，克里斯托弗·霍普和詹姆斯·柯卡普，《每日电讯报》，2011年10月4日。

267.《克拉克抨击“幼稚的言论”》，乔·沃茨，《诺丁汉晚报》，2011年10月6日。

268.《蓝色思绪：关于政治的回忆》，肯·克拉克，麦克米兰，2016年。

269.同上。

270.同上。

271.同上。

>>> 14

移民

乔治·奥斯本面带嘲笑地看着内阁成员们。一段时间以来，财政大臣一直在远东特别是中国招徕生意，以此提振国家低迷的经济。他的中国同行已经抱怨了几个月时间，起因是去英国的旅行签证很难得到批准。现在，奥斯本告诉内阁同事，他有一个真正的“恐怖故事”要分享。至少有一个中国富商花费了数百万镑购买英国商品，结果滞留在希思罗机场，遭到数小时的盘问，包括脱光全身衣服接受检查。这位商人乘坐下一班飞机返回中国，现在他告诉自己的朋友要不惜一切代价避开英国。财政大臣环视坐在桌子周围的人，想知道谁该为这场灾难负责？内政大臣特蕾莎·梅，负责管理签证、监督边境管理局，她不看他的眼睛，也不开口说话。2012年那一天坐在内阁会议桌旁的几个人透露，接下来大臣们一个接一个发表意见，他们从未见过这样猛烈的“训斥”。因为这件事，梅永远不会原谅奥斯本。

梅和奥斯本在移民问题上爆发矛盾并非巧合。事实上，移民问题将成为梅与联合政府中诸多同僚最大的导火索，既有自由民主党人也有她自己的保守党同事。控制移民也是她面对的最棘手挑战，而且按照她自己的标准，在这个问题上她失败了。事后看来，她设定的目标经常无法实现。别人早已不抱希望，而她仍不放弃努力，成为首相之后依然如此。

保守党宣言中曾提及要将入境人数降到“数万”的水平，但联合政府协议对此未置一词，内阁成员关于移民问题的冲突就集中这份承诺上。几年时间过去，人们清醒地认识到这一目标无法实现，英国是欧盟的一员，而欧盟保障成员国公民的自由流动。在联合政府时期，来到英国的欧盟公民数量远远超出预期，降低入境人数的唯一办法就是拿非欧盟移民开刀。梅的内政部频繁发起逮捕行动，拿数量多又有钱的学生和商人开刀，而这些人正是她的同事财政大臣奥斯本、商务大臣文斯·凯布尔以及教育大臣迈克尔·戈夫急于讨好的。戴维·卡梅伦私底下经常向他的助手抱怨说，梅是唯一一位真正致力于“数万”目标的重要大臣，据说他已经将控制移民看成选民评价自己的试金石，考虑到反移民的英国独立党蓬勃兴起，一旦失败后果将极为严重。

据梅的助手私下说，“数万”的承诺只是一个意外。[272]虽然保守党宣言说了要“将净迁入人数降低到1990年代的水平——每年数万人，而不是几十万”，随着联合政府成立，以及自由民主党人对大规模移民持相当宽容的态度，这一政策的准确定位依旧模糊不清。未来移民人数要降低到什么水平，没有任何一位大臣给出具体数字，直到2010年11月，那时梅的老朋友达米安·格林在内政部为她工作，这位现任移民部长接受BBC《新闻之夜》采访时迫于压力说漏了嘴，表示梅宣布过的移民建议上限，“只是把净移民降到‘数万’水平的方式之一”。提到这个数字显然让卡梅伦和梅吃了一惊，但他们也不愿意公开表示反对，这意味着事情陷入了僵局，尽管政府各党派中都有许多人认为这目标既不能实现又不可取。

五年前，迈克尔·霍华德作为党的领导人，把削减难民当成争取选民的重点，他表示英国留在欧盟意味着将移民数量降到1990年代水平的希望渺茫。“我不知道一开始谁做出了承诺，但我相当怀疑是她（梅）。”他说。

显然，在不离开欧盟的情况下，我们无法达到这个目标。她确实减少了非欧盟移民的数量，但还远远不够，不过……她正朝着正确的方向前进。但只要我们还留在欧盟，永远不可能让他们的数量降到数万。

诺曼·贝克谈到过“数万”的承诺：“这就像为每年的单日最高降水量设定目标……内政大臣和首相忍不住总是对移民规则和法令进行无休止的修补，就像总去抓同一个粉刺。”[273]

联合政府成立还不到一个月，在移民问题上的矛盾就爆发了，当时尼克·克莱格领导下的国内事务内阁委员会里发生了一系列争吵，随后扩大到整个内阁。教育大臣迈克尔·戈夫和高等教育与科技国务大臣戴维·维莱茨，后者在商务大臣文斯·凯布尔手下工作，都发出警告说，为非欧盟移民预定限额将对经济增长产生破坏性影响，伦敦金融区的公司和大学尤其损失惨重，它们无法顺利吸收海外优质劳工和生源。这么多年来第一次，争论变得没完没了，而且发生在首相和其密友财政大臣之间，这就更不寻常了。卡梅伦和梅一起推动降低移民数量，而另一阵线的克莱格、戈夫、凯布尔和奥斯本坚持认为解决这个问题的措施伤害了经济。

卡梅伦和梅没有停下脚步，他们宣布截至2010～2011财政年度结束，非欧盟移民的临时上限为24400人。2010年6月28日接受《太阳报》采访时，梅说：“人们知道控制移民是有道理的。他们看得见住房、学校和医院经受的压力。他们知道这种情况不可能持续下去……移民对我们有益，而不受控制的移民有害。”[274]但是，如果梅认为移民上限的问题已经以有利于自己的方式解决，她很快会发现争议并未结束。几个星期后的7月底，卡梅伦和一些企业领导人出访印度，凯布尔以商务大臣的身份公开寻求重启谈判。在这种情况下，他说起话来并不拘束，他相信自己作为联合政府中的一个自由民主党人，有批评政府政策的自由；他也知道自己的看法得到许多保守党同僚的支持，包括奥斯本和自己的助手维莱茨在内都认为，移民上限不利于英国从印度这样的地方吸引人才。“我的部门和我个人希望看到一个开放的经济体，而且拥有尽可能自由的移民政策，这不是什么秘密。”凯布尔踏上印度土地后不久就发表了上述言论。“我们正在政府内部争论应如何尽自己所能建立最灵活的制度，但英国公众不需要担心争论的方式。”[275]

梅对这样的公开宣战感到愤怒，她的特别顾问们为了报复把凯布尔的言论说得一文不值，考虑到凯布尔和卡梅伦正在印度开展“魅力攻势”，这种干扰在外交上给他们出了难题。凯布尔现在说：

特蕾莎进入政府几个月后对海外学生进行了第一次大规模打击，那时我们爆发了第一次冲突。它在印度造成了直接的负面影响，许多印度人不再把孩子送来英国，认为我们拒绝接受他们，于是他们去了澳大利亚和美国。她对整个问题充耳不闻。我们知道奥斯本和黑格正在发出恳求，他们说：“这种行为很愚蠢，而且损害了我们的利益。”而内政部的堡垒刚刚挖好。

唐宁街10号一位内部人士当时说：“她有多强硬现在尽人皆知，那可能是她首次露峥嵘。”

凯布尔说在自己返回英国途中，那些针对他的简报仍未停歇。不过，他非常清楚，与其说是梅自己，不如说是梅的特别顾问无礼地对待他，还补充说他一直认为她个人是礼貌和文明的。“绝大多数（争论）是在特别顾问和公务员当中转了几道手。”凯布尔说。“我一直很喜欢她，即使我们处理问题的方向正好相反。可是我们都有工作要做。她的工作是让人们离开，我的工作是让他们进来。就这么简单。”

有时候，梅准备亲自谴责凯布尔——总是彬彬有礼、冷若冰霜。他说：

我记得早些时候，我发表了咄咄逼人的讲话，主题是海外学生受到了怎样的伤害，晚上11点左右，我的手机接到一个电话。我正从特威克南车站往家走，电话是特蕾莎打来的，她对我说的话十分不悦。这并不常见。事实真相浮出水面：我说的话真的惹毛了她。她怒不可遏：“文森特，我非常失望。”这是她的警句之一：“我非常失望。”

还有一次，据说梅在政府要员面前“痛骂”了凯布尔一顿，指责他泄露消息给媒体，企图阻碍制裁那些进入野鸡大学的海外学生。“文斯，你的行为令人无比失望，不要再有下一次。”据说她提出警告时商务大臣正盯着自己的鞋子。[276]凯布尔心无怨念，他说自己和梅之间能保持客客气气。“她不像撒切尔夫人那样惹人生气。她一直很冷静，我总觉得她待人接物的方式相当迷人又相当女性化。我们都对她怀有奇特的尊重。”

在移民问题上与同事发生冲突时，梅经常（但不总是）能得到赞同她的卡梅伦的支持，而与她分歧最大的保守党人是乔治·奥斯本。戴维·劳斯说：

> 内阁中最激烈的并非自由民主党人和保守党人之间的冲突，而是特蕾莎·梅和乔治·奥斯本的争吵，主要围绕她的部门对待经济移民的僵化态度，很明显两人之间没有好感。首相也许要担心小报以及英国独立党的兴起，但是内阁会议桌上大部分对移民问题的讨论——特别是早些时候在议会里的商讨——都是由内阁大臣们攻击内政大臣特蕾莎·梅，指责她的部门限制移民、收紧签证法规。[277]

截至2012年初，净移民人数已上升到25万人，看到她的同事们对“数万”的目标未竭尽全力，梅越来越容易发火。奥斯本、凯布尔、戈夫和其他一些内阁部长同样感到沮丧，面对经济衰退的严重后果，内政部愈发严格的限制措施让他们吸引海外投资的努力难有作为。在双方的一场冲突中，奥斯本和凯布尔站在文化大臣杰里米·亨特一边对梅表示抗议，亨特抱怨说，旅游业正在努力吸引有钱的中国游客用现金消费英国产品，而这些人很难获得签证。梅没有做出回应，而是一言不发。马克·哈珀2012年成为移民部长，他对“数万”目标的看法是：“这是在宣言中做出的明确承诺。无论如何……你受到了很大压力。其他部长一边致力于总体目标的实现，一边争论自己究竟该负哪些责任。某种程度上你希望他们那样做。”

曾在联合政府任职的自由民主党人坚持认为，他们尝试用较为温和的措施帮助她达成“数万”的目标，而她对此无动于衷。其中一个建议是将学生被排除在净移民人数之外，理由是一旦课程结束，他们就会离开英国（其他许多国家都这样做，虽然不符合经合组织的惯例），这一提议立刻就被拒绝了。即使这可能让“数万”的目标更容易实现，但梅坚决反对，她告诉同事们，公众将会视这种做法为“篡改数据”。凯布尔说他的感受是，比起承认在欧盟自由流动原则下，“数万”这个目标无法实现，内政部更倾向于连续不断地打击野鸡大学，梅称之为“文凭工厂”[278]，同时提高调门反对那些取得学位后逾期居留的非欧盟学生。他补充说：“她主导的内政部宣传自我繁殖。这意味着她被牢牢锁定在毫不妥协的立场上，即使她想要后退也做不到。”

在大部分旁观者眼中，联合政府时期内阁爆发的最严重冲突的导火索是奥斯本收到的一份报告，内容是一群中国商人抵达希思罗机场时遇到了麻烦。凯布尔说：

奥斯本……非常渴望中国人来这里投资，他们遇到了无穷的问题……中国高层人士在希思罗机场被拒绝入境，这种情况我们遇到过几次。（梅）坚决不放松管理制度。如此倔强，绝不屈服。她对奥斯本的敌意最为强烈。

埃里克·皮克尔斯补充说：

她在移民问题上与乔治有分歧，特别是在数量方面，特别是在中国人的数量方面。内阁对中国护照和签证问题的关注让她承受了许多压力。她坚信自己的所作所为是正确的……而且她也很有手腕，既不怎么满足他们的需求，又不会受到公开的阻挠。

劳斯这样描述这件事：“我记忆所及，没有哪位高级部长在内阁会议上挨过这样的痛骂……乔治·奥斯本严厉地指责她，原因是一个中国亿万富豪在希思罗机场被脱衣搜查，内政大臣坐那儿闷闷不乐却死不悔改。”[279]

内阁中的痛斥点燃了梅心中对奥斯本的熊熊怒火，今后四年里都不会熄灭。目前仍在梅手下工作的一位内阁部长，2012年作为同事亲眼目睹过那场争吵，他证实说："自那以后她再也受不了他了。"2014年才离开内阁的安德鲁·兰斯利说，这几年梅与卡梅伦还算和睦，但是和奥斯本渐行渐远。在内阁会议桌上，卫生大臣兰斯利坐在梅的左手边，奥斯本坐在梅的右手边。早来晚走的大臣们会前会后闲谈时，按照兰斯利的说法，特蕾莎总会和他说说话，但极少和财政大臣聊天。"比起奥斯本，特蕾莎十分愿意和我愉快地聊聊生活。"他说，"她自己与戴维·卡梅伦相处时可以表现得十分友好。我怀疑只有面对乔治·奥斯本时才会充满敌意。"

不过，据说奥斯本已经将他们的交流，包括在中国签证上的分歧，视为政治辩论中常见的唇枪舌剑，双方代表自己的部门而战，而梅对他抱有的敌意在成为首相之后才突然浮出水面。一位助手说，前财政大臣被排除在她的第一届政府之外，随后传出一种说法认为两人之间的关系"问题多多"，但他对此并不认同。"特蕾莎和谁都不亲近，但每个人都尊重她。"这位助手说。"我想乔治就是这样看待她的。他们的关系即使没那么热情也还算友好。没人能与她和睦相处。但毫无疑问，内阁里和特蕾莎关系最差的不是乔治——和乔治关系最差也不是特蕾莎。"

埃里克·皮克尔斯说，卡梅伦同样没察觉到梅的愤恨，这种情绪源自奥斯本对她的专横态度，也没有做点什么平息她的怒气。"卡梅伦不是一个非常优秀的管理者。"他说。"如果你和他待在一个屋子里，没有哪一个会更重要一些。我不觉得他会注意到（她很不高兴）。"某个近距离观察过奥斯本和梅的人表示，当时财政大臣并没有像梅一样严肃地看待两人之间的分歧，原因在于双方的行为方式截然不同。旁观者说：

两个人的做法完全不一样。对乔治来说，也许这就是一场比赛，对此她心知肚明而且憎恶不已。在比赛中设置陷阱，试图抓住对手的痛脚，她很清楚这种政治观念不适合自己。

威廉·黑格的看法是：梅发现自己很难对矛盾置之不理，而她的同事，例如和梅在移民和反恐问题上意见不一的迈克尔·戈夫，往往能更轻松地搁置争议。“众所周知，她与某些内阁成员有许多意见分歧。”他说。

分歧经常涉及许多领域的政策。她会花时间决定该怎么做，然后坚持到底，这种坚持会让她与其他人产生摩擦，那些人有他们自己解决问题的方式。她不会让步——我不是说她应该让步——但不让步就意味着要和某些人，例如迈克尔·戈夫、联合政府里某些自由民主党人，旷日持久地争论下去。她会坚持自己的立场直至反对意见消失。有些政治人物可能会说：“我们不能再这样下去，让我们一起喝一杯，把问题全解决掉。”也许这就是男人的方式，有时这是男性政治家的长处，有时这是他们的弱点。而她的做法是：“不，不，我是对的，我绝不让步，你必须妥协。”在这些事情上，她往往是最后的胜利者。

2011年11月，距离奥斯本在内阁“破口大骂”还有几个月时间，梅已经表达过愤怒和毫不掩饰的公开谴责，起因是英国边境管理局未经她许可就放宽了对海外访客的检查。梅暂停了管理局负责人布罗迪·克拉克的职务，把这一丑闻推到了风口浪尖，克拉克几天后辞职，声称自己遭到了变相解雇。在没有得到她允许的情况下，当时已经超负荷工作的警察部队接到指令，放宽对欧盟公民的检查，把更多精力用在检查非欧盟公民上，得知这一情况后，据说梅的回应充满“难以置信和狂怒”。[280]克拉克指责梅为了自己的前途而牺牲他的职业生涯，她一度受到被迫辞职的压力。之前在内政部的18个月，她用优异的表现赢得了足够的善意，同时得到唐宁街10号的全力支持，梅得以顺利渡过这场风波。工党的伊薇特·库珀发起辩论商榷梅在丑闻中扮演的角色，在党鞭办公室组织的“声援秀”中，她从友善的保守党后座议员那里得到许多帮助。布罗迪·克拉克后来与内政部达成协议，补偿金额并未公开，双方都不承认负有责任。一年多以后，梅裁撤边境管理局，将其职能重归内政部的直接控制之下。

从2012年春天开始，梅迎来自己在内政部的第三年，这一年成为她命运的转折点。她相对安然无恙地度过了最初几年，甚至赢得了值得信赖的名声，考虑到同一阶段她前任危机重重的坎坷历程，这本身就是一种巨大的成功。现在，她这颗明星开始冉冉升起，她对内政部的管理被视为联合政府最大的成就之一。在考验来临的关键时刻，梅游刃有余地处理了2012年伦敦奥运会前一系列潜在的灾难性事件。奥运会前夕，希思罗机场长时间的延误让运动员和游客要排队等上好几个小时，不过另一场迫在眉睫的灾难要严重得多：受雇保护奥运场馆的保安公司迟迟不愿透露进展，最后勉强披露的情况令人担忧，原定招募和训练10000名警卫，但实际工作远远落后于计划。

士瑞克保安公司在奥运会开幕前16天才供认不讳，这让筹备工作陷入混乱。梅冷静地控制着局势，命令陆军接手保卫工作，最终从士瑞克公司收回8800万英镑。她每天举行眼镜蛇会议，确保奥运会安全顺利地进行。他们做到了。2012年伦敦奥运会取得了巨大的成功，在不安的世界中让人们有机会了解彼此的感受，伦敦人和造访首都的游客都表现出相同的善意。在奥运开始之前的焦虑日子里，数以百万计的英国人屏住呼吸，祈祷士瑞克危机能在7月27日开幕式前得到及时解决，梅知道多少内情、什么时候知道的，这些事情让她饱受抨击。一次民意调查显示，一半以上的选民觉得她应该辞职。[281]直到8月4日，那一天后来被称为“超级星期六”，她出现在奥林匹克体育场（穿着特别的英国国旗高跟鞋），她在人群中欣喜若狂地看到44分钟内三名英国运动员赢得金牌，梅被感谢她“拯救”奥运会的观众们淹没了。

但在政府中局势依然紧张，因为梅卷入了与尼克·克莱格的一连串公开辩论。他们对移民上限的不同意见，梅对《人权法案》和欧盟自由流动政策的反感，以及她被自由民主党人称之为“史努比宪章”的计划，都公之于众。当时负责克莱格新闻事务的肖恩·坎普说：

我肯定不会认为这种关系很容易。他们并没互相扔餐具……但如果与（更加和谐的）尼克和卡梅伦的关系相比……那么（与梅）的关系就是真正的霜冻，这反映了双方个性的差异和在重大问题上的分歧。

有时候，这有助于两个党的党员看清克莱格和梅的不同之处。坎普说：“人们喜欢她，人们也喜欢我们。双方在各自党的基层都有号召力。但彼此也有明确的意识形态差异。”

文斯·凯布尔说得更不客气：

她没有和克莱格好好合作。我认为他们没有相互支持。显然我和克莱格说了很多，每当提到她的名字，他的眼睛就会往上看。我觉得他的世界观完全不一样，和梅根本没有意见一致的地方。部分原因是克莱格所在的位置让他可以和卡梅伦讨价还价，而……特蕾莎……从来不愿意做这种事。她有自己的立场，永远不会妥协，她只是不愿意参与这种交易。出于这个原因，我对她有一定程度的尊重。我知道这令人恼火，但你忍不住对她怀有一份敬意。

威廉·黑格与琳妮·费瑟斯通的观点相似，他认为与其像克莱格那样经常公开攻击梅，不如小心谨慎地对付她更有效果。2012年10月，内政大臣裁定一起有争议的引渡案，案件涉及46岁的苏格兰计算机系统专家加里·麦金农，梅与黑格通常还算融洽的工作关系迎来最严峻的考验之一，这时候黑格采取的就是小心谨慎的方式。十年前，麦金农被美国司法当局指责为“有史以来最大的军用电脑黑客”。[282]他因为侵入五角大楼电脑被判70年监禁（麦金农声称自己一直在寻找不明飞行物的证据）。麦金农的引渡被随后的司法辩论推迟了，因为他自称患有阿斯伯格综合征，这是自闭症的一种，他的医生认为如果被引渡到美国，麦金农会承受过大的压力，甚至有自杀的风险。2012年10月12日，梅取消了引渡令。这让美国人很生气。

阻止麦金农被引渡堪称梅决策过程的典型例证。节奏极其缓慢；进入内政部几天之后，下属们就请求她对麦金农引渡案做出裁决，梅没有赶时间，她更喜欢做出那些最具挑战性的决定，做出最后裁决花费了她两年半时间。据说她不是在公务员围绕的办公室里，而是和丈夫一起在深夜的家里做出最后决定。[283]菲奥娜·希尔后来描述，当时梅是这样通知她自己的决定的："电话大概是早上5点45分打来的。特蕾莎言简意赅，'我不会引渡他'。我兴奋地从床上跳了起来。"[284]

梅的决定是非同寻常和胆大妄为的。单方面违抗英国最亲密的盟友，仅剩的超级大国，她不仅有惹怒美国人的风险，也会让她的首相和外交大臣不高兴，他们现在要面对巨大的外交麻烦，可能对国家的军事和经济安全造成潜在的长期负面影响。尽管她小心谨慎的名声在外，但梅无疑没有选择更轻松的选项，她的决定完全出人意料；所有担任过内政大臣的工党人士都清楚，麦金农必须被送到美国。这也显示出完全的独立自主。对麦金农的命运做出裁决时，梅发挥了内政大臣的准司法作用，她严肃地履行这一职能。其他人往往忍不住和同事聊聊棘手的事情，而梅闭口不谈自己的意见——很多人对此感到困惑。埃里克·皮克尔斯说："她没有把它交给首相，也没有提交给内阁，这让有些人疑惑不解，（但）这不是她敝帚自珍，这种做法既准确又符合宪法。"

和往常一样，梅面对压力不为所动，一个人判断案件的真相，对下议院议员们宣布几小时前，她才向卡梅伦和克莱格通报了自己的裁决。这也是美国政府第一次听到这个消息。希尔说过："我认为她是一个巨大的冒险者——无与伦比。当决定不引渡加里·麦金农，她知道美国的愤怒（将接踵而至），而上帝做证，你知道来自华盛顿的龙卷风有多么巨大。"[285]英国媒体怀着惊喜对梅的决定报以压倒性的赞同，有些甚至将内政大臣的决定描述为她的《真爱至上》时刻，在这部2003年上映的电影中，休·格兰特扮演的英国首相奋起反抗跋扈的美国总统。然而，奥巴马政府十分不满。来自长期盟友的当头一棒几乎是前所未有的。美国司法部长埃里克·霍尔德写了一封“措辞强硬”的信给内政大臣，表示对其决定的不满。美国官方人士表示，梅与奥巴马之间的关系“完了”，霍尔德个人觉得自己已经被“毁了”。[286]

几周之后，黑格前往华盛顿特区参加一个会议，他完全预料到在会上美国人将发泄他们的怒火。不管怎么样，他是个处变不惊的人。他遇到意料之中的抱怨，还有人呼吁他去说服梅改变主意，他耸了耸肩。“你去和她谈，”黑格无奈地说，再补上一句：“祝你好运！”对方盯了他一会儿，被迫认输了。“他们看上去心照不宣地说，‘我们永远不能改变她的决定’。”黑格如今说。

她独立做出决定，有意这样做，有意不和外交大臣讨论，所以我们都要学会适应。我就是这样向美国人解释的。它确实让我们与美国的关系更复杂了，（但是）我没有逼她采取任何不一样的行动。那并不合适。

黑格尊重梅相对正式、克制的做法，但也观察到他的许多同事对此抱有异议。

她这个人很难与之交涉。一旦决定了应该怎么做，她就很难改变主意。即使按照大臣们之间谈判的标准，他们往往是朋友，或者亦敌亦友……她在同事中差不多是一人之下众人之上，绝不会失礼于人，但在谈判桌上很难对付。这就是为什么她有时被描述成一个难以相处的同事。在个人交往方面她并不难缠。

就在裁定麦金农案的11天前，梅对另一个引渡请求做出判决，同样广受好评。阿布·哈姆扎是在埃及出生的激进的伊斯兰神职人员，他在英国被判犯有一系列恐怖主义罪行，2004年以来，美国当局一直对他有类似指控。2010年7月，那时梅刚到内政部两个月，欧洲人权法院阻止了他的引渡，理由是他可能在严酷的美国监狱系统中受到不人道待遇。梅对法庭阻止她将哈姆扎送往美国感到沮丧，这也是她对《人权法案》日渐不满的原因之一。经过法庭上竭尽全力的斗争，梅终于可以将哈姆扎递解出境，这被看成她对自己坚持不懈的正名。18个月后，纽约的一个法庭判决对他的所有指控成立，处以终身监禁。阿布·哈姆扎案、妥善处理奥运会问题，对麦金农案的裁决紧随其后，被视为内政大臣的又一胜利，她愈发可靠和值得信赖。人们开始严肃地讨论梅有可能成为卡梅伦的继任者。

在哈姆扎案做出裁决前几个星期，卡梅伦第一次对他的政府进行洗牌。有消息称梅会离开内政部，但实际上，有迹象表明唐宁街在关于避难猫的争吵中支持她，被降级的是司法部的肯尼思·克拉克，他变成一个没有具体职责的无足轻重的大臣。克莱格抓住机会改组自己的班底，让“橙色布克”杰里米·布朗（2004年自由民主党的重要人物将一系列右翼文章结集，布朗曾为这本橙色书皮的文集捐款，因此得到这个绰号）进入内政部。梅很失望地看到琳妮·费瑟斯通离开了，但是，根据肖恩·坎普的说法，她和她的团队很快就发现布朗是他们“梦寐以求的自由民主党部长”。尽管信奉社会自由主义，布朗在公民自由问题上比大多数自由民主党人更务实，和梅一样对安全问题和移民的急剧增长充满忧虑。

接下来几个月，克莱格和梅在净移民、《人权法案》和自由流动问题上争论不休，副首相越发意识到在部门内部他需要比布朗更多的压舱石。2013年7月，最终的挑衅出现了，当时内政部下令货车在伦敦的六个行政区巡回展示“回家”的海报，这些行政区里都有大量的非法移民。这一消息立即引发了愤怒。当时的移民部长马克·哈珀说，货车是试点方案的一部分。

我们测试了一系列措施，它们是其中之一……在非法移民众多的地区。这确实引起了关注。我们没有推出新的政策，我们正在测试现有的东西。我们没预料到会引来如此多的关注。

在遍地怒火中，工党的一位贵族利普西勋爵向广告标准管理局投诉说这些货车是种族主义的。克莱格也有相同的看法。他还担心后来被称为“回家”货车的实验计划并没有征询布朗的意见，否则布朗有机会和克莱格共同提出对此事进行讨论，而克莱格会全力阻止这一行动，或者加以默许。哈珀说：“这确实让局势有些紧张。哪些事情需要取得一致同意，哪些事情不需要，围绕这一问题发生的争论乏味不堪。”琳妮·费瑟斯通补充说：“我没和杰里米谈过，但我不相信他知道‘回家’货车的事情。如果尼克听到风声，肯定会阻止这件事发生。我甚至不能相信特蕾莎知道这些情况。整件事情愚不可及。”

作为负责整个内政部的内阁大臣，梅从未向公众透露在争议爆发之前她是否知道哈珀的实验。

2013年10月，克莱格做出回应，他用诺曼·贝克顶替布朗在内政部的位置，贝克在公民自由和移民问题上的自由主义倾向要强烈得多。新的自由民主党部长也是一个自由主义思想家，早在六年前就曾暗示过，听命于内政部的军情五处掩盖了他所谓的戴维·凯利博士谋杀案，这位政府的科学家泄漏的信息表明，布莱尔政府在伊拉克战争之前误导了公众。梅非常生气，既因为贝克这个人选，也因为眼见克莱格不经自己许可就重组自己的部长团队是何等无礼。梅自己面见卡梅伦讨论这件事情。戴维·劳斯说：“第二天的内阁会议极不寻常地晚了5分钟，因为内政大臣在首相办公室里抱怨自己的新部长。‘你怎么能同意尼克把这个人放进我的部门？诺曼·贝克，看在上帝的分上。’”[287]

卡梅伦同情梅，但是根据联合政府协议，他无能为力；对分配给自由民主党的部长职位，克莱格可以自由地提名。肖恩·坎普说：

关于诺曼，我认为他们（梅的团队）觉得这是故意的挑衅。我不这样看，但很明显有人被安插在那儿，为了“给你带来困难，阻碍你想做的事情”。派他去那儿——不是碍事，而是让自由民主党在一个重要部门里更有存在感。我能理解为什么他们把它看成“去你的”。从我们的角度来看，过去几年也收到过许多不同方式的“去你的”。

梅的反击是凶狠的。贝克在交通大臣任上度过了三年幸福时光，现在要从交通部搬到马路对面“冷漠压抑”的内政部，他描述自己受到的迎接令人不寒而栗。

到任那天，我和内政大臣在她的办公室里有短短5到10分钟的寒暄。她的办公室相当沉闷，几分钟时间就能抹去主人所有的痕迹……她的微笑像雪女王那样冰冷。[288]

接下来的事情更糟糕。“我第二天早上得知，这次转职收到内政大臣特别顾问们的一份特殊礼物，那就是新闻界对我的恶毒攻击。”贝克随后登上了第二天的新闻头条，因为自己关于戴维·凯利的著作，他被形容为“疯子”“绿墨水怪物”[1]和“阴谋论者”。“我从阳光明媚的海滩掉进了蛇坑。”贝克继续说。

我和内政大臣第一次正式会晤的时刻到了，那次见面相当紧张。我告诉她没想到会被她的特别顾问下令攻击。我不想在双方第一次重要会议上就发生这种冲突，但是我知道如果不严立规矩回应这当头一棒，那么我就会在困境中沉沦。她说她不认为那些新闻报道背后是自己的特别顾问。我直言不讳地说，我有两个不同的消息来源证明是他们。她说她会调查。

贝克在新部门里永远不会有家的感觉，他和菲奥娜·希尔、尼

[1] 在英国，有些人给报纸和名人写信时，喜欢用绿色墨水写那些重要的词句，加以强调。

克·蒂莫西开始不断发生冲突。他不是唯一一个感受到压力的人，琳妮·费瑟斯通半开玩笑半认真地把他的对手称为“邪恶的保守党特别顾问”。

在内政部的剩余任期里，梅像西西弗斯一样持续努力降低移民数量。她是清醒理智地致力于降低移民数量，还是把“数万”的目标当成一种成人家庭作业，这是保守党宣言中做出的承诺，因此被认为是不可破坏的契约，关于这一点有众多的争议。肖恩·坎普说：

我记得和菲奥娜·希尔在酒吧喝酒，她对我说：“你知道我们要实现‘数万’的目标吗？我们打算实现它。”我一直把它看成是他们的学费。做出这一承诺时有很多、很多非常充足的政治理由，有可能是基于意识形态的原因，但它是无法实现的，你认真去做这件事，实际上并没有什么意义。不同的是他们并未回头。即使它变得越来越不合理，他们依然会坚持下去。现在，多大程度上因为他们真正相信，多大程度因为卡梅伦，“我不想违背做出的承诺？”对于梅的团队，我不知道。

文斯·凯布尔认为学费的比喻有合理性。

保守党对学生学费问题的反应与这件事密切相关，因为他们看到一个公开承诺被破坏，他们看到这会带来怎样的灾难性后果。我认为卡梅伦下定决心不会收回他们的任何公开承诺，无论遭受多大的损失。

文斯·凯布尔不相信梅进入内政部时就是一个加强移民管制的狂信徒，而认为宣言的承诺和部门制度化的观点影响了她的看法。“多数保守党大臣们认为（非欧盟移民）移民上限完完全全是个笑话，而且会造成巨大的伤害，但他们受困于自己的承诺，无法收回诺言。”他说。

特雷莎·梅可能不是做出承诺的人，我怀疑有人把这件事推给她，告诉她这是她的工作，她只是一个兢兢业业的大臣，想干好交代给自己的工作，很难说对此有多么坚定的信念。很明显，这样坚持上五年，你开始相信自己的宣传，而内政部的这种思维方式已经根深蒂固了。政府中没有其他人相信这个。他们都认为这是发疯。

不过，埃瑞克·皮克尔斯认为，梅对移民管制的承诺是真实的，通过重点关注净移民，远比她的大多数内阁同事了解民众的态度。他说："在某种程度上，我认为（她）先于我们很多人意识到移民问题的重要。她看到这一点，她相当明白应该做什么，不客气地说，她在卡梅伦之前就意识到了。"

在移民问题中，梅可以控制非欧盟移民数量，她下决心一定要达成目标——这意味着，无论她的做法有多么生硬，在四年之内，她已经将这一数字减低到1997年布莱尔政府首次上台以来的最低水平。然而，随着欧盟移民增长到创纪录的每天550人，净移民数量不可阻挡地上升。保守党在2014年欧洲议会选举中大败给英国独立党，梅公开批评自由民主党应对她未能达成"数万"目标负责，发誓说一个保守党多数政府会终结欧盟内部的行动自由。她宣称："联合政府中与移民相关的争论长期存在，有时还趋于白热化，这并不让人觉得意外。"[289]到2015年大选之前，净移民数量逼近30万，是保守党目标的三倍。这是梅罕见的失败。在不久前的2016年10月，她作为首相重申了对10万这个数字的承诺，尽管没有给出达成目标的期限。[290]

272.《我们不想要特蕾莎·梅关于移民的愚蠢承诺——我们只想要一个诚实的讨论》，弗雷泽·安德森，《每日电讯报》，2016年8月25日。

273.《格格不入》，诺曼·贝克，同上。

274.《我们会减少移民，你们可以监督》，汤姆·牛顿·邓恩，《太阳报》，2010年6月28日。

275.《联合政府在移民问题上陷入战争》，贾森·格罗夫斯、詹姆斯·查普曼和丹尼尔·马丁，《每日邮报》，2010年7月28日。

276.《意气消沉》，《星期日邮报》，2011年5月15日。

277.《联合政府》，劳斯，同上。

278.《我要撤销非法文凭工厂：联合政府打击移民》，特蕾莎·梅，《太阳报》，2011年3月22日。

279.《第二位铁娘子没工夫闲谈》，戴维·劳斯，《泰晤士报》，2016年7月2日。

280.《边境管理丑闻曝光》，理查德·福特，《泰晤士报》，2011年11月5日。

281.《民意调查：内政大臣应该下台》，文森特·莫斯，《星期日镜报》，2012年7月22日。

282.《印象：加里·麦金农》，克拉克·博伊德，BBC新闻，2008年7月30日。

283.《好吧，鞋子很花哨，但在生活里她并不是个笑话》，昆汀·莱茨，《每日邮报》，2013年7月13日。

284.《穿着中跟鞋的大野兽》，亨利·科尔，同上。

285.同上。

286.《加里·麦金农：埃里克·霍尔德正式向英国提出抗议，拒绝接听特蕾莎·梅的电话》，克里斯托弗·霍普和康·科格林，“电讯报在线”，2012年10月19日。

287.《联合政府》，劳斯，同上。

288.《格格不入》，贝克，同上。

289.《特蕾莎·梅降低保守党移民目标》，尼古拉斯·瓦特，《卫报》，2014年5月26日。

290.采访，特蕾莎·梅，BBC第五频道直播，2016年10月4日。

>>> 15

邪恶的保守党特别顾问

2013年5月22日下午，菲西利耶·李·卢比，一名25岁的不当班士兵，同时也是一位父亲，正在伦敦南部伍尔维奇的军营外面散步，一辆汽车向他冲来。来自大曼彻斯特郡米德尔顿的卢比曾在阿富汗服役，那时在伦敦塔担任仪式性的工作。虽然他没穿制服，但“帮助英雄”字样的套头衫透露出他支持为受伤老兵募捐的慈善机构，而且他走在通往皇家炮兵营的路上，这让人很容易认出他是一名士兵。卢比被撞倒在街上，两名男子从沃克斯豪尔车上下来，用菜刀和切肉刀袭击他。令旁观者毛骨悚然的是，那两个人企图将倒下的士兵斩首。

李·卢比谋杀案将揭示特蕾莎·梅领导内政部的优点和缺陷。袭击发生后几小时、几天时间里，梅的同事、政府职员、警察和更多的民众怀着感激和宽慰看到，她在压力下保持镇静，果断而充满勇气。从长远来看，暴行佐证了梅的观点，那就是作为内政大臣，她的主要责任是维护国家的安全。她会更加坚定地为警方和安全部门提供一切保卫国家安全的必要手段。梅这种强硬的态度被认为正是她的某些同事，特别是联合政府中的伙伴自由民主党人所缺乏的，他们把她加强安全立法的行为视为威权主义。一些反对者更为直接地指出，她和她的团队对李·卢比谋杀案危机的反应是见风使舵。

袭击的消息传来时，戴维·卡梅伦正在巴黎会见法国总统弗朗索瓦·奥朗德。在他缺席的情况下，梅作为内政大臣要召集和主持眼镜蛇会议。社区大臣埃里克·皮克尔斯是与会者之一。他说：

我当时在伦敦，那天阳光明媚。每个人都不在国内。我得到消息说发生了一场杀戮，即将召开眼镜蛇会议，问我能否前往。于是我去了，（梅）在那里，我记得此外就只有（女男爵）赛义达·沃尔希一位内阁大臣在场。我们不知道接下来会发生什么——是一系列袭击的开始吗？它本身就够恶劣了。桌子周围围着一群紧张的人，一群穿制服的紧张的人。她（梅）正用非常恰如其分、非常公事公办、非常直截了当的方式下达命令。我记得当时自己环视桌子，这一点你可以告诉在场者，包括那些穿制服的人，情况就像是："他们回来了，他们的魔力回来了，有人在此掌控局面，我们能挺过去。"我想："真该死。"这真是令人着迷，那地方活力四射。我认为这给人留下了难以磨灭的印象。

电视上播出卢比死亡的突发新闻时，肖恩·坎普正在副首相办公室工作。他一边心怀恐惧地关注着事态发展，一边产生了一个念头。他说：

李·卢比被杀害那天，我对政治的犬儒主义有了一个可怕的洞察，我记得自己边看边想："会开个会告诉我们该怎么做。"果然如此。显然你的第一反应会是"我的上帝啊"，但是我的想法是，"随后我肯定会打开一张报纸，接下来几天我会接到电话，就是这样。"事情真的就这样发生了。

在袭击发生前几周，克莱格成功废止了梅筹划的《数据通讯法案》，绰号"史努比宪章"，他突然宣布，自由民主党人不会在下院支持这一法案，理由是他们认为它过度侵入了私人领域。在一次戴维·劳斯形容为"艰难"的私人会面中，克莱格通知梅他否决该法案的计划。劳斯引用克莱格后来告诉他的话：

我开始喜欢上特蕾莎·梅了。她有些像冰姑娘，不说一句闲话——没有。她本能地守口如瓶，而且十分强硬，不过你也可以对她寸步不让，她会走开再想一想。但是我不得不告诉她，目前法案不可能在下院通过，更不用说上院了……我已经告诉她，她必须要走开再想一想。[291]

现在，在李·卢比被攻击之后，梅全力以赴恢复法案的最初条款，她在《安德鲁·马尔秀》上说："我的观点已经说得很清楚了……执法部门和情报机构需要得到通信数据，这对他们的工作来说必不可少。"[292]在卢比去世后那几天里，她还呼吁广播机构不要播出对激进伊斯兰传教士的采访，在大学校园开展反对极端主义的新行动——同时拒绝对《数据和通讯法案》进行详细的修改。当克莱格再次威胁要否决这一法案，正如劳斯所述，"内政部毫不客气地迅速做出反应，向各种报纸通气说'克莱格是恋童癖和恐怖分子的朋友和保护者'。几乎没想过争取说服副首相。"[293]

琳妮·费瑟斯通说，围绕"史努比宪章"的争议几乎是不可避免的：

在"史努比宪章"之类的议题上存在着本质的分歧。人们对此充满狂热，如果不能让对方了解自己的观点并实现妥协，他们就会陷入真正的困境。我想尼克、戴维·卡梅伦或他们中任何一人都会说（梅）非常顽固。但她是在坚守自己的信念。

后来担任内政部党鞭的查理·埃尔菲克同意这种看法："她非常关心逮捕恐怖分子和恋童癖，这让她非常沮丧。"

截至2013年底，克莱格和梅没再说过话，有时候他们坐在一起一语不发地度过漫长的会议。2014年的会议季期间，在也许是整个联合政府时期最撕破脸面的一次争吵中，报纸引用梅一位特别顾问的话描述克莱格是"无用的男人"[294]，此前他指责梅"散布虚伪和无耻的诽谤"[295]，因为她对代表们发表演讲说"极其不负责任的"自由民主党人阻止法案通过，让儿童面临性剥削的风险。最终，2015年选举产生的保守党多数政府将法案提交给议会，调整部分内容并更改了名称，但评论家仍称之为“史努比宪章”。这一法案于2016年11月成为法律。

每个与内政部有接触的自由民主党人，实际还包括某些保守党人，对克莱格遭遇的这种负面评价都已经习以为常了。嫌疑犯几乎总是菲奥娜·希尔和尼克·蒂莫西，即使考虑到狂热的忠诚是特别顾问这一类人的标志，他们守护梅的时候也过于穷凶极恶了。某些人发现自己被针对之后表现得很豁达，认为在联合政府里难免会遇到这种事。琳妮·费瑟斯通对梅的顾问甚至有点钦佩：“尼克·蒂莫西和菲奥娜，我称之为‘邪恶的保守党特别顾问’，他们是邪恶的，一有机会就会毫不迟疑地向《每日邮报》爆我的猛料，但这就是政治斗争。我不认为他们是坏人。我非常喜欢他们。”

然而，其他人并不这么大度，特别顾问们的话激怒了他们。诺曼·贝克写道：“我在交通部已经习惯了自己两位友善的顾问，她的特别顾问们完全是不一样的人。他们无情地追求自己党的目标，不惜赶尽杀绝。对他们来说，容忍联合政府是一种无奈之举……”贝克还声称，蒂莫西、希尔和内政部第三特别顾问斯蒂芬·帕金森对部门员工实施铁腕统治，特别命令新闻办公室的员工审查部长们发表的一切观点。贝克抗议说这“相当中央集权，苏联才这么做”，[296]这让他和特别顾问们以及梅本人吵得不可开交。贝克说：

> 至少在高级官员中，恐怖统治几乎是不加掩饰的了。特蕾莎·梅的特别助理们已经制定了规则，任何偏离轨道的公务员都会倒霉。不满的官员会发现自己被发配到那些毫无前途的职位上。[297]

不管怎么说，最后贝克还是勉强地谈到了希尔，要不就得谈蒂莫西。他说：“她最清楚合理工作关系的必要性。我自己并不讨厌她。我想她只是在做自己的工作。”[298]

梅一再坚称自己没有向记者透露消息，也没有在背后毁谤同僚，那些人顶着她名义的所作所为，到底多大程度上得到了她的纵容，这件事情众说纷纭。肖恩·坎普说：“他们都这么说，（但）他们都心知肚明。他们明白自己的雇主有什么样的性格。所有部长都喜欢那些他们认为会维护自己利益的人。我相信她很喜欢看到自己的人对外宣称，‘迈克尔·戈夫是一个白痴’，或者‘尼克·克莱格要把事情搞砸’。”诺曼·贝克说：“在内政部的时候，我弄明白梅自己不会去干这样的事情，她在一般原则上指导她的特别顾问们，给他们留下相当大的自由发挥空间，同时不会对他们的一举一动盯着不放，这也让她可以推诿说不知情。”[299]

其他人有不同意见。埃里克·皮克尔斯说：“我自己无法想象她会说（这种）话。我更觉得他们是好人，他们在保护她。这是事情的本质。特别顾问是领导人的铁杆支持者，就像家人一样。”威廉·黑格也不把特别顾问们保护梅时的固执当回事，他认为那是议会里习以为常的唇枪舌剑。他说：“我们都有过长期的顾问，比起领导人自己，这些顾问对领导人的晋升更富激情和狂热。”

正如卢比谋杀案所显示的，安全问题在联合政府时期变得愈发突出，其结果就是，黑格担任外交大臣时，梅与他的合作变得愈发密切。梅与他的关系远比和其他同事更为亲密：“作为内政大臣，在国内情报方面，她总是持强硬立场……即使这让我们和其他国家产生了矛盾。”他说。

我想我们从没吵过架。我们有各种沟通方式，也私下会面，这让我们绝不会在其他大臣面前发生冲突，实际上外交大臣和内政大臣保持高度一致，从不在内阁里争吵。这也让她成为一个很容易共事的同僚……她同意你的想法就会支持你。不是所有大臣都能做到这一点。

黑格与梅良好的工作关系帮助她赢得了内政大臣任上最大的胜利之一：经历了漫长的诉讼，2013年7月，激进的神职人员阿布·卡塔达被驱逐到约旦。以恐怖主义指控引渡卡塔达的主要困难在于，他的律师主张审讯卡塔达依靠的证据有可能是通过酷刑获得的。在一系列复杂的谈判中，梅多次到访阿拉伯国家，她从约旦人那里得到的承诺能够确保说服法庭不使用这种证据。黑格称赞梅在卡塔达案中的坚韧——笑着描述了约旦领导人对她的看法。

约旦人看着（我），我会告诉约旦人："特蕾莎·梅会再次来到约旦。"他们的表情就像在说，"哦，好吧，我们最好做好准备，又会有一连串谈判。"她不会浪费时间。她出国访问肯定会有一个结果……她的访问……真的很有帮助，发挥了至关重要的作用。换一位内政大臣早已对整件事不抱希望了。

在一次珍贵的采访中，尼克·蒂莫西以梅对卡塔达案的处理为例，反驳她"缺乏冒险精神"的说法，他说："她在阿布·卡塔达案上孤立无援，同时遇到种种挫折，但她从未妥协后退。"[300]

引渡卡塔达的漫长征程确实只有梅这样的狠角色才能成功。一年前介入阿布·哈姆扎的引渡案，她已经下定决心要看到最终的结果。2012年4月，她在一次令人惊讶的愚蠢失败中受到羞辱，当时她向议员们宣布卡塔达的律师向欧洲法院提出上诉的最后期限已过，驱逐出境的程序很快就会启动，只不过后来发现是内政部官员弄错了日期，而且对方已经提出上诉。虽然这是手下公务员的错误，梅作为主管大臣同样要承担责任——还要面对媒体全方位的嘲笑。更糟糕的是，在那关键的几个小时里，内政部以为截止日期已过，其实卡塔达的律师正准备赶在最后一刻之前，用传真向斯特拉斯堡法院提交上诉，据说她"正在伦敦西部维多利亚和阿尔伯特博物馆参加著名代理人乔纳森·沙利特盛大的50岁生日聚会。"[301]"阿布·卡塔达上诉时，特蕾莎·梅正'与《英国偶像》的评委开派对'"[302]，报纸上出现了这样的标题。另一家报纸透露，在卡塔达提交上诉的时候，"梅满脸笑容地穿着一双和平时一样招摇的金色鞋子，被拍到和电视节目主持人洛兰·凯利在一起，还和凯莉·布鲁克以及《英国偶像》评委杜莉莎·康托斯塔罗斯勾肩搭背。”[303]

但这些梅都挺过来了，卡塔达最终在2013年7月被驱逐出境。她是试图将这位神职人员遣返约旦的第六位内政大臣，然而是第一个亲自飞往安曼谈判达成协议的。整整八年的漫长历程花费了英国纳税人接近200万英镑。内政大臣激动地宣布他的离开：

> 这个危险的人现在已经离开了我们的国家，在自己国家的法庭上接受审讯。我很高兴本届政府已经证明了送他上飞机的决心，与此同时，我们终于实现了往届政府、议会和英国公众长期以来的要求。[304]

她继续承诺改革《人权法案》，让法院不再受到漫长诉讼的困扰。

报纸和各个党派的政治家都对此表示赞赏。《每日邮报》在“领导者”专栏中指出，梅十分重视信守诺言：

> 现在一个政治家做出承诺并兑现是很少见的。但更令人印象深刻的是，梅夫人的决心没有一直纠缠在卡塔达的离开上。她马不停蹄地表示现在迫切需要改革《人权法案》，让无数外国凶手、强奸犯和恐怖分子再无法律漏洞可钻。[305]

以“穿中跟鞋的女神高高在上，敌人匍匐在前”为题，《每日电讯报》撰稿人迈克尔·迪肯描述了下院的情景，正如议员们称颂的那样：

> 神圣的特蕾莎，王国保护者，控制移民的救世主，当选警察和犯罪专员之母，中跟鞋女王——现在是成功屠戮阿布·卡塔达之人……崇拜者在神圣的注视下拜倒在地，赞美公平和正义对邪恶卡塔达的胜利。[306]

突然间，梅成了举足轻重的大人物。从现在开始，她将经常在谁是下一任领导人的猜测名单中出现。在不同的时期，关于戴维·卡梅伦继任人选的喧嚣声起起伏伏。梅的名字总是被提及。卡塔达案件刚结束，立博的赌博登记人为梅开出4赔1的赔率，她成为下一任首相的最大热门。卡梅伦每年去葡萄牙度暑假时，梅正式掌管国家，而乔治·奥斯本和尼克·克莱格也不在，康雷斯公司的民意调查发现，她比政府中其他任何人都更受选民欢迎，仅次于鲍里斯·约翰逊，而这位伦敦市长还没有回到下院。[307]

4个月之后，梅获得《观察者》的年度最佳人物奖。对内政大臣的兴趣和认可与日俱增——她本人以及她多姿多彩的时尚品位——颁奖那天早上，《每日邮报》用横跨两版的报道提问："特蕾莎·梅变成卡拉·迪瓦伊了吗？"[308]梅领奖时不动声色地说："对于你们中那些不认识我的人来说，（迪瓦伊）是21岁的超级名模，也是世界上最美丽的女人之一。所以我想我们可以有把握地说……这个问题的答案是否定的。"[309]在一片阿谀奉承中，梅甚至没有理会在颁奖后第二天发生的令人尴尬的事件。当时一名恐怖主义嫌疑人穆罕默德·艾哈迈德·穆罕默德根据《恐怖主义预防和调查措施法》被拘押，本该出现在老贝利（伦敦中央刑事法院），而他穿上罩袍摆脱监视消失了。这一插曲很可能让一个弱势的内政大臣下台。但是到2014年1月，保守党之家网站对党员的调查发现，她在受欢迎程度上以毫厘之差超过了鲍里斯·约翰逊。6个月后，两人的差距扩大到16个百分点。

2010年进入政府以来，梅的内阁同事对她愈发尊重。像威廉·黑格一样，2011年卸任的国防大臣的利亚姆·福克斯认为，和她一起工作富有成效——也令人愉快：

当我担任国防大臣时，我们的工作联系非常紧密，我们开始一起出去吃午饭，探讨发生的事情。我们的看法非常相似——我们倾向于主要从安全角度看待一切问题。实现安全依靠的不是巧合，而是必不可少的努力工作。因为我们的思考方式趋同，所以我们一直都有非常、非常好的工作关系。

乔治·奥斯本对福克斯与梅共进午餐心怀疑虑，据说还给他们起了昵称："安全官僚"。

福克斯补充说，他打破大臣之间的行为准则，邀请一名非官方顾问参加会议，因此被迫辞职，梅是少数几个对他不离不弃的内阁大臣之一，甚至前往他的北萨默塞特郡选区参加活动。他说："离职后不久，那时很多前同事不再接你电话，而特蕾莎亲自前来参加活动。你会记住这些事情。"前威尔士事务大臣谢里尔·吉兰和她的朋友环境大臣卡洛琳·斯佩尔曼，在卡梅伦2012年9月对政府的洗牌中一起被解雇，她讲述了一个类似的故事。

卡洛琳·斯佩尔曼和我离开时，她是唯一费心和我们保持联系的内阁成员。离开后卡洛琳和我都非常伤心。她来过我的选区几次，我们一起吃饭。她是一个非常出色的听众。在绝大多数其他同事看来——你出门了，你就出局了。

梅对另一位退出政府的同事安德鲁·米切尔就没那么友好了，"草民门"丑闻引发洗牌后几周，米切尔被迫辞职，守卫唐宁街的警察指控他叫他们"草民"还破口大骂，当时他们正阻止他骑自行车通过大门。令米切尔沮丧的是，作为掌管警察的内政大臣，梅选择支持警察而不是保守党的同事。被记者问到日益发酵的丑闻时，梅没有回护米切尔，反而清楚地表达了自己的不满。"我和安德鲁·米切尔谈过。"报道称她说话时"冷冰冰的"。"我不打算透露谈话的内容……我并不满意。"[310]事实上，梅曾对米切尔说他应该下台。

米切尔强烈否认这些指控，但最后群怨沸腾，他除了辞职别无选择。后来发现一位涉案人员撒了谎，伦敦警察厅总监伯纳·霍根-豪向议员道了歉。代表米切尔向报纸吹风的朋友明确表示，长期以来他一直对梅不满，声称梅应该对自己的离开负责。老资格的保守党议员基思·辛普森说到梅对米切尔的态度："我认为她把米切尔看成一个有钱的家伙，'以友治国'的成员之一，彻头彻尾看风使舵的人……她只会认为他不能令人满意。"

现在梅在内阁发表的意见通常会受到重视。无论在内阁还是此前的保守党政治内阁，她通常保持自己一贯的简明扼要，发言即使偏离主题也会被认真对待。她习惯礼貌地聆听同事们发言，仔细估量他们的话，接下来才分享自己的意见，当上首相之后也没有改变这种做法。她提出的意见足够简洁而富有智慧——会议桌边的某些同事对此持欢迎态度。埃里克·皮克尔斯说："内阁完全不是智囊团[1]节目，和那些你愿意参加的、活力四射的活动完全不沾边。你会发现每个人在每件事上都想发表意见，再没有什么事情比这更乏味了。"文斯·凯布尔补充说：

她是一个非常积极的参与者，因为很多问题都牵扯到她。奥斯本、戈夫还有她可能是内阁讨论中建树最多的人。她总是很有礼貌，准备充分。在这方面她非常、非常优秀。不像某些人说起来没完。

威廉·黑格同意这种说法：

在政治内阁里她表现得非常活跃，属于那种仔细倾听然后介入讨论的人，不会从一开始就加入。我认为她的风格一贯如此……她就是这样发挥作用的。我不想让人以为她害羞——根本不是那么回事。她总是毫不示弱。你能看到她有时会转转眼睛，一言不发地为别人说的话生气。她不会掩饰自己的异议。10分钟之后，她会臭骂他们一顿。我坐在她的对面——一边叹气，一边抽烟——然后你就知道特蕾莎是怎么想的了。

[1] 智囊团是BBC一档广受欢迎的广播和电视节目，节目中专家组要回答观众提出的问题。

梅的一些同事说她既优柔寡断又“难以对付”，利亚姆·福克斯为她辩解说：“当人们说特蕾莎很难对付的时候，我认为他们有所误解，她做出决定之前喜欢按程序办事，欲速则不达。”

和福克斯一样，黑格与梅在政府里成为同事之后接触才多起来，有时会在外交大臣的彻维宁官邸里应酬。他说：

> 我认识她很长时间了，算不上亲密的朋友，但显然我1997年就认识她了。她在内政大臣任上努力维护私下的朋友关系，她的同事们可不这么看。她主动提出和我出去吃晚餐，讨论政治和私人问题，梅夫妇来彻维宁和菲恩（带着妻子）、我一起吃晚饭。我发现她是一个开朗的同事，和她一起工作很愉快。这样的晚上总是令人心情舒畅、惬意开怀，聊天的内容很广泛，有私事也有公务。比起人们对她的印象，我相信她是一个更友善的同事。

黑格补充说，梅利用两人之间日渐融洽的关系与卡梅伦帮核心决策圈保持联系，当时梅和奥斯本、克莱格以及卡梅伦本人的关系先后出现了问题。“她可能的确感觉到自己被排除在（核心圈子）外，但她自有办法应付：通过我这样的人进行联系。”黑格说。“只要不出国旅行，我就是唐宁街10号的常客，参加所有的早间会议，于是……她打通了和唐宁街10号的联系。”

另一段关系则不那么友好。在2011年安迪·科尔森离职后，前BBC记者克雷格·奥利弗加入唐宁街10号的团队，成为戴维·卡梅伦的联络主管。几个月后，他发现自己与梅的特别顾问合不来，尤其是和菲奥娜·希尔发生了冲突。希尔和尼克·蒂莫西很快就不再参加唐宁街10号每周举行的特别顾问会议，本来所有内阁大臣的顾问都应该集合起来，在奥利弗的领导下协调政府对公众发布的信息。希尔和蒂莫西对奥利弗的行事风格感到愤怒——引用另一位出席会议的特别顾问的话来说，奥利弗“打了激素似的夸夸其谈”——他们都缺席了。他们也不会遵循奥利弗的要求，即宣布重大政策、演讲和在媒体上露面都要得到他的允许，如果这样做了，他们就会被纳入传说中的唐宁街“网络”，确保大臣们不会相互影响。

当时一位高级内阁大臣的前顾问说：“克雷格·奥利弗受不了菲奥娜。他们谁也不理谁。”另一位前顾问补充道：“什么事儿到克雷格·奥利弗嘴里就是‘你干这个，你干那个’。他们不想体验这个。”肖恩·坎普说：“菲奥娜和克雷格相互憎恨。（她和蒂莫西）不出席周五的会议，也就是我们所说的特别顾问训练班。我想他们从没去过。”接下来的岁月里，奥利弗和希尔的彼此猜疑扩展到唐宁街10号和内政部之间更广泛的关系，最终影响了首相和内政大臣的交往。诺曼·贝克说：“不。唐宁街10号一直警惕内政大臣，后者被认为觊觎首相之位……她的特别顾问们在唐宁街10号不太受欢迎，所以也缺乏应有的影响力。”[311]

尽管特别顾问惹出不少麻烦，但他们在内政部对梅来说价值千金，不仅私下里提供支持，还帮助她真正承担起内政大臣的重负。希尔和蒂莫西对各种政策的兴趣得到了鼓励和支持。正是在蒂莫西的推动下，梅在1989年希尔斯堡惨案问题上采取了强硬立场，这场灾难导致96人丧生。受害者家属和工党前座议员安迪·伯纳姆组织了声势浩大的活动，作为回应，梅同意撤销原来的调查结果，安排新的听证会。2016年4月，验尸官裁定受害人是被违法杀害的。戴维·卡梅伦为希尔斯堡惨案受害者家庭遭受的苦难公开道歉，梅在推动这件事上出了一把力，同时明确表示对悲剧负有责任的警察和其他人员不应免于刑事起诉。她对警察的强硬和对家属的同情赢得了伯纳姆公开的热烈赞美。新的调查结果出来以后，梅情绪激动地在下院发表演讲，许多议员流下了泪水，正如她所说：“没有人应该经历一年又一年、十年又十年的抗争去寻求真相。我希望对走过如此困难岁月的家属和幸存者来说，昨天的结果会为他们带来长久以来求之不得的安宁。”

蒂莫西对心理健康问题有特殊的兴趣，对警察拘留精神上有问题的人，他还审查过相关报告。他特别努力争取的目标就是，不再利用警察局拘留室看管那些有心理健康问题的孩子。蒂莫西对警察截停和搜查权的相关报告也十分关注，从中可以推断出这些权力妨害了警察与黑人社区之间的关系。梅在一系列公开演讲中呼吁警方减少这种做法，这和迈克尔·霍华德时期差异明显，十年以前，迈克尔·霍华德先是在内政大臣任上扩大了截停和搜查权的适用范围，又在当上保守党领导人之后为这种做法辩护。

菲奥娜·希尔对内政部的最大贡献是促成2015年“现代奴隶法案”的通过，她在这一立法中发挥了重大作用。希尔极为关注性贩卖问题，说服梅和其他内阁成员加大打击力度。在希尔的引导下，梅就这个问题发表了一系列强有力的演讲。在2013年夏天《星期日泰晤士报》的一篇文章中，她写道：“现代奴隶制被视为别人的问题，这种情况持续太久了……让我告诉你我的看法。这是一种可怕的罪行，它必须被阻止，每个人都要面对这个问题。”[312]梅组建新的国家犯罪调查局，该机构于2013年10月成立，优先处理性贩卖问题，她声称希望“英格兰和威尔士的每一支警察力量都采取同样的做法”。律师卡洛琳·豪伊和内政部合作制定了“现代奴隶法案”，她说希尔的投入十分关键。她这样评价这位特别顾问：“我不得不说她无疑是一位精力充沛的女人，显然下功夫读过文件和简报，实际提出的问题充满同情——我们怎么做对受害者更好，我们怎么避免在这个国家发生这种事情？”[313]

作为平等事务大臣和内政大臣，梅致力于保护妇女和儿童远离暴力和胁迫，为此做了大量的工作，针对性贩卖采取的行动只是其中之一。受害者慈善机构对家庭暴力披露方案之类的措施大加赞赏，这一方案让公众有权追问个人的家庭暴力史。该方案又称“克莱尔法案”，源自克莱尔·伍德，她是一名来自约克郡的年轻女子，2009年被前男友谋杀。该法案旨在帮助女性发现自己潜在的或现有的伴侣，在过去的关系中是否有暴力犯罪记录。罗瑟勒姆性侵案丑闻爆发后，梅也谈到了通过网络诱奸未成年人的问题，强调十几岁的帮派成员把强奸当成一种手段，鼓励警方更加认真地进行网络跟踪和搜寻，反对强制婚姻和阉割女性生殖器，并突破性地立法，将伴侣关系中的精神虐待定为犯罪。琳妮·费瑟斯通和梅一起在内政部为促进平等工作，她说："她防止女性遭受暴力侵害的工作做得非常、非常好，工党不断在妇女议题上攻击她，但这真的是不公正的。"

哈利·弗莱彻是"受害者之声"运动的负责人，他认为梅对受害者议题的兴趣在高层右翼政治人物中是"极不寻常的"。他说：

我和她探讨了对跟踪骚扰相关法律进行改革的必要性，她欣然接受并表示："你正在推一扇敞开的门。"我们和她开了几次会，然后和她的顾问开了几次会。我发现这位保守党内政大臣在保护弱势妇女的问题上极为平易近人。不像她的许多同事，她立刻就理解了这个问题，同时明白了它的重要性。为数众多的评论家把她描述为冷漠、严肃，缺乏幽默感。但无论是在警察联合会的邂逅还是就跟踪骚扰和胁迫控制的关键议题进行游说，我都没有发现她有这些特征。我发现她很容易相处，她十分随和，能理解对方的论点，做事情果断而成效卓著。

2015年"现代奴隶法案"成为法律时，菲奥娜·希尔已经被迫离开了内政部。原因是梅和教育大臣迈克尔·戈夫在2014年6月爆发的激烈争吵。两个人之间长期以来缺少耐心，内阁爆发移民斗争时戈夫站在梅的对立面。他们的同事说，内政大臣通常认为他的态度令人作呕。戈夫和乔治·奥斯本一样同为诺丁山集团的一分子，也许容易被指责视政治为游戏，但他在内阁及其相关委员会中以极度坦诚和直言不讳著称，以至于常常用错误的方式惹怒更为克制的内政大臣。梅自信地处理了伦敦奥运会问题，解决了阿布·哈姆扎、加里·麦金农和阿布·卡塔达的案件，之后她的声望从2012年到2013年不断增长，开始被视为卡梅伦的继任者，而戈夫此时花费大量精力支持奥斯本的工作，从自己的角度出发，他越来越怀疑梅的动机。2013年3月，戈夫在政治内阁中公开指责梅，他认为当时梅正在发表的演讲是赤裸裸地想一展身手，在领导权争夺战中显示自己的分量。

在另一次会上，梅分发了自己精心准备的文件，而戈夫回答的是一些“没有经过深思熟虑、略微有些挑衅的言论”，据说她被气得要“爆发”了。[314]一位目击者称：“她应该对这些话置之不理，但是她跳了出来。她失去控制、勃然大怒。戴维·卡梅伦只是瞪着眼睛看。”[315]戴维·劳斯描述了两人之间另一尴尬时刻的细节，这件事发生在2013年一次内阁休会日，当时教育大臣又开始用他臭名昭著的咆哮对政府政策表示不满，这次针对的是梅根据戈夫自己的建议成立的反帮派小组。劳斯写道：“特蕾莎·梅冷静地看着自己的文件。正如迈克尔提议的那样，梅成立了反帮派小组，而且常常想让他参与跨部门协作，但并不成功。”[316]

梅与戈夫之间长期存在的导火索之一是反恐怖主义，尤其是如何采取措施阻止青年穆斯林的激进化，两个人对这一问题都有管辖权。早在2011年6月，政府提出的一项反恐政策已经耽搁了好几个星期，戈夫认为这个主要由内政部制定的计划不够深入。双方的分歧有深刻的思想根源。埃里克·皮克尔斯在争论中站到梅这边，他说：

这是非常值得思考的严肃的问题……这不光是几个新保守主义者想干什么的问题，不一定是戴维（卡梅伦），而是他周围的人。新保守主义者对正在发生的事情的看法是，你可以像应对列宁和整个（苏联）一样应对激进的伊斯兰分子。对社会真正的情况，她往往抱有更为理智、更为现实的观点。她在某种程度上能够理解……对某些人而言，宗教在他们的生活中占据首要位置。这不一定会使他们成为危险分子，但这的确意味着，如果你想试着争取更多的人，那么你行动时就要把握一个微妙的尺度。接触穆斯林女性、接触年轻人，梅领导的内政部在这些方面做了不少工作，非常巧妙也非常明智……我认为实际上取得了显著的成效。所以这不光涉及做事风格，同时也是一个现实的问题：究竟该做什么。

到2014年6月，如何更好地防止激进化和本土恐怖活动再次成为当务之急，当时有报道称伊斯兰基要主义组织正在试图接管伯明翰的一些学校，这是招募年轻人加入他们的“特洛伊木马”计划的组成部分。前《泰晤士报》评论编辑戈夫受邀回他的老东家午餐，被问及伯明翰的情况时，他忍不住贬低了内政部一番。戈夫特别批评了安全和反恐怖主义办公室负责人查尔斯·法尔，断言他和梅把更多注意力放在个人嫌疑犯身上，而不去解决那些让激进化迅速发展的深层次问题。前情报官员法尔在内政部工作，并直接向梅报告。当时他和菲奥娜·希尔在一起。结果头版报道的标题是这样的：“内阁因为学校里的极端分子陷入战争”。在这篇报道中，一位消息人士——后来透露是戈夫——指责说：

> 白厅尤其是内政部不愿意面对极端主义，除非发展成为恐怖主义……查尔斯·法尔总是相信，如果极端主义者倾向暴力，我们应该加以处理。很明显政府中的其他人只会赶走靠近船的鳄鱼，而不去排干沼泽。[317]

《泰晤士报》联系希尔代表内政部回应这篇报道，她用十分凶猛的反击捍卫了自己的老板和情人。作为内政部官方发言人，她的话被援引来回击戈夫，希尔直截了当地指责教育部多年来对这种渗透一直没有提出警告。“为什么教育部想把责任归咎于别人，实际上他们自己在2010年就获得了相同的情报？”她说。“阁下知道在保护公立学校孩子这一问题上，他们还要熟视无睹多久吗？这太让我吃惊了。”[318]

如果到此为止，希尔可能已经摆脱这件事了。但是她怒火中烧地在内政部横冲直撞，她现在过界了，让《泰晤士报》记者注意到梅当天给戈夫写了一封信，同时传给内阁极端主义监视委员会的其他成员，这个委员会是李·卢比受害之后成立的。“教育部在2010年真的收到过警告吗？”梅单刀直入地写信给戈夫。“如果是这样，为什么没有人行动？……显而易见，如果我们要防止学校里的极端主义，我们必须采取明确的行动来提高人员配备的质量和管理的水平。”[319]希尔整个晚上都在用电话向记者通风，让他们跟进《泰晤士报》的报道。她毫不掩饰对戈夫的愤怒。BBC的克里斯·梅森后来说："显然她生《泰晤士报》头版报道的气，生戈夫先生的气。（希尔）小姐在谈论保守党的同事。她又实实在在地狠狠补上一脚。"[320]12点42分，希尔用推特放出这封信的链接，之前它已经在内政部网站上用部门官方账户发送出去了。

这封信后来被撤销了，但损失已经无法挽回。戈夫和希尔都严重破坏了内阁集体负责制的惯例，如此公开地传播他们的不同意见。威斯敏斯特的观察员们对争吵感到震惊。《电讯报》副主编本尼迪克特·布罗根写道：

梅夫人的诸多品德之一就是她通常不会通过简报反对同事。如果她在这个时候这样做，我会感到意外。无论消息来自何处，我们现在知道她对戈夫先生那样谴责自己感到愤怒，显然她相信那是他任期内的一次失败。真的很生气。[321]

在唐宁街，戴维·卡梅伦也很生气。争吵的风头已经盖过了"女王致辞"[1]，在致辞中政府为即将到来的议会制定了立法计划，就在《泰晤士报》最初报道的同一天。动身去布鲁塞尔参加七国集团会议时，他命令内阁秘书杰里米·海伍德爵士与有关各方沟通，就不得体的争吵如何变得尽人皆知做一个全面的报告。

过去三年里，希尔对卡梅伦的媒体主管趾高气扬，不幸的是，此次惨败为克雷格·奥利弗提供了弹药对付自己的眼中钉。连续好几个月，奥利弗一直在抱怨希尔不尊重他，也不回他的电话，与此同时她公开将他描述为"白痴"。[322]诺曼·贝克说：

她离开的时候可能带着些许善意，但在唐宁街和特蕾莎的特别顾

[1] 每届议会开幕式上，女王要宣读内阁准备的讲话稿，阐述内阁施政与立法纲要。议会闭会时，也会发表类似演讲，宣扬内阁在本届议会任期中的政绩。

问之间几乎毫无好感可言。这也给了唐宁街10号一个机会剪除特蕾莎的羽翼。菲奥娜需要一个救生圈，而克雷格·奥利弗却在唐宁街10号朝她扔了一块混凝土。[323]

杰里米爵士开始他的调查，同时BBC的政治编辑尼克·罗宾逊第一次将希尔与法尔的关系引入辩论，在《今日》节目中将其形容为这出戏里的"复杂因素"。过去梅的团队一度怀疑奥利弗利用罗宾逊发布消息对付他们，起因是这位记者透露卡梅伦曾经说过：关于梅是未来接班人的议论甚嚣尘上，推手正是内政大臣本人和"过分幼稚"的希尔。他们在这件事上又看到奥利弗的身影。《今日》花大力气有声有色地报道了希尔和她与法尔的关系，让丑闻进一步升级。《每日邮报》以"特蕾莎的长腿助手，前密探以及情热似火的恋爱"为标题，用1276个字讲述了这个故事，内容包括希尔和法尔大量私密刺激的生活细节，还展示了这对情侣的照片。[324]保守党议员们开始呼吁要杀希尔的头。卡梅伦从布鲁塞尔前往法国，在那里参加诺曼底登陆70周年纪念活动。他回来后读了杰里米爵士的报告，其结论是，虽然戈夫的行为轻率又不明智，但希尔针对他的言论违反了大臣间的规矩。她的命运已定。虽然不情愿，梅还是要求她辞职。

卡梅伦强迫戈夫为他对《泰晤士报》说过的话向梅和法尔正式道歉，这对一位高层政治人物来说是一种侮辱。然而最受打击的还是梅——所有人都认为她之前并不知道希尔要干什么。失去自己的特别顾问让她极为难过。梅一度毫不掩饰自己的沮丧，大量报道说她"气恼和烦躁"。[325]两天后，梅被召唤到下院解释上周发生的意外事件。《泰晤士报》的简报作者安·特勒内曼形容她进入了"冰女王模式，冰冷的目光让批评的声音戛然而止"，而戈夫尽职尽责地到场查看她的声明，"看起来几乎对梅夫人产生了一种小狗似的热爱。无论梅说什么他都点头，脑袋像水泵的把手一上一下，我都担心他脖子上的肌肉。"[326]会议结束后，"戈夫先生伸出手……拍了拍梅夫人的小臂。她没有反应，至少没有明显的反应，我相信她连一个分子都没有融化。”

梅没准备原谅戈夫——永远不会。虽然每个人都清楚她的困扰，但她从未和同事提起过。威廉·黑格说：

> 对政府的一位重要大臣来说，（如果）顾问在自己手底下被解雇，那么她会非常生气。她对一起工作的人忠诚度很高。但这只是一个推测。据我所知，她没有对我或其他任何人说起过，“这件事让我非常生气”，她只是闭口不谈，继续工作。[327]

其他人对希尔的离去也很难过。诺曼·贝克说过：“卡梅伦想要她的头，她不得不辞职。我对发生这种事真的很抱歉……实际上菲奥娜和我在工作中已经有了默契。我甚至颇为欣赏她。”

从长远来看，戈夫在和希尔的争吵中损失惨重。即使从当时的情况来看，卡梅伦冷静下来想想就会明白，比起梅他更应该对丑闻负责，戈夫有的受了。一个月后，戈夫离开了自己热爱的教育部，被降为党鞭。（不过他声称这次调动是他自己主动要求的。）梅被很多人说成是“无法解雇”的，不仅在清洗中幸存下来，而且在同一天成为五十年来在任时间最长的内政部长，仅次于拉布·巴特勒。民政事务专责委员会主席、工党的基斯·瓦斯问她要不要来杯香槟庆祝，她冷冷地说：“我不庆祝这些事情。”[328]

也许只有当上首相之后，梅才会为自己冰一杯香槟。对戈夫来说报仇确实十年不晚，梅宣布自己第一任内阁时粗暴地把他从政府里踢了出去。然而此前因为唐宁街10号的要求，梅失去了尼克·蒂莫西，他在特别顾问中的地位仅次于希尔，她不得不忍受这种侮辱。

>>>

291.《联合政府》，劳斯，同上。

292.采访，特蕾莎·梅，《安德鲁·马尔秀》，BBC第一频道，2013年5月26日。

293.《联合政府》，劳斯，同上。

294.《特蕾莎·梅的盟友管克莱格叫“无用的××”》，斯蒂夫·霍克斯，《太阳报》，2014年10月2日。

295.《尼克·克莱格抨击特蕾莎·梅对自由民主党进行“错误和骇人”的诽谤》，尼格尔·莫里斯，“独立报在线”，2014年10月2日。

296.《格格不入》，贝克，同上。

297.同上。

298.同上。

299.同上。

300.《穿着中跟鞋的大野兽》，亨利·科尔，同上。

301.《又一天，又一次失败》，马克·霍克汉姆，《星期日泰晤士报》，2012年4月22日。

302.《阿布·卡塔达上诉时，特蕾莎·梅“与〈英国偶像〉的评委开派对》，阿兰·特拉维斯，《卫报》，2012年4月20日。

303.《又一天，又一次失败》，霍克汉姆，同上。

304.《阿布·卡塔达被逐出境后在约旦监狱》，理查德·福特、希尔·弗伦克尔、哈尼·哈扎伊迈，《泰晤士报》，2013年7月8日。

305.《每日邮报评论》，2013年7月8日。

306.《打倒敌人后，穿中跟鞋的女神毫无畏惧地站在那里》，米切尔·迪肯，《每日电讯报》，2013年7月9日。

307.《特别报道：特蕾莎·梅正在演练，但想登上顶峰的话必须战胜那些疑欧人士》，简·梅里克，《独立报》，2013年7月14日。

308.《内政大臣穿的靴子有超级名模范儿……特蕾莎·梅变成卡拉·迪瓦伊了吗？》，《每日邮报》，2013年11月7日。

309.《梅显示她是一个模范表演者》，《泰晤士报》，2013年11月8日。

310.《梅对移民增加发出警告》，马克·霍克汉姆和大卫·莱帕德，《星期日泰晤士报》，2012年10月7日。

311.《格格不入》，贝克，同上。

312.《现代奴隶贩子，我会结束你的邪恶贸易》，特蕾莎·梅，《星期日泰晤士报》，2013年8月25日。

313.《印象：菲奥娜·希尔和尼克·蒂莫西》，同上。

314.《她强硬、冷酷、高效……但她能领导保守党吗？》，加比·欣斯利夫，《卫报》，2013年9月28日。

315.同上。

316.《联合政府》，劳斯，同上。

317.《内阁为学校中的极端分子开战》，格雷·赫斯特和弗朗西斯·埃利奥特，《泰晤士报》，2014年6月4日。

318.同上。

319.同上。

320.《特蕾莎的长腿助手，前间谍和煽风点火的事情……》，安德鲁·皮尔斯，《每日邮报》，2014年6月5日。

321.《特蕾莎·梅生气了。真的很生气》，本尼迪克特·布罗根，“电讯报在线”，2014年6月4日。

322.《遭解雇的助理与媒体主管不和》，汤姆·牛顿·邓恩，《太阳报》，2010年6月9日。

323.《格格不入》，贝克，同上。

324.《特蕾莎的长腿助手，前间谍和煽风点火的事情……》，皮尔斯，同上。

325.《遭解雇的助理与媒体主管不和》，邓恩，同上。

326.《冰雪女王在异常冷漠的战争中没那么酷了》，安·特勒内曼，《泰晤士报》，2014年6月10日。

327.同上。

328.以法莲·哈德卡斯尔，《每日邮报》，2014年7月15日。

>>> 16

抱负

民政事务专责委员会拥有强大的影响力，主席基斯·瓦斯自负而哗众取宠，他喜欢围绕下院的经历源源不断地发推娱乐自己众多的推特粉丝。2013年2月的某一天，瓦斯瞪大眼睛盯着内政大臣特蕾莎·梅，这也是他的职责所在，他觉得自己有必要分享一条有用的信息。"有一点担心内政大臣，她这些天看起来有点瘦弱。新的节食还是工作压力？"他发了这样一条推特。事实上，瓦斯不是头一个发现梅的体重突然下降的人。已经有好几家报纸提醒它们的读者注意梅的身材越来越苗条了。但是瓦斯不合时宜的玩笑话最受关注，越来越多的梅的支持者把他和他的话贴上了"性别歧视"的标签。卡罗琳·诺克斯在梅和Women2Win的帮助下赢得罗姆塞和南安普顿北部选区的议席，她在《今日》节目上评论这种言论是"愚蠢的"和"居高临下的"。

梅被瓦斯的推特深深激怒了，用后来她自己的话说是"并不满意"。[329]回应记者提问时，她不耐烦地说："我只想说自己不会发关于男议员的推特，我拿不准有多少女议员会这么做。"[330]对她近期减肥的讨论很快达成了一致看法：她减轻体重是为了在领导人之争中赢得更多的选民，这表明在威斯敏斯特，无论是朋友还是敌人对梅的关注都越来越多。直到2013年7月，瓦斯发出推特6个月后，梅透露自己体重骤减实际上是因为不久前染上的1型糖尿病，这才平息了种种传言，梅在这一事件中的做法被戴维·卡梅伦和他唐宁街10号的团队视为公开宣战。

首相和未来接替他的女人之间关系日益恶化，原因可以追溯到数年之前。卡梅伦一般来说是个从容的首相，没有几个世纪以来唐宁街10号的主人们那样多疑。但是他周围的团队并不像他一样无忧无虑。随着梅在联合政府执政中期取得引人瞩目的成就——奥运会，阿布·哈姆扎，加里·麦金农，警察联合会，阿布·卡塔达，同性恋婚姻——内政大臣公开在媒体上以潜在未来首相的姿态讲话，同时在定期举行的民意调查中经常高居首位，无论参与调查的是选民还是保守党党员，这一切开始在唐宁街10号里亮起红灯。让卡梅伦帮更加忧心忡忡的是：梅的特别顾问们拒绝与克雷格·奥利弗以及唐宁街的其他团队合作；对自己被排除在核心圈子之外这件事，她长久以来的回应愈发被视为不肯融入团队。威廉·黑格说：

你会发现特别顾问之间的关系有多糟糕，如果你的大臣……唐宁街10号并不能对其发号施令，（而且）做事情固执己见……你会发现特别顾问之间的关系开始变得不耐烦，虽然并未破坏她与戴维·卡梅伦的关系，但在表象之下矛盾十分尖锐。

感受到这种紧张气氛的工党变得兴高采烈。2013年3月，在首相问答环节发生了一段极为尴尬的对话，工党领导人爱德华·米利班德发现自己指责卡梅伦未能回答问题时，梅明显不以为然。“内政大臣摇头了。”米利班德说，“当他们成为在野党的时候，我很期待她（代表保守党）和我面对面交流。”下院所有党派的议员都笑了，梅一脸冷漠地坐在那儿，而卡梅伦的笑容有些尴尬。他可能还没染上疑心病，但很明显开始重视周围人的警告：内政部的团队正在鼓吹论朝换代。

黑格排除了梅主动谋划的可能。但是他表示所有内阁成员，包括首相，都非常清楚，如果卡梅伦摔到著名的伦敦巴士下面，梅会袖手旁观。他说：

我不认为她已经想清楚要掌权了，我想她正在把自己置于可以掌权的位置。领导者知道其他人正做好准备最终取代自己。我认为她多年来一直有兴趣成为党的领导者。但是她要的手段还不明显。

黑格说，尽管当时自己是梅最亲近的大臣之一，但梅从来没有和他讨论过领导人的问题。

卡梅伦身边的消息人士表示首相知道梅的策略是保留选择权，还说很明显她的顾问们热衷于帮她登上巅峰。不过，这位消息人士补充说：

她的人非常生气勃勃，非常能干，非常能发挥作用。他们可能和她谈过入主唐宁街10号的事情，但这些谈话可能每6个月持续大概10秒。她的工作强度如此之大，不可能把几小时、几天的时间都浪费在室内战争游戏上玩出个结果。而且，即使他们这样做，也不可能预测到实际会发生什么。

无论她是否积极谋划取代卡梅伦，一方是梅与内政部，另一方是卡梅伦与他的唐宁街10号团队，从2013年底到2014年，双方的关系开始恶化。他们也许没有取代卡梅伦的计划，但是梅和紧密团结在她周围的团队绝不想回到2005年的处境，当时梅没有职位、没人关注，她发现这阻碍了自己对领导人位置的抱负。她的团队采取了一系列巧妙的行动，提高她在议员同僚中的地位。在蒂莫西的指导下，“茶水间时间”恢复了，梅不得不经受每周首相问答之后和同事闲聊的考验。

也许同样重要的是，考虑到今后任何竞选最终都是由党员来决定胜负，她也在“橡皮鸡”巡回[1]中投入了更多精力。她和菲利普在默顿那些日子的遗产之一就是，梅一直都勤勤恳恳地接受邀请，代表当地保守党在活动上发言。现在这对夫妇用宝贵的夜晚时间游历全国，确保梅与成千上万的保守党活跃分子建立个人联系。梅主

[1] 选举人为竞选巡回各地召开宴会，发表演讲寻求支持。这种宴会参加人数众多，但菜品不佳，煮过头的鸡肉像橡皮一样嚼不烂。

席因为“下流的政党”的演讲被基层党员鄙视的日子已成为遥远的回忆。埃里克·皮克尔斯说：

实际上，她一直孜孜不倦地参加党的活动。因此我认为如果参加大选（而不是毫无阻力地被选为领导人），她会轻而易举地大获全胜。因为在大多数地方，社团里总会有两三个人已经见过她。她像一名地方议会议员那样工作，她确实是从上到下地参与党的活动。这让你对这个党有了新的了解，有了新的爱。

利亚姆·福克斯有同样的看法。“她了解保守党，也爱它。”他说。

虽然大多数人不易察觉这些动作，但对唐宁街10号的观察者来说，这是显而易见的，尤其在媒体报道之后。报纸开始刊登从梅的“朋友”那里得到的消息，说她是最可能“终结鲍里斯”的人，有暗示说她明白卡梅伦暂时“哪儿也不会去”，与此同时，内政大臣把鲍里斯·约翰逊看成“一个有点可笑的角色”，时机成熟的时候十分乐意给他点颜色看看。[331]

但即使梅和她的团队没有公开谋划反对卡梅伦，对唐宁街10号的许多人来说，煽动首相离职和摆正位置等待时机接管权力，两者之间并无分别。在副首相办公室旁观的肖恩·坎普说：

很长一段时间以来，围绕卡梅伦总是有所猜测。很多后座议员说他应该离职。哪位大臣明目张胆地紧盯着首相的位子，你也会谨慎对待他。他们是否有时会过度敏感？会的。但要记得当时的氛围。他们不认为梅会发动政变，但很明显特蕾莎·梅和她的团队认为，如果他们（在2015年选举中）失败，卡梅伦出局，那么他们就要开始行动了。如果你在党的领导人身边，知道和自己一起工作的人正等着他蒙受整个国家的羞辱然后离职，你会有什么想法？你也会如此敏感。

威廉·黑格坚持认为，内政部的不肯合作惹恼了唐宁街，后者有多么“敏感”都不足为怪。他说：

有时候唐宁街10号和内政部的关系紧张，不是因为“特蕾莎·梅想成为首相吗”，而是——“即使唐宁街10号有人想改主意，内政部依然坚持自己的方案……他们照着特蕾莎·梅的话做事，”那真的会引起沮丧和紧张。

菲奥娜·希尔支持梅的做法：“我当特别顾问的时候，从来没有听她批评过戴维·卡梅伦。”[332]埃里克·皮克尔斯十分清楚双方隔阂日益扩大的原因。“疑心病（比梅）预想的更严重。”他说，“不主动去做什么，但也不排除这种可能性。”

2013年3月中旬，唐宁街10号最多疑的工作人员最害怕的事情看起来要成真了，梅参加“保守党之家”组织的“胜利2015”活动，面对党的积极分子发表了被委婉地形容为“内容广泛”的演讲，她的发言严重偏离了自己的民政主题。大厅里的那些人，记者和梅的同事们毫不犹豫地说这是未来领导人的演讲，阐明了有朝一日她希望成为什么样的“一国”首相。尼克·蒂莫西关于社会正义的思想，那些感觉被遗忘的社区提出的诉求，这些东西从头到尾毫不掩饰地贯穿演讲始终。演讲还特别暗示了一点，保守党可能在应对“既得利益”和“分享精英权力”[333]方面做得不够，这被视为向卡梅伦帮和他们在唐宁街10号建立的、享有特权的上层政权发起挑战。

演讲以赞美卡梅伦开始，梅接下来的话让唐宁街10号和11号里的每一个人都打起了精神，唐宁街11号的乔治·奥斯本依然雄心勃勃地想要在他的朋友之后成为首相。“我们取得了令人满意的成就，我们组建了正确的团队。”梅说。

但这些优势还不够。我们必须成为永不懈怠地对抗既得利益的党。我们必须成为从精英那里拿来权力交给人民的党。我们的党不仅属于那些成功人士，更要成为那些想要努力工作、出人头地的人的家。[334]

梅继续阐明她认为党应该采取的政策——而且符合逻辑的推理是，她会成为党的领袖人。在代表们的欢呼声中，她发誓要废除《人权法案》，确保公司缴纳税款，允许私营公司和慈善机构运营公共服务，同时制订国家工业战略计划，让政府在经济中发挥更大作用，最后一点令她的自由民主党内阁同事文斯·凯布尔十分惊讶和赞同。

这个演讲立刻被称为梅的"英国愿景"，房间里的活跃分子们兴高采烈地表示欢迎，其中一些人开始发推以示支持，所发推特的标签是TM4PM[1]。许多议员也欢迎她重振"一国保守主义"[2]的理念。事实上，基思·辛普森认为，"愿景"演讲是梅在公开表达自己的愤怒，这对她十分罕见，这种愤怒来自目睹卡梅伦和善但有些精英主义的家长式统治。他说："除了克制对方高人一等的姿态带给自己的深切懊恼和愤怒之外，我越来越认为，尽管她掩饰得很好，但你还是能看出蛛丝马迹，她认为（她知道）这个国家想要什么样的统治，那是另外一种方式。"

卡梅伦帮的回应没那么乐观。恰逢民意测验显示米利班德领导的工党将在2015年大选中顺利赢得多数，而卡梅伦的领导权力正面临名不见经传的后座议员亚当·阿弗里耶的挑战，虽然没有威胁但依然令人困惑，她脱稿讨论党的未来是不受欢迎的节外生枝。演讲发表两天之后的议会会议上，有一位忠实的议员呼吁卡梅伦"控制他的内阁"。[335]

不过一般来说，包括在议员中，对演讲的反应都是积极的。在卡梅伦帮猛烈反击之前，梅和她的团队还能享受短暂的温暖时光。演讲过后三天，奥斯本坚定的支持者迈克尔·戈夫在政治内阁中指责不具

---

[1] Theresa May for Prime Minister，特蕾莎·梅当首相。

[2] 一国保守主义是英国保守党的一种务实政治观点，在某种程度上强调上层阶级应该帮助下层阶级，或指社会及经济政策能够涵盖各阶层的保守主义。该词由1868年2月成为首相的本杰明·迪斯雷利提出。

名的大臣们“不忠”，试图为他们自己的“领导业绩”贴金。[336]他还补充说，自己“震惊地看到桌子边上的某些人已经参与到这场领导人投机中”。[337]他没说出梅的名字也没直接提到她，但是现在每个人都知道他指的是谁。双方发布的消息你来我往，愈演愈烈，议会政党会议和政治内阁的相关报道见诸报端。为了报复，梅的团队（不寻常地）明确表示之前他们曾将演讲稿发给唐宁街10号审批。几天后，同样被视为王位主要挑战者的鲍里斯·约翰逊，在一个采访里捅了马蜂窝，同样没有指名道姓，但显然是在批评梅。“如果大臣们要表明他们的立场，这种奇怪的行为会令我诧异。”市长说，“他们应该专心管好自己的事情。闭上嘴巴好好干活支持首相。”[338]

内政大臣对自己演讲引起的反应感到震惊，被指责不忠让她非常苦恼。她明确指示自己的特别顾问们通报媒体，大意是她正在制定自我约束的条例，作为内政大臣再也不会离题万里。她基本上坚守了这一誓言——偶尔也会被唐宁街10号惹恼，例如在2016年脱欧运动里，她在某些更有挑战性的辩论中大受欢迎。

针对梅发表“愿景”演讲，戈夫做出激烈回应，他们之间关于伊斯兰极端主义的冲突就是发生在这样的背景下，这场争吵导致菲奥娜·希尔离职。戈夫将乔治·奥斯本视为卡梅伦理所当然的继承人，决心要目送他大体上众望所归地继承首相之位（这也是卡梅伦的愿望），这无异于火上浇油。具有讽刺意味的是，奥斯本自己对梅那些所谓的手段很不放在心上，而将鲍里斯·约翰逊视为最大的对手。当时他核心圈子里的某人说：

乔治将鲍里斯视为更大的威胁。虽然每个人都知道特蕾莎有抱负，或者确切地说她的团队有，但她在议员中似乎没有太多追随者。没有任何迹象表明会发生一场声势浩大的运动为特蕾莎·梅争取领导权，也看不出有很多人等着支持她。很难看出来特蕾莎如何进入冠军对决（在这场领导人之争中，最终的胜负由议员们的选择决定）。而乔治有非常多的人（支持）。他就像常说的章鱼，触手无处不在。

“愿景”演讲的一个持久影响是，非常害羞的内政大臣受到越来越多的关注。她是2013年春天和初夏许多报纸的主题，几乎所有报纸都提到了她现在体重急剧下降，此外在几个月前《每日电讯报》的采访中，她首次详谈自己没有子女的事情。[339]她现在也开始被拿来与玛格丽特·撒切尔、德国总理安格拉·默克尔进行比较。到2013年6月，梅对最高职位的抱负成了顺理成章的事情，以至于在议会座位上被公开讨论。在一次交流中，工党的约翰·斯佩勒问商业大臣迈克尔·法伦："他能和内政大臣谈谈，让她支持英国工业界吗？也许这还会对她的首相野心有所帮助。"法伦回答说："他们可能不需要太多帮助。"保守党大臣公开证实梅的目标是有一天进入唐宁街10号——而且被认为有成功的希望。

但是当威斯敏斯特痴迷于梅未来的政治抱负，内政大臣还要应对一个更现实的问题：她的健康。《星期天邮报》记者西蒙·沃尔特斯第一个敏锐地发现梅的体重下降了几磅，9个月前，梅在2012年保守党大会上演讲时穿的衣服没那么循规蹈矩，他对此写道：

> 内阁时尚偶像特蕾莎·梅几乎减掉了两英石[1]，感谢夏天的沙拉和散步……夏天她减轻体重靠的是每日减为二餐，喝红茶，吃沙拉，不吃加工食品，经常和银行家丈夫菲利普散步。[340]

12月，《电讯报》采访她没有子女的问题，梅驳斥了“工作压力，感冒持续了两个月，每周三次去健身房”让她“过于消瘦”的说法。[341]

实际上，在两篇文章之间，基斯·瓦斯发推之前三个月，梅已经知道自己体重减轻与健身或流感无关。2012年11月，她为了治感冒去看医生，发现自己血糖水平很高，表明她已发展为糖尿病。首先，尽管她的身体素质令人钦佩，但据推断她患有2型糖尿病，很大程度是因

---

[1] 英石是英国和英联邦国家广泛应用的重量单位，1 英石 ≈ 6.35 千克。

为她的年龄，这种病人往往会超重，同时胰岛素不能对身体发挥正常作用。医生给她开了药，但几个月过去了，她的体重持续下降。再去看医生的时候，她已经在一年里掉了两英石，体重下降到十英石，而进入议会时有十四英石。2013年5月，进一步的检查显示，对五十几岁的女性很不寻常的是，她的糖尿病实际上是1型，因为通常出现在幼年时期，也被称为“童年糖尿病”，患者的胰腺不能产生足够的胰岛素。

1型糖尿病是一种慢性病，有时会带来心脏病发作和中风的危险，同时也会让梅的生活方式发生巨大改变，包括每天四次给自己注射胰岛素。令她遗憾的是，即使她喜欢烘焙、热衷于BBC的英国家庭烘焙大赛，蛋糕现在已经排除在菜单之外了，包括她最喜爱的黏稠的太妃糖布丁。她还得注意进餐时间，对忙碌政客来说这并不容易，他们习惯于全国到处跑，还要飞往国外。很多时候她不得不巧妙安排，她对英国糖尿病慈善杂志《平衡》说：

> 有一次，我本来想晚一点去议会，但是上午11点我必须去参加辩论，而且5点之前出不来。我在手提包里装了一袋坚果，我的一个同事时不时身体前倾，这样我可以吃一些坚果，而不会被议长看到。[342]

梅下定决心不让糖尿病拖慢自己的脚步，或者过度影响生活——她已经完全实现了这些目标。就像生活中面临的诸多挑战一样，她对自己健康情况的回应就是“着手处理，做好工作”。[343]她决定在2013年夏天说出实情，这让她成为许多年轻患者和他们父母的榜样，她证明即使被诊断患上糖尿病也不会损害他们的生活——如果心怀希望，甚至也不会阻碍他们成为首相。

《星期日邮报》特写作家莉兹·桑德森采访她之后写道：“她下决心坦率地讲出来，部分原因是残酷的威斯敏斯特八卦。”[344]对围绕她体重的流言，梅清晰地表达了自己的愤怒：“这不是什么伟大的马基雅维利计划——这儿没有争夺领导权力的斗争。”梅这样形容听到自己患有1型糖尿病的反应：

这真的让人震惊，而且我的确花了一段时间来和它妥协。糖尿病不会影响我工作的方式或内容。这只是生活的一部分……它过去不会，将来也不会影响我的工作能力。饮食上我小心了点，显然也需要注射，但数百万的人都需要……

如果梅希望通过采访让关于领导人的流言降温，那她肯定会感到失望。还不如说，她手法娴熟地处理了自己的糖尿病问题，包括利用这件事击退了那些质疑她体重问题的人，这让关于她野心的传言火上浇油。不管怎么说，效果不错，民意调查结果显示梅的支持率仍然居高不下，她在媒体和同事中的形象日益改善。而在唐宁街10号，卡梅伦帮的疑心更重了。就像塔列朗[1]，据说他曾这样思考一个敌人的死亡："我不知道他这么做有什么用意"，无论是糖尿病采访，还是采访引发的对梅的关注，唐宁街的反应都是质疑她有什么动机。

《星期日邮报》的文章还产生了其他长期的影响。显然梅与莉兹·桑德森之间建立了融洽的关系，这位特写作家的文章广受欢迎。11个月后，梅信赖的媒体顾问菲奥娜·希尔因为和迈克尔·戈夫的争吵被迫离开政治核心，梅向桑德森求助，要求她加入自己的内政部特别顾问团队。在内政部，桑德森以友善和比希尔更温和著称，虽然她不会重拳出击，也不像前任那样在政府中拥有强大的影响力，但她是内政大臣信任的人。梅成为首相之后，桑德森和她一起去了唐宁街10号，加入了她的新闻运营团队。

从糖尿病采访到希尔在2014年6月离职，这几个月里梅在内政部的权力达到了巅峰。她在2013年10月保守党会议上发表演讲，再一次攻击了《人权法案》，她承诺一个保守党占多数的政府将会废除这一法

[1] 夏尔·莫里斯·德·塔列朗－佩里戈尔（1754～1838），法国主教、政治家和外交家。他的政治生涯历经路易十六、法国大革命、拿破仑帝国、波旁复辟和奥尔良王朝时期。"塔列朗式"用来形容狡猾的外交。据说听到土耳其大使的死讯，塔列朗说："我不知道他这么做有什么用意？"也有说法称这段话是奥地利外交官听到塔列朗死讯时说的。

案。她叙述了驱逐阿布·卡塔达出境的经过，透露这位神职人员叫她“疯狂的梅”。

“我承认我很疯狂——为欧洲人权法院而疯狂——我也知道自己不是一个人。”她说。

这是一个外国恐怖主义嫌疑犯，想要在他的祖国犯下最严重的罪行，我们一遍又一遍被告知——感谢《人权法案》——我们不能驱逐他。英国政府不得不花费这么长时间来摆脱危险的外国人，这太荒谬了。

梅的发言又一次让自己站在联合政府各方的对立面，令保守党总检察长多米尼克·格里夫这样的人感到沮丧。两个月后，前首席法官贾奇阁下直言不讳地批评了梅的演讲，说梅对司法系统的批评令他感到“惊讶”。[345]

随着梅的行情看涨，有人指出，独裁的空气已经在内政部蔓延，他们日渐采取高压手段对付在唐宁街10号和白厅的对手。有一些传言说梅对待部长和官员们盛气凌人，事无巨细都要管到。就职仅仅一年之后，内维尔·琼斯女男爵在2011年离开了内政部。内政部的常任秘书海伦·戈什，只待了20个月就弃船而去，明确表示很难与梅合作。

然而，马克·哈珀不同意将梅说成控制欲过强。他说：

毫无疑问，你明白像她这样的领导会对工作十分关心。当然在内政部你有这种想法是很自然的，因为有人出了错，最终承担风险的是内政大臣。所以她的关注在意料之中，但依我看她的工作方式是恰当的。她不是那种觉得自己必须事必躬亲的大臣。她的地位十分稳固，可以放手让部门的人做他们分内的事情。

尼克·蒂莫西曾这样形容梅的管理风格：“她想知道发生了什么，

想要解决问题。”[346]

2013年10月加入内政部的一位大臣发现，他比其他人更难忍受梅。由尼克·克莱格任命的诺曼·贝克被梅视为强加的麻烦，从未安定下来，在任期内也从未过得舒心。他逐渐开始尊敬梅，甚至学会与菲奥娜·希尔相处，但他从未与尼克·蒂莫西建立工作关系，并且总感觉内政大臣和她的特别顾问们都没有兴趣让他参与内政部的日常工作。贝克相信他们严重误解了联合政府内部运转的实际情况。在《格格不入》一书中，他说自己不断被排除在决策过程之外，他认为有资格看的文件和通报也看不到。肖恩·坎普相信贝克的沮丧是可以理解的：

这种情况很困难。自由民主党人在这里取得成功很不容易。事实上，你能取得的唯一成就就是不知何时会打上一架。你正在谈论的是一位令人印象极为深刻的大臣，两个令人印象极为深刻的特别顾问，他们控制一切，所以对自由民主党的大臣来说这份工作可不好干。

贝克这样总结自己对梅的态度：

我从没恨过特蕾莎·梅。事实上，我尊重甚至钦佩她……问题是我不喜欢她管理部门的方式。她会争辩说没有中央集权的强大控制力，她不会在这个位子上待这么多年，也许这是真的。但代价是官员们战战兢兢，部门弥漫着工作繁重、乏味的悲观气氛，扼杀了思想和创新。我们都看到了棍子，但胡萝卜在哪里？[347]

实际上梅自己也证实了那些她对官员态度严厉的报道。有一个故事说她一头撞在桌子上，就因为她觉得一位高级官员的报告不够完善，被问起这件事时她笑了："我没有把头撞在桌子上，我只是失望得趴在桌子上。"[348]在2015年内政部公务员调查中，六分之一的人，即2500人，抱怨在工作中遭到过欺凌或骚扰。[349]

不管怎么说，贝克在内政部的时光并不都很糟糕。他讲到过一次愉快的圣诞大餐，或许还有点尴尬，就在马士罕街内政部对面的餐厅，这顿饭的后续发展十分出人意料。

特蕾莎邀请我们所有人——大臣们、常务秘书和特别顾问——共进圣诞节午餐，这让气氛变得轻松起来，即使1月初才最终成行。我们午餐时间准时集合在天使餐厅的地下室里……我迟到了几分钟，房间里的气氛有点强颜欢笑……几天后，每位大臣都收到了特蕾莎一张58.74英镑的账单。[350]

一连串的争吵之后，贝克最终还是一气之下在2014年11月底退出了内政部，原因是审查毒品政策时感觉自己被排除在外。不过根本问题在于，他反感内政部政权，同时缺乏应有的自由。离开后，贝克在一系列采访中大吐苦水，其中一次还说出“走过泥潭”这样令人难忘的话来形容自己在内政部工作的经历。[351]尼克·克莱格选派琳妮·费瑟斯通在联合政府的最后几个月里接替贝克的工作，不过她很高兴重新加入梅和内政部的团队，即使这意味着要在国际发展部工作。她批评贝克的行事风格。“他走得很突然。”她说。

他说与特蕾莎一起工作就像走过泥潭，他无法继续忍受，这让我很生气……当她听说我回到内政部……一个投票表决的晚上，我在议会休息室走来走去，她只是伸出双手，我们拥抱在一起。

贝克在他愤怒的告别采访中还指责说，梅深受她特别顾问的控制。费瑟斯通对此也有些担心。“尼克和菲奥娜显然和她走得非常近。”她说。

我认为如果（作为首相）她需要注意什么，那就是所有决定都要由她自己做出。我知道她全心全意地信任他们，而且她很忙，你会完全依靠你信任的人，因为他们知道你是怎么想的。

不久之后，梅成为首相，把菲奥娜·希尔和尼克·蒂莫西一起带入唐宁街，一位匿名消息人士向《卫报》透露，梅与她特别顾问的关系有些像戈登·布朗和其顾问（后来的内阁大臣同事）埃德·鲍尔斯之间的关系。消息人士说在官员面前梅不会明确表达自己的意见，"她和尼克和菲奥娜一起离开一个小时，然后——乒的一声——做出决定。这和戈登·布朗很像。他会离开，我们都认为是埃德·鲍尔斯告诉他该怎么办。"

菲奥娜·希尔的离去对梅来说是难以忍受的，同时在某种程度上也标志着她与公众和新闻界关系的倒退。更重要的是，到目前为止，唐宁街和内政部之间的恶劣关系一般限定在顾问级别，而她现在感觉和卡梅伦也产生了矛盾，这或许是可以理解的。虽然总被说成是"无法解雇"的，但她也开始遭遇一些小问题，放到过去可能会让以前那些内政大臣辞职，即使对梅来说，也令人尴尬地上了不少头条新闻。

第一个问题来得太快不是时候，就在希尔离职后不到两个星期，当时护照办公室积压了将近55万份申请。虽然从表面上看，影响被控制在一定范围之内，与内政部日常应对的恐怖主义、移民和犯罪无法相提并论，但事实上护照作为日常必需品至关重要，其后果的严重程度出乎意料。6月中旬这个时间点也很糟糕，成千上万个家庭期待的一年一度的夏季休假面临取消的风险。这些家庭遍布全国各地，这意味着下院的每一个议员都被"惊慌失措和焦虑的选民淹没了"。[352]他们都想从梅这里得到答案。这场危机很快就得到了解决，但几个月后的行动显示了梅处理危机时有多认真，2014年9月，梅宣布和边境边防局一样，护照办公室重归内政部管理。她又一次忍无可忍，她不能再为那些并不由她直接控制的机构负责。

梅的下一个错误影响深远。2014年7月，对各个阶层英国人生活中儿童性骚扰的曝光、传闻和投诉如海啸般袭来，有些案例可以追溯到几十年前，有些指向政治家和社会名流，为应对这一情况，内政大臣宣布她正组织对历史上儿童性虐待问题进行深入调查。梅的目的很明确：对迅速成为国家丑闻的问题进行一次强有力的彻底调查。她后来经常谈起与受害者会面给她带来的触动。但一系列失误和不明智的任命阻碍了调查的进行，以至于梅成为首相之后，调查已经变成一场闹剧。宣布调查的第二天，梅提名无党派议员同事、高等法院家庭事务部前负责人巴特勒–斯洛斯女男爵主持调查。这一决定立刻遭到质疑。斯洛斯的兄弟哈佛勋爵在1980年代担任过总检察长和大法官，当时列昂·布列坦的内政大臣任期正接近尾声，有说法称布列坦收到的一份档案指名多位议员为恋童癖。这份文件从此以后就消失了。斯洛斯接受任命的时候，布列坦本人正面临着虐待儿童的指控。2015年1月去世时，他和大众仍然不知道警方已经得出结论他“无须答辩”[1]。然而6个月前斯洛斯上任的时候，对布列坦的调查仍在积极进行中，她对自己在委员会中的角色非常消极。一个星期后她辞职了。

梅在9月份提名律师、伦敦市长菲奥娜·伍尔夫出任此职。她比自己的前任只多待了几个星期，当时显示她与布列坦有过多的公私关系，还在自己家里款待过这位贵族和他的妻子，实际上主人和客人都住在北伦敦街。受害者团体威胁要对她的任命进行司法审查，于是伍尔夫也下台了。

事实证明梅为调查小组选择的第三位负责人危害最大。现在调查的进展远远落后于计划，同时害怕找不到一个与英国国内权势集团没有瓜葛的主席，因此内政部官员们发起一场被称为“疯狂搜索”[353]的行动，寻找伍尔夫的接替者。一度决定将搜寻范围扩大到英联邦，大概由于前殖民地拥有类似的法律体系，梅联系了新西兰首席大法官塞恩·伊莱亚斯询问她的意见。她推荐了新西兰高等法院法官洛厄尔·戈达德，两个人曾经一起上学、一起接受培训。梅和莉兹·桑德森通过Skype电话对她进行了面试。戈达德表现得不错，看起来方方面面都符合要求。之后，她的任命正式对外宣布。

如果说轻率地选择巴特勒–斯洛斯和伍尔夫也许是欠考虑，那么

---

[1] 刑事诉讼中控诉方举证之后，被告方以指控不成立为由，请求法庭宣告自己无罪。

选择戈达德则是彻头彻尾的灾难。梅离开内政部之后，戈达德突然辞职，只说是出于对新西兰的乡愁，这时她主持的调查的种种弊端才浮出水面。两个月后，2016年10月，《泰晤士报》的头版报道披露了她离开的更多背景，报道声称戈达德的好斗和恶语相向时常让调查“接近瘫痪”。[354]这位法官被指控在新西兰国内度过了大把时间，经常勃然大怒，还发表了一系列种族主义言论。戈达德断然否认了这些说法，对此议会依然在调查中。任命戈达德是否明智在梅成为首相之后依然困扰着她，在一次首相问答中，她承认还是内政大臣时被告知关于戈达德的“报道”，但感觉在“怀疑、谣言或传闻”的基础上介入并不恰当，这让争议愈演愈烈。调查是否像梅向受害者承诺的那样“有的放矢”，现在仍然值得商榷。

梅仍然在寻找伍尔夫的替代者，与此同时发生的一系列事件让她失去了第二重要的特别顾问。菲奥娜·希尔从内政部撤出并没有改善她的团队与唐宁街10号卡梅伦帮之间的关系。民政事务部大体上继续正常运转，而梅的顾问仍然拒绝对克雷格·奥利弗唯命是从。2014年9月，据说奥利弗对着梅“大吼大叫”，[355]要求她给予他更多的尊重。两个月后，尼克·蒂莫西和希尔、菲利普·梅一起组成三位一体的核心圈子，成了唐宁街10号的眼中钉。

威斯敏斯特长久以来的惯例是特别顾问向媒体透露消息时要匿名，通常以“身边消息人士”或“大臣发言人”为幌子，主要考虑到他们代为发声的人可以推说不知情。蒂莫西现在把这一惯例撕成了碎片，他接受《旁观者》杂志生活副刊的采访，从多个角度谈了对梅的印象，而且同意采访提到自己的名字。蒂莫西公开赞扬梅“对未来的远见，对政治和政党前景的远见”。[356]威斯敏斯特的观察员们目瞪口呆。詹姆斯·柯卡普在《电讯报》上气急败坏地说：

在过去十年里，我不记得哪个特别顾问这样公开表态。我不认为蒂莫西先生是自作主张。不能想象大臣对他的公开发言毫不知情。所以我们可以推断，特蕾莎·梅已经批准她的员工说出她对英国和保守党的未来“愿景”。这让我们深入了解了梅夫人的抱负以及她与唐宁街10号现在的关系。[357]

蒂莫西的公开发言被拿来与某位匿名消息人士极具煽动性的话相提并论，那是关于梅现在对戴维·卡梅伦的看法，这让唐宁街的怒火进一步高涨。这位不知道是不是蒂莫西的“友人”的话被引述：“她不再评价卡梅伦。以前有过，但今后不会再这样做。她一度想取悦戴维，可她慢慢发现这是不可能的。她放弃他了。”[358]更令人怒火中烧的是，在内政大臣所说的“媒体三日闪击战”[359]中，除了《旁观者》生活副刊登出的采访，还包括在BBC的《荒岛唱片》和《安德鲁·马尔秀》上露面，关于伊斯兰国家威胁的重要演讲，接受政治研究协会颁发的年度政治家奖。包括唐宁街10号在内的许多观察家都相信，随着她的“媒体闪电战”，梅公开加入领导人之争，她认为如果依照民意调查结果，卡梅伦在大选中又一次让保守党屈居少数，那这场斗争6个月内就会来临。

在《荒岛唱片》现场，梅试图淡化对她野心的猜测，说她参加不是想展示自己带来的东西，而是为答谢一份荣誉：受邀参与的节目已经成为“英国生活必不可少的一部分”。[360]她坚持说：“戴维·卡梅伦是一流的保守党领导人，也是一流的首相，我希望他长久地干下去。”[361]几乎没人相信她。节目会邀请名人选择八张唱片带到俗话说的荒岛上，而她的选择大部分是音乐剧，受到威斯敏斯特的克里姆林宫学家的仔细分析。法兰奇·瓦利和四季乐队的《像男人一样行走》受到重点关注，这首曲子来自伦敦西区上演的《泽西男孩》，她说和丈夫菲利普一起看过这部音乐剧，这让她想起和朋友在皮尔逊音乐厅度过的晚上，那是她自己选区的乡村音乐厅。至于为什么这样选择，她说早就拿定主意自己不必“善于交际”，或者试图打破老男孩的关系网去实现目标，还补充说：“我很清楚女性在政界、商界，无论什么领域，都能保持自我并完成工作，而不会觉得必须‘像男人一样行走’。”[362]

梅这次出现在《荒岛唱片》对卡梅伦帮来说是一种刺激，正如

"保守党之家"网站关于领导人的年末民意调查显示，梅对鲍里斯·约翰逊的领先优势扩大到11个百分点，领先乔治·奥斯本16个百分点。然而蒂莫西与《旁观者》生活副刊的公开合作决定了他的命运，他这种做法被视为公开宣战。据说，戴维·卡梅伦和乔治·奥斯本在唐宁街10号下午4点的每日策略会上看到了这篇报道，保守党主席格兰特·沙普斯也出席了会议。有消息称这三人已经认同这篇文章等于"背叛"。[363]唐宁街将在三个星期内实施报复。

蒂莫西长期以来一直渴望成为议员，梅全力支持他实现这一抱负。但在2014年12月，大选前不到5个月，他突然被保守党总部告知，自己不能获得西米德兰兹郡奥尔德里奇–布朗希尔斯选区的安全席位。梅的另一位顾问斯蒂芬·帕金森也被排除在候选人名单之外，未来的保守党议员们必须在名单上有一席之地才有资格参加选战。在唐宁街10号的（匿名）通报会上，媒体被告知，这两人因为没有参加最近的补选活动而受到惩罚。圣诞节前五天发生这种事，而且卡梅伦本人已经批准将两人从名单中删除，[364]显然，唐宁街和内政部特别顾问之间的长期矛盾最终爆发为公开战争。蒂莫西和帕金森争辩说，作为政府工资名单上的一员，特别顾问的行为规范禁止他们参加选举活动，两个人多次向内阁办公室寻求保证这样做不会破坏规则，但没有得到任何答复，他们已经决定不参加罗切斯特的补选。梅亲自介入，恳请沙普斯将两人重新列入名单。他拒绝了。

在大选前夕，蒂莫西和帕金森的指控被免除，强大的下院公共行政委员会裁定，保守党总部错误地要求这两个政府雇员参与选举活动。但那时候已经太晚了。2015年大选期间，两个人未能及时被选上参与议员席位争夺战。蒂莫西对自己的遭遇怒不可遏，6个月后退出政府，进入支持免费学校的"新学校网络"工作。第二年，他为"保守党之家"网站写了一系列贬低卡梅伦和奥斯本的文章，伤痕累累的心好受了一些。而梅在12个月内又失去了一名核心成员，每次都是来自唐宁街10号的命令，她几乎难以忍受了。安德鲁·兰斯利说：

很清楚，最令她愤怒的是和戈夫的争吵，以及唐宁街10号如何对待她、菲奥娜和（之后的）尼克·蒂莫西。他们仇恨她的顾问，这严重冒犯了她，尤其她忠于她自己的人。她绝不希望他们夹在中间。她很难过地看到他们被唐宁街10号丢出去、抛弃掉。

随着2015年大选快速临近，梅明确表示，如果卡梅伦到时出了问题，那么不会是鲍里斯·约翰逊，不会是乔治·奥斯本，更不会是迈克尔·戈夫，而是她自己将成为保守党的下一任领袖。

>>>

329.《特蕾莎·梅：我那令人震惊的疾病》，桑德森，同上。

330.《特蕾莎什么推也没有发》，罗伊那·梅森，《每日电讯报》，2013年2月16日。

331.《保守党人考虑后卡梅伦时代，特蕾莎名望上升》，詹姆斯·查普曼《每日邮报》，2013年3月7日。

332.《穿着中跟鞋的大野兽》，亨利·科尔，同上。

333.《2013年特蕾莎·梅“保守党之家”演讲全文：为全体人民服务，我们的党就能胜利》，“保守党之家”，2016年7月12日。

334.同上。

335.《梅对保守党领导权的努力在内阁中一败涂地》，克里斯托弗·霍普和詹姆斯·柯卡普，《每日电讯报》，2013年3月13日。

336.同上。

337.《特蕾莎·梅的盟友说卡梅伦批准过她的“领导人”讲话》，乔·墨菲，《伦敦标准晚报》，2013年3月13日。

338.《闭上嘴巴少管闲事：鲍里斯给梅的崇拜者发信息》，汤姆·牛顿·邓恩，《太阳报》，2013年3月15日。

339.特蕾莎·梅的采访，《我可能在学校中自命清高》，皮尔森，同上。

340.《特蕾莎“小荡妇”聚会的时尚秘密》，西蒙·沃尔特斯，《星期日邮报》，2012年10月14日。

341.特蕾莎·梅的采访，《我可能在学校中自命清高》，皮尔森，同上。

342.《糖尿病患者梅在下议院违反食物禁令》，克里斯·史密斯，《泰晤士报》，2014年11月7日。

343.《荒岛唱片》，同上。

344.《特蕾莎·梅：我那令人震惊的疾病》，桑德森，同上。

345.《前高级法官说斯特拉斯堡并不凌驾于英国法庭之上》，戴维·巴雷特，“电讯报在线”，2013年12月4日。

346.《穿着中跟鞋的大野兽》，亨利·科尔，同上。

347.《格格不入》，贝克，同上。

348.《荒岛唱片》，同上。

349.《六分之一的内政部员工在工作中遭到欺凌》，克雷格·伍德豪斯，《太阳报》，2016年1月4日。

350.《格格不入》，贝克，同上。

351.《自由民主党人贝克辞去大臣之职》，乔·丘彻，英国国家通讯社，2014年11月3日。

352.《简述：梅失去了通往保守党领导人之路》，埃丝特·阿德利，《卫报》，2014年6月13日。

353.《她如何通过Skype得到工作》，《星期日邮报》，2016年10月16日。

354.《性虐待调查法官的“种族主义被掩盖”》安德鲁·诺福克，《泰晤士报》，2016年10月14日。

355.《西蒙不会“倒戈加入英国独立党”》，吉多·福克斯，《太阳报》，2014年9月7日。

356.《穿着中跟鞋的大野兽》，亨利·科尔，同上。

357.《特蕾莎·梅向唐宁街宣战了吗？》，詹姆斯·柯卡普，“电讯报在线”，2014年11月25日。

358.《穿着中跟鞋的大野兽》，亨利·科尔，同上。

359.《特蕾莎媒体三日闪击战》，《每日邮报》，2014年11月25日。

360.《荒岛唱片》，同上。

361.同上。

362.同上。

363.《激烈争论后准备惩罚特蕾莎》, 安德鲁·皮尔斯, 《每日邮报》, 2014年12月20日。

364.《卡梅伦批准从候选人名单中删除梅的助理》, 弗朗西斯·埃利奥特, 《泰晤士报》, 2014年12月20日。

>>> 17 欧洲

菲奥娜·希尔和尼克·蒂莫西并不太高兴。2015年5月8日星期五的上午，保守党刚刚出人意料地赢得23年以来首次大选胜利。这是戴维·卡梅伦的个人胜利，首相带领自己的党走出联合政府的艰难岁月，建立一个保守党占多数的政府回击那些批评他的人。随着太阳升起，欢乐的保守党支持者们正在这个国家的各个角落庆祝。然而，对于希尔和蒂莫西来说，胜利的惊喜并未带给他们多少欣慰。一位那天早上遇到希尔的内部人士说：

很明显她并不满意。我原以为她会欢欣鼓舞，但她真的很沮丧。我渐渐明白，她设想的选举是另一种结果，而且她希望卡梅伦被迫下台，这样特蕾莎·梅就有机会接替他。

证据就是希尔和蒂莫西希望在选举之后与梅重新联手，在唐宁街10号——或者至少在反对党领袖的办公室。一年前离开内政部后，希尔一直在社会公正中心工作，最近她在这个备受尊重的右翼思想库做了关于现代奴隶制的重要报告。因为预测大选会产生另一个悬浮议会，假如卡梅伦第二次未能赢得多数票，那么他作为保守党领袖十有八九会被迫下台。梅是最有可能的接替者之一。但如果说即使结果早在大多数人意料之中，2010年出口民调的结果仍然震惊了整个政坛，那么2015年的民调结果之所以出人意料，正是因为没人能预料到。在选举日前夕，大多数民意调查中两个党都平分秋色。所有的迹象都表明，英国人正迎来另一个联合政府；实际上，保守党攻击的重点在于，工党如果组阁，将不得不与苏格兰民族主义者妥协。这一战略收到奇效。和另一个悬浮议会的预测大相径庭，看到晚上10点出口民调的人目瞪口呆，他们发现结果清楚地预示了保守党的胜利。

选举夜民调结果发布的时候，梅又一次坐在BBC的演播室里，作为受重视的高层领导人为自己的党发声。自由民主党未能履行对学生学费的承诺，其支持率随之暴跌，出口民调预测尼克·克莱格的党只能赢得10个席位（实际上最终只获得8个席位），工党获得239席，保守党获得316席。保守党的议席比绝对多数少10席，但是爱尔兰共和主义党派新芬党拒绝接受他们的5个席位，这些议席可能足以让保守党控制议会。事实上，这次民调对保守党的成绩有些许低估。截止到晚上，很明显戴维·卡梅伦能够组建1992年以来第一个保守党多数政府。面对意外的选举结果，如果梅和自己忠实的顾问一样情绪复杂，那么她并未表现出来。可是她的话背叛了她。当BBC的戴维·丁布尔比询问结果对她自己的领袖野心意味着什么，她结结巴巴地含糊其词："在政治上我总是一次关注一件事情。"[365]她如此强调的口吻，如果不是字面上的意思，那就是说她会继续手头的工作。

第二天过后，梅过去和现在的特别顾问们也镇静下来。然而他们下一步的行动胜于言辞。选举第二天早上看到希尔的消息人士继续说：

大概一个月之后，我看到她去一个游说公司工作。我一直觉得如果我是菲奥娜，认为我的老板要成为党的领袖，我的做法会和她离开内政部时一样：去那些极少引起争议的地方工作，做一些我真正相信的事情，等待时机。当卡梅伦赢得选举，再继续参与政治也没什么用，所以她选择离开，去为一家游说公司工作。

大选结束几个星期之后，希尔在公共事务公司列克星敦通讯开始新工作。因为作为公务员没有按照白厅规则报告自己的动向，希尔后来受到批评，她推说自己忘记了。[366]选举之后，考虑到卡梅伦和唐宁街10号对待自己政治抱负的态度，蒂莫西也看不到待在政坛的意义。他在投票日后不到一个月就离职了。

不管怎么说，梅仍有一丝希望在唐宁街就职，尽管比希尔和蒂莫西希望的要晚。2015年3月，在大选刚开始的时候，卡梅伦在一次漫不经心的采访中透露说，他不会第三次出任领导人。卡梅伦在自己威特尼的厨房里接受采访，提到梅是自己的潜在接班人之一，他说：

> 毫无疑问是时候迎接新面孔和新领袖了，保守党涌现出很多杰出的人物——特蕾莎·梅、乔治·奥斯本和鲍里斯·约翰逊。我说过自己会完成完整的第二任期，但我认为之后应该有新的领导人。任期就像麦丝卷——两个很好，三个就有点多了。[367]

卡梅伦说得很随便，可能以为自己只是直接回答问题而已，而BBC的詹姆斯·兰斯代尔询问的是他未来的计划。但他这样做事出有因，按照惯例，首相想杜绝那些对自己离职日期的猜测。卡梅伦的话引起巨大的风波，关于他的继任者又开始了新一轮的猜测，从而削弱了他的权威。虽然他表示会干满五年，但是很快大家都知道卡梅伦会在2018年底或2019年初靠边站了，这让他的继任者在2020年大选前有足够的时间高枕无忧。实际上，首相在自己可能退休前至少三年就引发了领导权之争。

在2015年的选举夜，传来保守党已赢得绝对多数的消息，所有人都以为卡梅伦会在几年后才离职。首相在威特尼的家中观看了出口民调，计划回到唐宁街10号组建一代人以来的第一个保守党多数政府，在此之前先和妻子一起用牛肉馅饼、沙拉和西兰花庆祝一番。他会在14个月内离任。像之前许多保守党领导人一样，卡梅伦会在英国与欧洲大陆关系这个长期火药桶上遭遇失败。泄露下台的打算实际上已经宣告了他统治的结束，卡梅伦甚至呼吁对是否留在欧盟进行全民公投，每下愈况的愚蠢进一步缩短了自己的任期。他和他最亲密盟友乔治·奥斯本在全民公投期间犯下的错误，将迅速彻底地结束诺丁山集团的镀金统治。接下来几个月，梅的某些内阁同事经历了从火箭般上升到沉船般下降，而她自己避免了这种结局。但是，考虑到大选前唐宁街10号和内政部之间日益恶化的关系，特别在两位重要的特别顾问离职后，她没有对卡梅伦伸出援助之手并不值得大惊小怪。

从卡梅伦明确表示会下台那一刻起，对潜在接班人优劣的疯狂分析就开始了。卡梅伦接受BBC采访几天之后，2015年3月，舆观的民意调查发现，选民最认可鲍里斯·约翰逊继任他的伊顿同学，梅紧随其后，乔治·奥斯本排在第三位。随后的15个月，三个人在雪片般飞来的保守党领袖人选民调中反复领先，迈克尔·戈夫和商业大臣萨吉德·贾伟德偶尔也会加入竞争行列。保守党议员们现在同样开始权衡。玛格特·詹姆斯说："我们都知道会有位子空出来，因为卡梅伦说他不会再有一个任期，所以大家都明白2018年会有一个（领导人）选举。这个念头放在内心深处，但确实存在。"继任的问题现在也牢牢扎根于梅的心底——有时甚至会涌上心头。琳妮·费瑟斯通在联合政府结束后离开内政部，尽管来自不同的党，她还是在告别酒会上鼓励梅抓住机会："离开时我们相谈甚欢，我说对她说，'你知道，特蕾莎，我想你应该努力争取当上党的领袖。'她笑了。心照不宣。"

到2015年底，新政府成立仅仅6个月之后，许多潜在的领导人挑战者已经开始定期为后座保守党议员举办社交活动，在即将到来的竞争之前公开讨好他们。据说鲍里斯·约翰逊在伦敦梅菲尔区马克俱乐部举行的圣诞前夕香槟酒会特别奢华，而乔治·奥斯本在唐宁街11号举办节日盛会，出席者却抱怨说，聚会只提供不起泡的葡萄酒。周一晚上的社交活动纷至沓来，集中在威斯敏斯特参加深夜投票让议员们有机会参加社交晚会。约翰逊在2015年大选期间返回下院，成了不管部大臣，参加政治内阁但没进全体内阁，在附近的咖喱屋发出邀请，而奥斯本则在唐宁街11号公寓招待客人。据说包括就业大臣普利提·帕泰尔和教育大臣尼基·摩根在内的八位大臣招待了同事，以期在即将到来的竞争中提高自己的胜算。[368]

享受免费款待的保守党议员表示，在领导人宝座所有可能的竞争者中，只有梅没有举办社交活动宴请潜在的支持者。[369]如果她的顾问像以前一样鼓励她多和同事接触，那么内政大臣并没听进去。埃里克·皮克尔斯说："每个人都建议她（拉拢关系）。实际上，坐在一起喝酒的话，她是个不错的伙伴。但是我能明白（为什么她不和威斯敏斯特的议员混在一起），因为这很容易就变成传播流言蜚语，很容易就开始在背后中伤别人。"

不管怎么说，还是有些议员准备根据某些更重要的理由对未来的领导人做出选择，而不是看谁提供了最好的香槟。玛格特·詹姆斯表示，虽然她一直认为自己在领导人选举时会投给奥斯本，但财政大臣最后一年的工作并没有给她留下深刻印象。她不断想起梅在2014年保守党会议上的讲话。"她在那次演讲中谈到，黑人在街上被搜查的概率是其他人的四到五倍，这有多么不公平。"詹姆斯说。"这是一次出色的演讲，确实启发了我的思路。我在想，'天哪，她可能成为领导人，她可能成为首相。'这对我来说是全新的体验。"在卡梅伦接受访问之后，詹姆斯不是唯一决定到时候支持梅当领袖的人。在此之前，尽管卡梅伦安全回到唐宁街10号之后争权夺利就开始了，需要就脱欧问题进行全民公投。

2015年大选结束之后，洗牌随之而来，又有猜测认为梅会晋升为理论上更重要的外交大臣，但是卡梅伦再次决定把她留在原有的位置上。即使她感到失望，也像往常一样不动声色。相反，摆脱联合政府的束缚，梅直接开始推动自由民主党人曾经阻挠的立法，包括"史努比宪章"和应对移民问题的更严厉措施。选举后两天，梅在采访中谈到了《调查权力法案》，现在以"宪章"之名广为人知：

> 由于与自由民主党的联盟，我们无法在上一届政府实施这一立法，我们决心通过这一法案，因为我们相信有必要维护我们法律执行机构的能力，让他们能继续日复一日地出色完成自己的工作，保证我们安全而免受袭击。[370]

梅也重申，政府保证将净移民人数减到数万人，并承诺提出新的移民法案，其中包含一系列远超自由民主党忍耐极限的更加严厉的措施，例如设立雇用非法移民的新罪名，对无权留在英国的人，拒绝向他们提供开具银行账户等服务。

5月27日，新保守党多数政府第一次“女王致辞”，内政部的所有法案都被包括在内，同时还有可能是一代人中最具争议——也最重要的立法：引发全民公投决定英国是否留在欧盟的正式法案。全民公投是保守党在竞选宣言中做出的保证，遵循戴维·卡梅伦在2013年1月的承诺，让英国人民“表达自己的意见”，英国是否继续留在1973年加入的集团，当时它在很大程度上还是一个被称为欧洲经济共同体的联盟。在一次“真诚”[371]的演讲中，首相提议开启谈判，他保证会重新调整英国与欧盟的关系。他会把谈判中赢得的成果付诸公投，根据他的建议，公投最晚在2017年底举行。“是时候解决英国政治中的欧洲问题了。”卡梅伦在演讲中说，“我对英国人说：你将做出决定。”

1975年以来从未有过关于英国欧盟成员身份的公投，1992年《马斯特里赫特条约》将欧洲经济共同体转变为名为欧盟的新机构，自那以后，一体化的呼声日渐高涨。欧洲问题导致玛格丽特·撒切尔夫人在1990年下台，并在约翰·梅杰的七年任期内纠缠不清，他持续不断地和自己的后座议员斗争，好让条约在下议院通过。卡梅伦决心摆脱最近两位保守党首相的命运。但不知为什么他现在正走上同一条路。在联合政府的岁月里，保守党议员们越来越强烈地要求举行所谓“留下／离开”公投，也就是决定英国是否保留欧盟成员身份的公民投票。部分原因是顽强的欧洲怀疑主义从未消失。2015年5月回到政府后，许多疑欧主义保守党议员，特别是后座议员，感到可以更自由地呼吁举行民意调查。英国独立党的兴起也火上浇油，它成立的目的就是让英国退出欧盟。随着英国独立党民调支持率节节升高——2013年年中达到了21%的顶点——同时民调显示，超过一半的选民想要进行公投。尽管卡梅伦核心圈子里包括乔治·奥斯本在内，很多人对此心存疑虑，首相依然相信通过让步，他可以“解决”[372]一代人的疑欧主义问题。

这是一场赌博。威廉·黑格曾经出任保守党领袖，他自己也遇到过疑欧主义问题，一直敦促卡梅伦进行全民公投，他说：“我被欧洲问题杀死了。一个保守党领袖需要一劳永逸地解决它。”[373]另外，据说奥斯本“恳求”卡梅伦不要举行公投，认为这会“让保守党平分为二”。[374]他的分析将得到证实。非但没解决问题，几乎是完全出乎意料，卡梅伦反而把保守党带到内战边缘，同时导致英国脱离欧盟。沿着这条路，他将摧毁奥斯本接替他的野心，让自己的任期在动荡中终止。

梅对欧盟的态度，在公投前作何抉择、有什么行动，这些全都有些隐晦不清。她在1997年进入议会，那时保守党内刚刚围绕《马斯特里赫特条约》发生过激烈争吵，她近距离目睹了保守党党员对欧洲的困惑能造成什么样的破坏。十多年来，她大体上避开了争论，更愿意关注国内问题。但是2010年成为内政大臣之后，梅发现自己被纳入了欧盟的控制范围。参加内政部长高峰会议，对逮捕令之类的问题进行联合立法，在移民问题和日益加剧的难民危机上相互合作，或者没有合作。当然还有，欧洲人权立法对英国法律的影响。与欧洲打交道时，梅多次感到沮丧。特别是，欧洲自由流动原则直接导致她无法实现“数万”的净移民目标，欧洲法院在阿布·卡塔达案及类似情况中发挥的消极作用，在梅看来是无法忍受的。随着公投法案提上议会日程，她决定在选择立场前先等待时机。

但问题并未消失。2015年晚春，为逃离贫困和战争，从中东和非洲源源不断穿过地中海进入欧洲的移民细流汇成狂潮，无耻的人贩子利用更好的天气，用通常不适合出海的船只运送孤注一掷的移民。在大选的一周内，事情变得很明显，迅速升级的移民危机将成为新政府的最大挑战之一——需要所有欧盟国家的合作。梅现在清楚地展现了自己对这个问题的强硬手段。当数千人冒着生命危险跨越地中海，她拒绝了在布鲁塞尔制定的欧盟接受移民配额计划，声称允许那些寻求庇护的人用如此危险的方式进入欧盟将成为“拉动因素”，鼓励更多人效仿。她的话被工党和难民团体谴责为缺乏同情心，她坚决拒绝妥协，令她的欧盟部长同事们感到沮丧。梅与欧盟中许多大人物之间的关系就此开始日益恶化。

这成为戴维·卡梅伦试图重新调整英国在欧盟内位置的背景之一。在最初的设想中，这项协议将侧重于三个方面：建立威斯敏斯特议会独立自主的原则，维护与单一市场的联系及由此带给英国的经济利益，为减少净移民加强管控英国边境。然而，短时间内第三个问题就压倒了辩论的其他部分，在公众的意识里、媒体上和许多保守党议员心中，卡梅伦与欧盟领导人的谈判进程很快与移民问题紧密地联系起来。梅自己在确保移民成为重新谈判的中心议题方面发挥了作用。2015年8月，在《星期日泰晤士报》的文章中，她明确表示期待任何协议都要包括一项内容，即没有工作的欧盟公民禁止进入英国。“当它第一次被庄严地写下，自由流动意味着自由地更换工作，而不是越过国境寻找工作或者要求福利的自由。”她写道。“如果我们想控制移民数量——把它降低到数万——我们必须做出一些重大的决定，战胜强有力的利益集团，在欧盟内恢复自由流动原来的、根本的理念。”[375]

在五周后的保守党会议上，梅进一步雄辩滔滔，但她的发言被拿来和伊诺克·鲍威尔臭名昭著的“血流成河”演讲[1]进行对比，这种做法并不恰当。[376]“我们的移民制度必须让我们自己来决定谁进入我们的国家。”她说。“当移民人数过多，当变化速度太快，就不可能建立一个团结的社会……在国家利益问题上，过去十年来我们经历的那种规模的移民从未出现过。”演讲在听众中制造了严重的分裂。董事学会主席西蒙·沃克表示：“我们对不负责任的夸夸其谈和对反移民情绪的迎合感到震惊。”与此同时，难民事务委员会的首席执行官莫里斯·雷恩形容演讲“令人不寒而栗”。[377]然而，《每日邮报》在一个热情洋溢的

[1] 1968年，英国政治家伊诺克·鲍威尔向英国保守党同僚发表了著名的“血流成河”演说。他在演说中预言，由于英联邦的移民大举涌入，未来将出现暴力局面。

社论专栏中，认为梅“极为出色”：“自从正直的左派几十年前在公开辩论中落下帷幕之后，这也许是一个主流政治家面对这一问题最勇敢的尝试了——这是选民最关注的问题。”[378]甚至梅的一些支持者都被演讲中的激烈观点吓到了。她的自由民主党朋友琳妮·费瑟斯通说：“她这次大会发言糟透了。这真是失策，我不知道发生了什么。这件事情让我对她感到失望。我认为特蕾莎应该更明智。”

唐宁街也被刺耳的论调吓了一跳，担心这会给戴维·卡梅伦和欧盟的谈判增加更大压力。很明显，首相在自己的大会演讲中大力褒扬了乔治·奥斯本和鲍里斯·约翰逊，但只在讲到“国内外”保证国家安全的大臣们时提到了梅，这种忽略被认为是一种“冷落”。[379]无论卡梅伦的感受如何，梅的演讲在选民中间留下了积极的印象。10月底，“国家调查”的一项最新民意调查显示，她是民众最中意的独立运动领导人，排在鲍里斯·约翰逊和英国独立党领导人奈杰尔·法拉奇之前。民调结果公布后第二天，梅参加了《安德鲁·马尔秀》，她看来似乎真的有可能参与脱欧运动。当被直接问到是否会领导脱欧运动，梅说：

有些人说你应该不惜一切代价留下，有人说你应该不惜一切代价离开。事实上，依我说让我们重新谈判，看看能带来什么进步，然后把它交给英国人。[380]

尽管如此，在布鲁塞尔的谈判进展得并不顺利。受到移民危机的影响，同时还要应付2008年经济危机的后果，这次危机让希腊、西班牙、爱尔兰和葡萄牙等国家陷入困境，大部分参与谈判的欧盟领导人比起英国首相多多少少缺乏一些热情。卡梅伦首先提出对低技能工人的国家保险数额制定年度上限，以此来限制欧洲范围内的迁徙，被欧盟其他领导人拒绝之后，又提出在欧盟国家迁徙人数超出可持续的限度时，启动“紧急制动”机制。“紧急制动”会剥夺欧盟公民的权益，目的是缓解公共服务面临的压力。这两种想法都违反了在欧盟条约中神圣不可侵犯的自由流动原则。德国总理安格拉·默克尔明确表示它们不会获得通过。

2015年11月，卡梅伦准备在建设公司杰西博的总部发表重要讲话，概述他对英国继续留在欧盟的最终条件。如果欧洲的领导人们无法保证不越过红线，卡梅伦承诺将提议英国退出欧盟。在演讲之前，默克尔告知她不会对“紧急制动”妥协，卡梅伦正在考虑就在这次演讲中和她摊牌。卡梅伦认为，到紧要关头德国总理和欧盟各国领导人不会允许英国脱离欧盟。演讲的定稿仍在最后敲定，卡梅伦召集外交大臣菲利普·哈蒙德和梅，早上8点30分在唐宁街开会讨论计划中的孤注一掷。记者蒂姆·希普曼在自己的书《全面战争：脱欧如何击沉了英国的政治领导阶层》里引述来自唐宁街的消息来源说：

首相告诉他们德国人说了什么，并询问他们是否要抢先一步，不管情况如何都宣布出来。哈蒙德首先发言，认为如果会在欧洲立刻遭到嘘声，那我们就不能宣布……特蕾莎只是说我们眼下不能对抗默克尔。[381]

和哈蒙德、梅讨论的直接结果就是，据说卡梅伦从他的演讲中删除了“紧急制动”的提法——这让伊恩·邓肯·史密斯这样的脱欧人士大发雷霆，他之前被告知演讲会包括这一点。之后，据称卡梅伦表示梅和哈蒙德对“紧急制动”缺乏支持，彻底破坏了他重新谈判的策略，谈判现在已经完全聚焦在限制欧盟移居者的福利上。“看，我们试过了，但没有他们的支持我做不到。”有人说他这样告诉一名官员。“如果不是我那些胆怯的内阁同事的话……”[382]

2015年12月，卡梅伦透露他预计全民公投将在下一年6月份举行，结束了数月来的猜测，这个时间比大多数观察家预期的都要早，而且远远早于他自己的截止日期2017年12月。这是一次冒险，考虑到他在欧洲推进的一系列改革随着放弃“紧急制动”变得有些索然无味。注意力现在转到内阁在全民公投中投票的方式，克里斯·葛瑞林、伊恩·邓肯·史密斯和迈克尔·戈夫都被认为有可能支持“退出”运动（脱欧阵营直到这一阶段仍这么称呼它），有猜测认为卡梅伦会暂停内阁集体负责制并允许自由投票。卡梅伦在杰西博演讲之后，梅被问到计划如何投票，她拒绝透露自己的想法。

几周之后，议长和热情的疑欧主义者葛瑞林要求见卡梅伦，恭敬地询问他是否会暂停内阁集体负责制，这将允许大臣们根据自己的观点参与全民公投活动并投票，而不是被迫服从首相的领导。葛瑞林没有进行威胁，只说他需要卡梅伦的“确定意见”[383]，但很明显如果卡梅伦拒绝暂停内阁集体负责制，他就会辞职。葛瑞林的访问几个小时后，北爱尔兰事务大臣特蕾莎·维利尔斯打来电话，表达了类似的想法。其他重要大臣也可能会效仿。担心失去两名或更多内阁大臣，卡梅伦现在又向下台迈出了一步。

没有先知会内阁，不少人是通过媒体知道他的动作的，卡梅伦于2016年1月5日宣布暂停内阁集体负责制，给予议员们自由投票权，就像很多人要求的那样，他说不愿意“强制”同事违背自己的意愿。我们可能永远不会知道，如果没有暂停内阁集体负责制，包括鲍里斯·约翰逊在内，有多少在欧盟问题上骑墙的大臣最后会支持留下。暂停执行内阁集体负责制，卡梅伦放弃了对全部大臣的掌控，其中包括他的朋友和盟友，让他们能够参与反对他们的首相。这些友谊和同盟多半不会幸存，而将演变成一场惨烈的消耗战。宣布自由投票之后，据说有150名保守党议员，正好不到议会中党员的半数，将投票反对他们的领导人。

现在愈发明显的是，梅也不得不表明自己的立场。她拖延的时间越长，她会反对英国继续留在欧盟的猜测就越多。拉拢内政大臣的支持成为脱欧阵营的重要目标。令人兴奋的是，失去菲奥娜·希尔和尼克·蒂莫西之后，她最亲密的顾问之一斯蒂芬·帕金森也离开内政部为投票脱欧运动工作，梅也可能会选择支持脱欧。继迈克尔·戈夫和鲍里斯·约翰逊之后，梅现在也承受着压力要她表明自己的态度。1月15日，《太阳报》在一个重要专栏中呼吁她“别再骑墙”，参与到脱欧运动中来。在第二天的内阁会议上，卡梅伦恳求自己的大臣们在运动中保持友好的氛围，她的同事们一直等待有什么迹象暗示她会跳到墙的哪一边。什么迹象也没有。根据一位与会者的说法，内政大臣坐下来，“沉默无声”。[384]

几天之后，有人发现梅和她的朋友利亚姆·福克斯在威斯敏斯特当红的意大利奎利那雷餐厅一起吃午餐，那里离议会只有一箭之遥，福克斯怀有强烈的疑欧主义，同时也是脱欧运动的领导人之一，这引起了更多的猜测。他们的见面被解读为她加入了英国脱欧的事业。福克斯对这种说法置之一笑：“所有报道里都有我们在公投前秘密午餐的事情。”他说。“说得好像有人会去奎利那雷吃一顿秘密午餐。”在唐宁街，卡梅伦帮并不觉得好笑。尽管首相挑明让梅表态，但梅仍然没有决定站在哪一边，这让他越发烦躁不安。梅和福克斯共进午餐几天之后，媒体上出现了一篇匿名报道，指责首相未能成功消除非欧移民经欧盟其他国家进入英国产生的危害。[385]在当时写下的笔记中，克雷格·奥利弗说：

戴维·卡梅伦正乘火车去奇彭纳姆发表演讲，显然被报道激怒了。他突然拿起手机打给梅，要求她澄清我们打击“骗子和诈骗犯”进入英国的计划是成功的。挂断电话的时候，看起来他觉得自己做了一件大事。[386]

作为回应，第二天2月2日，即使有些热情不足，但梅还是小心翼翼地把自己的旗子挂到留在欧盟的桅杆上，这让卡梅伦大大松了一口气。欧盟理事会主席唐纳德·图斯克在那一天公布了卡梅伦赢得的一系列条件。在在职福利方面，它们相当于缩水版本的“紧急制动”，根据公民母国而不是英国的水平支付儿童福利；一个“红牌”制度用来否决欧盟立法（但只有在理事会投票中获得55%的支持才能生效）；结束英国对欧元区的援助；为了英国不再提“更紧密的联盟”这种说法。这套一揽子交易是平淡无奇的，第二天的报纸对卡梅伦展开抨击。

《太阳报》头版把他画成战争喜剧《老爸上战场》里的梅因沃林船长，标题为“谁让欧盟以为你在开玩笑，卡梅伦先生？”。但显然梅已经考虑成熟了。那天晚些时候，她发表了一项声明，声称这些条件是“交易的基础”。脱欧阵营让梅站到自己这一边的希望破灭了。

那么梅到底离支持脱欧有多远呢？连利亚姆·福克斯也不确定。“我认为只有特蕾莎可以为你回答这个问题。”他说。“和其他所有事情一样，她能从不同的角度进行观察。毫无疑问，她肯定从来不是狂热的亲欧分子。”自从公投以来，梅被指责工于政治算计；绝大多数情况下，留欧主张会占上风，她想确保自己站在胜利者一方。克雷格·奥利弗在他的书《释放恶魔》中声称，尽管梅拒绝表态，卡梅伦（刚刚公开宣布如果输掉公投的话会继续留任）在1月底告诉他：“好吧，或许这是在为她铺路。她会在6个月内当上首相。”[387]她实际只用了两个星期。然而，埃里克·皮克尔斯并不觉得梅会精心算计。“除非我误解了她，否则我不认为她是个工于心计的人，我不认为她做某些事情是为了赢得政治资本。”他说。“我不是说她是一个圣人或天使，但总的来说，她会做自认为正确的事情。”

关于公投的相互欺骗的战争于2月20日结束，卡梅伦站在唐宁街10号的台阶上公布了全民投票日期：6月23日。随后，他召集紧急内阁会议，马岛战争以来第一次在周六举行，会议在激烈的相互指责中结束。迈克尔·戈夫正式宣布支持脱欧运动，指责首相在公告中的说法：退出欧盟将成为“对国家安全的威胁”。乔治·奥斯本和梅为首相辩白。气氛火爆的会议结束后，一辆在唐宁街后门等候的汽车带着五位支持脱欧的内阁成员——戈夫、约翰·惠廷戴尔、特蕾莎·维利尔斯、克里斯·葛瑞林和伊恩·邓肯·史密斯，以及布里提·帕特尔（她出席内阁但不算正式成员）前往脱欧运动的总部。第一枪打响了。

如果说梅发现很难下决心支持哪一边，那么鲍里斯·约翰逊的决策过程则是极其糟糕的。他后来遭到的指控甚至比梅更严重，指控他的决定基于支持哪一边最有利于他的个人抱负。已经知道的情况是，紧急内阁会议之后，约翰逊花了几个小时“苦苦思量”走哪条路，之后坐下分别写了两份条款，列出支持各方会得到什么收益。[388]第二天2月21日，他对自己家门外的记者发表了一个声明，声明中称欧盟作为“几十年来一直在推进的政治方案，现在面临缺失适当民主控制的真实危险”，这让卡梅伦目瞪口呆。几分钟前他告诉首相自己决定支持脱欧运动，虽然在同一条短信中，他预言脱欧事业将被“碾碎”。[389]卡梅伦后来告诉克雷格·奥利弗说，约翰逊是一个“糊涂的圈内人”。在宣布支持脱欧前四小时，他给首相发了一条短信，暗示自己正倾向于留在欧盟。

约翰逊有点混乱的新闻发布会召开一个星期后，舆观调查显示，选民压倒性地支持他接班卡梅伦，领先离他最近的竞争者乔治·奥斯本21个百分点。梅在调查中几乎没有出现，她肯定想知道自己是否押错了宝。沸沸扬扬的推测说如果在公投中失败，卡梅伦将被迫下台，尽管他极力否认这一点，而约翰逊几乎已经确定成为他的接班人，但是梅的一些支持者对她赢得领导人之战仍抱有信心。玛格特·詹姆斯说：

> 我记得在下院停车场遇到她，大臣们的车都走前院，那时正值公投运动……她独自一人，这是非比寻常的。所以我过去和她简单聊了一会儿……然后突然想到似的，我说：“哦，顺便说一下，只是想让你知道，未来的日子里我会一直支持你。”她听了之后很高兴。

3月16日，乔治·奥斯本发表了一个广受批评的预算案，提出要削减残疾人福利，这让伊恩·邓肯·史密斯非常气愤地离开了内阁。甚至在邓肯·史密斯突然离开之前，预算案已经蒙上了些许阴影，因为坐在奥斯本身边听他做最后一次预算陈述时，梅决定穿一件漏沟的衣服。几天后，意见调查商务公司的一项民意调查发现，梅的支持率超过了财政大臣，但两人都落后约翰逊10个百分点以上。

对领袖人选的猜测并未消失，但现在优先考虑的是公投。约翰逊出人意料的支持给了脱欧运动一份大礼，他们本来寄希望于梅。虽然奈杰尔·法拉奇和一些保守党疑欧主义者，甚至包括戈夫，都可以说是古怪和无足轻重的，但约翰逊不能不加以重视。最初在外人看来战斗并不公平，当权派联合起来支持留欧的力量十分强大，但随着冬去春来，很明显卡梅伦和留欧派面临一场艰苦的战斗。此时需要同舟共济。然而，从3月到4月，内政大臣似乎消失了。

克雷格·奥利弗描述了唐宁街10号被激怒的团队如何给内政大臣起“潜艇梅”的绰号。[390]

他说卡梅伦要求内政大臣在留欧运动中扮演更重要的角色，不下十三次的请求每次都以失望告终。有一次，2016年4月，梅勉强答应在“复活节之后”发表一个演讲，奥利弗在日记中写道：“纯粹的政治问题你应该交给她，她的表现会很出色。她站在正确的一方，说明她属于‘留欧’阵营，但看起来没有多少热情。这让我们不太舒服。”[391]

即使梅的行为激怒了唐宁街10号，但在当时的背景下是可以理解的。总的来说，她最终还是支持留在欧盟，不过她从来不是一个狂热的亲欧分子。虽然梅知道每一位首相都应该得到内政大臣的忠诚，但她和卡梅伦之间日益增长的敌意让她觉得，自己除了确认投票支持留欧之外不需要再做些什么。然而卡梅伦认为这是明显的不忠。乔治·奥斯本尤其对梅的消失怒不可遏——大肆宣扬她的缺席可能导致降职（卡梅伦威胁要让她离自己远一点）。埃里克·皮克尔斯说：“我们有一件可笑的事情，奥斯本想要解雇她，因为她做得不够好。（但是）我能明白为什么她没有积极参与。上帝做证，（成为首相之后）她让他有了自知之明。”

当时接近保守党留欧团队的消息来源清楚地显示，唐宁街和财政部都对内政大臣有所怀疑：

争执是毫无疑问的，因为她只做了最低限度的工作。全民公投之后，她为了领导人的位子明显不再保持低调，因为她和其他所有人一样认为留欧主张会胜利，但她看起来要从长计议。她或许觉得保持低调对自己并无害处。卡梅伦的阵营对此同样感到沮丧。

梅露面的时候为数不多，卡梅伦帮抱怨说，那时她会突然脱离轨道，批评《人权法案》和自由流动原则。到4月底她终于同意做一次演讲，梅在演讲中告诉听众，她不会“侮辱人们的智商，声称欧盟的一切都是完美的，成为欧盟的一员有益无害”。奥斯本采取“恐惧推想”战略对离开欧盟的经济风险提出了严重警告，相比之下，梅甚至承认英国在欧盟之外也“应付得来”，并且“有足够的规模和力量，无论留在或退出欧盟都会成功”。她有些不温不火地总结道：“现在，展望未来英欧面临的挑战——安全，贸易和经济——我相信留在欧盟完全符合我们的国家利益。”[392]演讲之后，留欧运动总干事威尔·斯特拉斯给克雷格·奥利弗发短信，半开玩笑地问：“我们能确定梅不是对手的代言人吗？”[393]保守党留欧派的消息来源称：“她这样说确实是偏离了本党的主张。你可以争辩说她通过谈论移民来迎合公众，但是……在唐宁街10号看来她就是不按讲稿念。”

卡梅伦的前顾问阿米特·吉尔认为，梅对公投的低调处理是可以理解的。“就我们得到的消息而言，特蕾莎对唐宁街10号和留欧运动采取的某些策略心存疑虑，我认为这不是什么秘密。她不是一个坚定不移、全心全意的留欧主义者，她是一个持怀疑态度的保守党留欧支持者。”[394]

梅自己为在公投中的低调辩护说：“我确实参与了运动。但就在运动开展的时候，有一些非常重要的事情……持续在下院吸引了我的关注。”[395]最终的事实证明，在把握国民对欧洲的情绪上，她的直觉远比乔治·奥斯本敏锐。奥斯本在公投前一周警告说，脱欧将迫使他这个财政大臣制定紧急预算案大规模增加税收，这被普遍看作留欧运动失败的转折点之一。日常的经济生活会受到影响，民众不相信这样严重的警告——同时感觉受到奥斯本的威胁反而激怒了他们。

这个国家几乎已经习惯了政治动荡，过去六年中两次大选的结果都十分出人意料，但2006年6月23日晚脱欧公投的晴天霹雳是前所未有的。即使是最狂热的脱欧支持者，包括运动的领导人奈杰尔·法拉奇、鲍里斯·约翰逊和迈克尔·戈夫，对投票走向也没有实际的期望。投票日晚上，卡梅伦帮聚集在唐宁街10号等待结果，享用的菜肴毫无疑问是欧式的，肉末茄子饼和宽面条，喝的是酒和接骨木花饮料。卡梅伦和奥斯本相信，虽然很明显双方有点太接近了，但在这件事上，英国人民会投票留在欧盟，政坛上的当权派几乎全部支持留欧。舆观对公投最终的民意调查显示留欧领先4个百分点，这也给了他们信心。

就像整个公投过程一样，特蕾莎·梅保持低调，在家里和丈夫一起看电视了解结果。约翰逊参加完女儿在苏格兰的毕业典礼，飞回来正好赶上投票，也待在家里。戈夫不再想这会是一次英勇的失败，邀请一些好朋友到自己西伦敦拉德布罗克街的房子里吃晚饭、开怀畅饮。现在这出戏里，没有一个演员知道接下来几个小时发生的事将如何永远改变他们的一生。

晚上10点30分，戈夫对他的朋友说晚安，自己去睡觉让他们继续聚会，假定战斗失败了。与此同时在唐宁街10号的客厅里，卡梅伦的女儿在他膝盖上睡着了，两个人周围是奥斯本和亲信顾问团队，他们在过去11年间形成了牢固的卡梅伦帮。投票结束之后，甚至在第一批结果公布之前，奈杰尔·法拉奇就出来承认脱欧运动的失败了，他说："这是一次非凡的公投运动，投票率看起来异常的高，看上去留欧占了上风。"但在一个小时之后，随着早期结果逐渐传出，奥斯本注意到了一些奇怪的事情：留欧派胜利的地方，例如纽卡斯尔，双方的差距很小；失败的地方，例如桑德兰，双方的差距是压倒性的，远远超出预期。随着时间的流逝，失利变得越来越清楚了。40多年后，英国正在走出欧盟。

凌晨3点，唐宁街客厅的聚会已经结束了，卡梅伦在唐宁街10号的厨房重新召集他最亲密的小圈子开会，包括奥斯本、凯特·福尔和埃德·卢埃林。卡梅伦已经为公投结果押上了自己的任期，尽管他的朋友们苦苦哀求，至少有一个人流下了眼泪，但他很清楚自己不能再担任首相。卡梅伦厨房秘密会议一个小时后，一位助理带来消息说脱欧意想不到地赢得了公投，被叫醒的戈夫突然意识到现实十分严峻，自己对下一步怎么做没有真正的计划。40分钟后，上午4点39分，BBC正式宣布英国投票离开欧盟。鲍里斯·约翰逊在伊斯灵顿的家门外，记者也开始砰砰敲门，求他出来对几个小时前的惊人事件说点什么。不确定该怎么办的他拒绝回应。市场开放几分钟之内，英镑已跌至1985年以来的最低水平。然后，上午8时，身边是哭泣的萨曼莎，看起来精疲力竭的戴维·卡梅伦在唐宁街10号的台阶上宣布辞职。

因此在6月24日星期五早些时候，脱欧辩论双方的领导人都对突如其来难以预料的情况感到震惊，这为新人接管创造了完美的条件。需要可靠的、成熟的人来控制突然陷入混乱的国家。特蕾莎现在有一个千载难逢的机会来实现自己的目标，仅仅一年前，卡梅伦在选举中的意外胜利扼杀了它。现在是“潜艇”从深渊中升起的时候了。

>>>

365.《曼德尔森暗讽米利班德，与此同时，下院里堆满了帕克斯曼的双关语和无精打采的人》，米切尔·邓肯，《每日电讯报》，2015年5月8日。

366.《首相首席助理打破了游说规则》，奥里弗·赖特，《泰晤士报》，2016年8月1日。

367.采访，戴维·卡梅伦，詹姆斯·兰斯代尔，BBC新闻，2015年3月24日。

368.《源源不断的款待，保守党人希望取悦支持者》，山姆·科茨，《泰晤士报》，2016年1月14日。

369.同上。

370.《特蕾莎·梅重启“史努比宪章”，自由民主党人的阻挠已经消失》，达米安·盖尔，《卫报》，2015年5月9日。

371.《卡梅伦谈话》，《旁观者》，2013年1月26日。

372.《全面战争：脱欧如何击沉了英国的政治领导阶层》，蒂姆·希普曼，威廉·柯林斯出版社，2016年。

373.同上。

374.同上。

375.《一个无国界的欧盟伤害所有人，除了贩卖虚假梦想的人》，特蕾莎·梅，《星期日泰晤士报》，2015年8月30日。

376.《戴维·卡梅伦是英国留在欧洲的新领袖》，丹·霍奇斯，“电讯报在线”，2015年10月8日。

377.《敦促加强移民管制，梅遭受抨击》，米切尔·萨维奇和理查德·福特，《泰晤士报》，2015年10月7日。

378.《杰出的梅夫人为首相指明道路》，《每日邮报》，2015年10月7日。

379.《戴维·卡梅伦在演讲中冷落特蕾莎·梅，慷慨地赞美乔治·奥斯本和鲍里斯·约翰逊》，克里斯托弗·霍普和本·赖利-史密斯，“电讯报在线”，2015年10月7日。

380.采访，特蕾莎·梅，《安德鲁·马尔秀》，BBC第一频道，2015年11月1日。

381.《全面战争》，希普曼，同上。

382.同上。

383.《现在请欧盟注意：卡梅伦180° 转弯，在脱欧问题上让内阁成员自由选择》，克雷格·伍德豪斯，《太阳报》，2016年1月6日。

384.《梅疲惫了吗？》詹姆斯·福赛斯，《太阳报》，2016年1月16日。

385.《释放恶魔》，克雷格·奥利弗，霍德&斯托顿出版公司，2016。

386.同上。

387.同上。

388.《全面战争》，希普曼，同上。

389.《释放恶魔》，奥利弗，同上。

390.同上。

391.同上。

392.《梅猛烈抨击欧洲，然后说依然希望我们留在欧洲》，詹姆斯·斯莱克，《每日邮报》，2016年4月25日。

393.《释放恶魔》，奥利弗，同上。

394.《特蕾莎到底在想什么？》，罗宾逊，同上。

395.《特蕾莎·梅采访：红箱子严禁进入卧室》，伍兹，同上。

>>> 18

最后一个参选的女人

2016年6月24日，首相卡梅伦辞去保守党党魁之后，特蕾莎·梅宣布将竞逐这一位置，没有人对此感到惊讶。令人十分震惊的是，她的对手在相互指责、背后中伤、背叛的混乱大屠杀中消失得如此之快。在2016年6月和7月的16天里，似乎只有梅把自己看成党的领导人，当权派全部分崩离析，随后的领导真空让金融市场陷入自由落体。6月23日晚上脱欧公投的结果完全出人意料，一夜之间就让卡梅伦帮出了局，包括卡梅伦设想的继承人乔治·奥斯本在内。截至7月11日，当梅正式成为保守党领袖和候任首相，脱欧运动中所有最重要的保守党代表，获胜的脱欧主义者鲍里斯·约翰逊、迈克尔·戈夫和安德烈娅·利德索姆，全都看到自己的党魁野心轰然倒塌。与此同时在她的对手一方，随着工党众多前座议员辞职，工党领导人杰里米·科尔宾的权力遭遇挑战。英国独立党的领导人奈杰尔·法拉奇已经宣布辞职，引发了谁来接替他的争端，最后变成一场闹剧，他只能暂时重回领导人之位。只有梅在这场屠杀中毫发无损；满世界都是闹脾气的孩子，只有一个成年人。

他们在政府的最后几年中，普遍认为接替戴维·卡梅伦的战斗会演变成乔治·奥斯本、鲍里斯·约翰逊和梅之间的三方对决。随着卡梅伦在2015年大选中领导保守党赢得了意料之外的绝对多数，在一年多的时间里，看起来下一任领导人似乎会顺利过渡到奥斯本，首相在政治上最亲密的朋友，就像搬到隔壁一样自然，公众几乎不会察觉有什么区别。所有这一切在公投之后都不存在了。非但没有自动成为卡梅伦离职之后的最大热门，这位财政大臣反而会第一个被淘汰出局。从公投那一夜早期结果揭晓开始，就像卡梅伦意识到的那样，奥斯本将永远与失败联系在一起。他在投票前夕威胁要制定紧急预算案，万一投票决定脱欧的话要提高税收，这完全事与愿违，在议员同事中遭到了普遍嘲笑，也就是说，在卡梅伦离职引发的投票表决中，他几乎没有获胜的机会。无论如何，他与以前的政权联系如此紧密，他明白同事们——和公众——知道换上另一个身负重伤的卡梅伦没有什么意义。

6月28日，卡梅伦辞职四天后，奥斯本正式退出继任者的竞争，他说："我现在无法提供党需要的团结。"不久之后，他打电话给梅表示支持。一位财政部内部人士说：

> 乔治从一开始就支持特蕾莎。他与留欧运动关系密切，他很早就决定不会参选，从那时起他就认为特蕾莎是合适的人选。那时他没有公开自己的想法，但他确实告诉过梅自己会支持她。他发自内心认为她绝对是正确的人选。

如果政治嗅觉敏锐的财政大臣认为，私下表示支持足以挽救他在梅内阁中的席位，那他会发现自己错了。

与英国政治以往的情况一样，特别是残忍高效的保守党，哀悼陨落领袖的时间很短暂。卡梅伦离开几个小时之后，接替他的竞争就开始了，至少是非正式地开始了。从一开始，奥斯本出局之后，鲍里斯·约翰逊似乎因公投的胜利而稳操胜券。约翰逊长期以来地位崇高，广受民众欢迎，他那一代的政治人物只有羡慕的份儿，虽然在公投运动中选择支持哪一边时小题大做，但最终还是赢了。很明显，在英国实际脱欧的过程中，应该让一位主张脱欧的政治家来帮助国家渡过难关。他是这一代人中最受欢迎的政治家，还有比他更合适的人选吗？

第三位期待已久的候选人是特蕾莎·梅。多年以来，唐宁街10号团队中的许多人指责她处心积虑想取代戴维·卡梅伦。尽管梅和她最亲密的顾问一直热衷于让她成为可能的候选人，同时明确表示，一旦有空缺她将参与角逐，但事实上他们对领导人竞选却没有任何具体的计划。卡梅伦坚称无论公投结果如何，自己都会继续出任首相，梅相信他说的话，其他政治人物几乎也都相信，而且无论如何，她都没有预料到脱欧运动真的能赢。

卡梅伦辞职几个小时之后，国家在等待出现一位新领导人，梅的支持者开始争相采取行动。首先是菲奥娜·希尔和尼克·蒂莫西，随后是凯蒂·皮埃尔和斯蒂芬·帕金森，这些值得信赖的助理迅速结束外面的工作回到威斯敏斯特，相当于把政治旧班底重组在一起。身边有过去十几年最亲密的顾问，梅肯定觉得充满干劲。公共关系主管、前《太阳报》政治编辑乔治·帕斯科·沃森说：

戴维·卡梅伦在公投后辞职，实际上保守党的领导人之争就立即开始了，当然也没有人拥有运行良好的领导班子。因此，菲奥娜和尼克放下了手头的工作，他们两个在招募其他人之前四到五天就组织了一场竞选活动。这真是现象级的工作。

领导人的选举将分两个阶段进行：第一阶段，议员将进行一系列无记名投票，每轮垫底的候选人被淘汰，直到剩下最后两人。第二阶段，剩余的候选人会在全国各地举行一系列竞选和社交活动，之后保守党党员会做出自己的选择。因此要想进入最后的角逐，就必须在第一阶段进入前两名，大多数人的看法是候选人最好占据先机，成为议员们的第一选择可以树立起他们胜利者的形象。竞争将于9月9日结束。梅的团队现在讨论如何才能更好地争取议员们的支持。她著名的“不善交际”再次成为一个潜在的问题。埃里克·皮克尔斯一开始支持鲍里斯·约翰逊，但几天之后改变主意站到了梅这边，他说：“我们讨论过这个问题，但是为时已晚。如果她现在开始出现在茶室里，我们（真的）会认为派对（出现了）问题。”菲利普·梅被授权代表妻子打电话，劝说她的议员同事们支持她。

卡梅伦帮认为梅参选领导人的活动已经准备就绪，和他们的预计不同，在选区层面开展“地面作战”的工作还是一片空白。从担任党主席开始，皮克尔斯在地方党组织中的势力根深蒂固，他说：“那里确实缺少组织。我做出过承诺，当选区（阶段的选举活动）开始时要加入战场，于是我开始着手工作，情况很明显，之前并没有太多计划。”长期以来梅不辞辛苦，花费大量时间拜访各地保守党组织，与党员们交流，这才是她真正的准备。利亚姆·福克斯说：“无论什么地方，只要我们的票数还不足以获胜，或者我们的党组织还不够强大，梅就会赶过去，她就是这样的政治家。人们会牢记这一点。威斯敏斯特泡沫[1]无所谓，但是民众会注意到，他们在乎这个。”

5月27日星期日，梅和菲利普照常前往桑宁的教堂。这一次在那里迎接她的是镜头。那天早上，第一次民调的结果已经公布。鲍里斯·约翰逊的支持者大吃一惊，但如果了解梅多年来与数万名保守党积极分子见面的辛苦，你不会对此大惊小怪。此次“国家调查”为《星期日邮报》做的调查显示，虽然在所有潜在候选人中，公众和保守党党员显然最支持约翰逊，但到了二选一的时候，他和梅正面交手，预计梅会以53%对47%赢得胜利。396两天后，在舆观为《泰晤士报》做的民意调查中，梅的领先优势更为明显，31%的保守党党员支持她，而支持约翰逊的只有24%。397

约翰逊阵营第二天声称支持他的议员超过100名，前伦敦市长在议会同僚的投票中获胜，然后在最后阶段的党员投票中输给梅，“成为肯·克拉克”[2]，这种前景的可能性增加了。感觉到问题的严重，约翰逊的团队现在向梅提议：如果梅能够支持约翰逊，他会任命梅为财政大臣当作回报。在舆观调查当天，内阁办公室安排了一次秘密会议，避开新闻记者的窥探，让约翰逊和梅彻底讨论出一个结果。约翰逊等

[1] 英国议员、秘书、公务员等构成的小圈子，脱离普通民众的现实生活。

[2] 肯尼斯·克拉克于1997年、2001年和2005年三次竞选保守党领导人，均以失败告终。他在民众中比在保守党内更受欢迎。

待了40分钟才明白她不会出现。加文·威廉姆森当时是戴维·卡梅伦的议会助理，以前在梅身边担任过相同的职位，现在为她的选举活动工作，他在那天晚上会见了约翰逊的竞选负责人、北爱尔兰事务大臣本·华莱士，明确表示："不可能"。[398]后来有消息称，虽然参加领导人选举的时间不算长，但约翰逊向三个人许诺了财政大臣的位子，梅是其中之一。

约翰逊的一个早期支持者并不相信这样组织选举活动能够成功，他发现这些活动缺乏秩序，没有明确传达出候选人获得权力的目的。埃里克·皮克尔斯说：

我对选举活动非常不满意。本来直觉告诉我支持鲍里斯，我觉得他确实了解这个国家的本质……但是我想他忽略了某些事情。我和他见过面，在支持（梅）之前我想和他说一声，我以为结果会很糟糕，但他非常善解人意。但与那一周随后发生的事情相比，我自己的决定不值一提。

皮克尔斯的倒戈确实只是约翰逊问题的开始。2016年6月30日，作为现代英国政治中最特别的日子之一将载入史册。这是候选人向1922委员会呈递提名表格的最后期限，该委员会将像往常一样监督选举，选举时间定为中午。无论发生什么情况，这都将是一个充满戏剧性的日子。实际上，在24小时的时间里，整个竞争形势被逆转了，鲍里斯·约翰逊在脱欧公投期间的战友迈克尔·戈夫突然对他发起攻击，行动之残忍、之高效，即使在威斯敏斯特的残酷世界里也是少见的。

在政府中，戈夫一直坚称自己没有兴趣领导保守党，他认为自己的性格不适合担任首相。作为鲍里斯·约翰逊的亲密盟友，戈夫将在前市长的领导人竞选中发挥至关重要的作用，最终在以约翰逊为首的政府中担任一个重要职位——财政大臣或者外交大臣，这种想法是很正常的。然而在6月30日上午，完全出乎约翰逊的意料，戈夫突然对自己的老友动手，开始启动自己的领导人竞选活动。对自己的做法，戈夫给了约翰逊一份只有7分钟的声明，失礼之处在于他没有亲自通知，而是打电话给选举负责人林顿·克罗斯比爵士。然后他落井下石地公开宣布，做出这种完全违背自己本性的决定是因为，他说得很不客气，他发现自己的朋友无法胜任这份工作。

上午9点，戈夫向记者发表一份声明解释自己的决定，约翰逊本来期望两个小时后和他一起开始自己的领导人竞选之路，戈夫为何要与这样一个人作对：

> 我一再说我不想当首相。我的观点一向如此。但上周四（公投日）以来发生的事情对我影响很大……我想帮助建立一个团队在背后支持鲍里斯·约翰逊，这样为脱欧据理力争的政治家能带领我们走向更美好的未来。但是我不情愿地得出结论，面对今后艰巨的工作，鲍里斯的领导力不足，也难以组建合格的团队。因此，我决定自己竞选领导人。

从迈克尔·赫塞尔廷到迈克尔·波蒂略，保守党有着悠长的政治暗杀传统，即便考虑到这一点，戈夫的打击依然是冷酷无情和野蛮的，因为打击的对象前一刻还是他的朋友和同盟者。这一天结束的时候，约翰逊对领导人的野心破灭了。身边的人立刻就能意识到的事情，闭目塞听的戈夫需要几天时间才能反应过来：他用这样残酷的方式扼杀了约翰逊，让投票的同事们深感厌恶，他登上最高职位的可能性现在也几乎为零。

戈夫的参选令人震惊，几分钟之后，上午9点13分，能源大臣安德烈娅·利德索姆宣布自己希望参选，她曾在脱欧运动中发挥了重要作用，在一条推特中她说："很高兴地说我要参选@保守党领导人。让我们充分利用英国脱欧的机会！"后来发现，鲍里斯·约翰逊的团队曾希望利德索姆不要参选，回报是他政府里的一流职位。当时的场面很荒唐，据说约翰逊去伦敦西区惠林翰姆俱乐部参加保守党夏季舞会时，忘了带上确认自己承诺的信，据推断他要在那里把信交给利德索姆。信中写道："亲爱的安德烈娅，很高兴你在我们的最高三人组里，你的鲍里斯。"[399]当短笺找回的时候，利德索姆早已离开了派对，她以为交易已经告吹。因此，在内阁从未有一席之地、缺乏经验的利德索姆成为这场竞赛的第四名候选人，就业和养老金大臣斯蒂芬·克拉布以及前国防大臣利亚姆·福克斯已经在前一天宣布参选。

利德索姆发出推特17分钟后，上午9时30分，梅成为参选的第五名候选人，在威斯敏斯特的一个俱乐部举办正式的参选仪式。她穿着讲究的维维安·韦斯特伍德格子花呢衣裤套装，站在一面巨大的书柜墙前，发表精心设计的演讲，打消了公众对上周戏剧性事件的忧虑，同时用自己对未来的计划激励他们。她将自己的愿景定为"一国保守主义"，发誓要团结整个国家，支持那些在戴维·卡梅伦的领导下遭到遗忘的人：穷人，少数族群，妇女，精神病患者，无力购买房产的年轻人，所有无法承担昂贵教育费用的弱势群体。梅描述了卡梅伦和鲍里斯·约翰逊的精英主义和取胜花招，她直接批评道：

如果你来自一个普通的工薪阶层家庭，那你生活的艰难要超出许多政治人士的想象。你有工作，但你并不总是有稳定的工作。你有自己的家，但你担心按揭贷款利率上涨。你差不多能凑合活下去，但你担心生活费用和当地学校的质量，因为你别无选择。坦白说，在威斯敏斯特，并不是每个人都明白这样的生活意味着什么。需要告诉某些人，政府并不是在玩一场游戏，它的所作所为十分重要，会对人们的生活造成真实的影响。

感人地谈到父亲休伯特和祖父汤姆·布拉西耶之后，梅继续解释她献身公共服务的根源，同时敏锐地分析了自己并不华丽的政治品质：

我知道一些政治家因为意识形态的热情而追求高位。我知道其他人这样做是出于野心或荣耀。但我的理由要简单得多……我记忆所及，公共服务一直是我这个人的一部分。我知道自己不是一个华丽的政治家。我不在电视演播室出现。我不在午餐时说八卦。我不在议会的酒吧喝酒。我不经常坦露自己的感情。我只是应对摆在面前的工作。

她总结说："我的广告语很简单，我是特蕾莎·梅，我想我是领导这个国家的最佳人选。"

梅的启航看起来代表了一个混乱政治世界中的理性时刻。约翰逊在戈夫野蛮的攻击之后舔舐自己的伤口，议员们和更多的国民坐起来，关注冷静、富有理性的女人阐述自己合理又令人信服的理由。戴维·卡梅伦和他之前的托尼·布莱尔追逐最高职位的时候，年轻人的活力和激情曾经广受欢迎，但在公投之后动荡不安的日子里，梅似乎代表了公众渴望的东西：秩序和稳定，一个靠得住的人。单纯从梅参选发布会的效果来说，就让一位前保守党媒体顾问感到钦佩：

菲奥娜·希尔和尼克·蒂莫西做了不起的工作，没有人关注，没有时间制订计划，他们把特蕾莎·梅当成未来的首相推向公众。在英国脱欧之后的混乱中，她出现在发布会上，站在摆满了书的书架前面，有人会负起责任，这让所有人都松了口气。

安德鲁·格里菲斯说，在72小时之内，梅突然理所当然地将成为下一任首相：

有趣的地方在于，公投后几天之内，同僚们转变的速度有多快，从很多人考虑"啊，鲍里斯当上领导人是板上钉钉的"到"特蕾莎可以胜任"到"特蕾莎会成功的"。政治完全在于把握时机……鲍里斯的突然崩溃和迈克尔·戈夫的毁灭，对英国脱欧影响经济的恐惧以及我们需要可靠的人掌舵的观点，选举教皇的秘密会议没有再出现任何其他候选人，可以这么说，这是以上所有因素共同的作用，千载难逢的机遇。

利亚姆·福克斯补充说："特蕾莎的选举是实质胜过风格的胜利。当然不是说没有风格，而是经验、智慧、认真的胜利；所有这些品质，我敢说，她的父亲都当成最重要的东西灌输给她。"

与此同时，迈克尔·戈夫对鲍里斯·约翰逊的毁灭性评论造成了难以挽回的灾难。事情一发生，约翰逊几乎立刻就下了决断，自己曾视为最亲密盟友的人对他发动人身攻击，这意味着他不能继续留在竞争行列中。约翰逊的参选发布会原定在圣尔敏酒店举行，时间是梅的发布会之后一个小时。他的支持者按计划聚集在一起，想知道他会如何回应戈夫的发言。出乎所有在场者的意料，包括他自己的兄弟、奥平顿的议员乔，约翰逊没有摆明自己参选的立场，一开始先是说英国脱欧让下一任首相有机会进行全面的思考，然后补充道："征求过同事的意见，鉴于议会的现状，我认为合适的人选不是我。"

酒店里的观众显然很震惊，所有电视观众也有同样的感受。约翰逊是一个有魅力、广受欢迎的人物，他的许多支持者让事情的转折弄得心烦意乱。大多数人也很清楚约翰逊突然决定退出竞争应归咎于谁。几分钟后，罗森代尔和达温的议员杰克·贝瑞发推说："他这样的人应该进十八层地狱"，添加了标签"#戈夫"。前保守党欧洲议会议员、约翰逊的父亲斯坦利说："我的评论是'还有你吗，布鲁图'[1]。"[400]许多约翰逊的支持者一边愤愤不平地指责，一边跑向了目前看来像避风港的地方：特蕾莎·梅。目睹了上午不平常的一幕，许多以前不属于任何阵营的议员也宣布将支持梅。不止一个议员表示厌恶这种阴谋诡计，不过是几十年前牛津辩论社主席职位之争的微弱增强版。斯佩尔索恩的议员夸西·科沃腾以前支持约翰逊，他说："我支持特蕾莎。我想要一个成年人。这是学生政治。"[401]卫生大臣杰里

[1] 拉丁语名言。古罗马政治家恺撒死于反对者的暗杀，传说当他发现自己的养子布鲁图也在刺杀者之列，说出了这句话作为自己的遗言。

米·亨特和商务大臣安娜·苏布赖现在也选择支持梅，安娜说："也许我们受够这些小伙子的胡闹了。"[402]到中午提名结束，1922委员会主席格雷厄姆·布雷迪正式宣布这次选举共有五位候选人：迈克尔·戈夫、斯蒂芬·克拉布、利亚姆·福克斯、安德烈娅·利德索姆——以及特蕾莎·梅。第一轮议员投票将于7月5日举行。

查理·埃尔菲克担任过内政部党鞭，现在是梅竞选团队的议员，开始争取约翰逊的支持者。他说："针对戈夫的怒火，明显不是来自特蕾莎·梅的阵营，因为我们未受影响，但是鲍里斯支持者的愤怒则显而易见。考虑到戈夫的所作所为，很明显他会奋力拼搏。"梅多年来与约翰逊的关系有点紧张，但是他的遭遇同样让梅感到震惊。那天晚上，她给他发了一条短信，对发生的事情表示同情。

戈夫和约翰逊大屠杀日的第二天，《每日邮报》刊登热情洋溢的长篇社论支持梅参选，标题是"燃烧中的党，为什么梅一定会成为领导人"。作为英国中产阶级喜爱的报纸，它已经说得再直白不过了。对两位脱欧领导者痛斥一番之后，这份在公投中赞成脱欧，还雇用戈夫的妻子莎拉·瓦因担任专栏作家的报纸说：

一般情况下，本报会犹豫是否要在这样一场争夺结束之前表明立场。但无论将迎来谁的时代，都会是非同寻常的。在争当戴维·卡梅伦继任者的五位候选人中，《邮报》认为只有梅夫人具备必要的素质、声望和经验，能够团结她的党和整个国家——也有可能开启一种更干净、更诚实的新政治。[403]

查理·埃尔菲克表示，与2005年冲击领导人之位的尝试不同，梅这次的时机正好。

改变的只是领导人之争的驱动力……这种情况意味着需要有一个强大的、证明过自己的、经验丰富的、经过考验的人来领导党，他有能力把我们带出欧盟，实现英国人民投票赞成的前景。我认为很多人

（认为）最终会是特蕾莎·梅和鲍里斯·约翰逊之间的对决。没有人预料到迈克尔·戈夫跳出来造成的干扰。

约翰逊退选的第二天，梅阵营声称拥有近100名议员的支持，包括内阁大臣安珀·路德、贾斯汀·葛林宁、迈克尔·法伦和帕特里克·麦克洛林，她的对手迈克尔·戈夫和安德烈娅·利德索姆都相应打出自己的王牌：事实上她在公投中属于失败的留欧一方。这是梅的弱点，但在约翰逊选举活动的瓦砾堆上正刮起支持她的风潮，这件事似乎没有什么吸引力。7月3日，民调机构ICM为《星期日太阳报》做的调查显示，60%的保守党党员支持梅，比她四个竞争对手的支持者加在一起还要多。[404]《星期日邮报》追随它的姊妹日报，在同一天公开支持梅。然而鲍里斯·约翰逊现在宣布他支持安德烈娅·利德索姆。他在自己的脸书页面上发表了一个声明，说他支持脱欧的同伴拥有“国家下一任领导者必备的活力、干劲和决心”。

7月5日举行了第一次选举活动，只限保守党议员参加。利德索姆上了头条，但不是什么好消息。她把自己要做的工作概括为“银行家、布鲁塞尔和婴儿”，大谈特谈早期教育这种狭隘的话题，据说这让同事们迷惑不解。这一天结束之后，梅已经获得了122名议员的支持，确保将进入最后一轮（除非发生意外的灾难）。问题是谁将成为她的对手；被一位议员称为加略人犹大的男人，还是自我推销，被议员们认为“一无是处”的女人。[405]

7月6日，举行第一次投票，答案是比起背叛，保守党议员更能容忍语无伦次。梅在投票中轻松占据首位，赢得了165票，占议员票数的一半，五人参选的情况下这是令人赞叹的胜利，第二名利德索姆以66票对48票领先戈夫。利亚姆·福克斯是这场赛事的输家，自动被取消资格。以34票获得第四名的斯蒂芬·克拉布决定退出竞选。他公开表示支持梅。

福克斯也很快做出同样的选择。他说：

人们说："哦，你支持脱欧，你怎么能支持特蕾莎这样选择留欧的人？"这只是因为我认为她是首相最合适、最完美的候选人。你不是在竞选一个在野党的领导人，那种情况下你有时间学习，有时间让自己适应工作，这也无关留欧和脱欧，那个问题已经解决了……我特意参加领导人之争，是为了通过选举活动证明，你们已经有了富有经验的人选。所以退出竞争之后，现在对我来说世界上最自然的事情就是站到最有经验的候选人一边。我不认为它是一个左或右的问题，我不认为它是一个留下或离开的问题，我认为它是纯粹的"谁是最有资格做这份工作的人？"

梅处于领先地位，戈夫和利德索姆之间会决出第二名，赢得进入下一轮真正角逐的机会。戈夫努力摆脱鲍里斯·约翰逊事件后和他形影不离的背叛恶名，而利德索姆发现自己遭到了前所未有的审查，这种情况她从未在内阁中遇到过。她曾在一家大型投资公司工作，相关简历被指责夸大其词，她试图解释自己的职责，结果引来一系列令人难堪的采访。戈夫的团队开始做最后的努力让利德索姆出局。他的竞选负责人尼克·博尔斯给梅的支持者发短信，呼吁他们在下一轮投票中策略性地投给戈夫，认为让未经考验的利德索姆进入党员投票阶段是危险的。[406]最后一刻孤注一掷的赌博毫无进展。在7月7日最后的议员投票中，戈夫获得46票，比上一轮少了两票。随着梅赢得199票，利德索姆赢得84票，戈夫完全退出竞争。有史以来第一次，英国首相最后将在两位女性中产生：安德烈娅·利德索姆和特蕾莎·梅。

虽然梅的胜利给人留下深刻印象，但她的团队仍然注意到两个月之久的竞争具有不可预测的一面。查理·埃尔菲克说：

在政治上永远不能高兴得太早。依然有很多人认为这个党应该由一个脱欧主义者领导。有一种观点认为，如果不是因为迈克尔·戈夫的所作所为，那么出局的就是安德烈娅·利德索姆了。

同样为梅的选举工作的安德鲁·格里菲斯补充说:“特蕾莎……从来不认为有什么是理所当然的，她永远不会过分自以为是。在政治活动中，你很容易头脑发热。特蕾莎一直是一个冷静的领导者。所以她不会轻易下断言，除非接到电话说‘你是保守党的领导人’。”

埃里克·皮克尔斯说:“保守党陷入一种奇怪的情绪……我从不以为她已经胜券在握了……如果她这样想，那她就是太老练而不动声色。她非常冷静，非常放松。”皮克尔斯现在迅速行动起来，为选区的地面战做准备。这些计划一直没有实施的必要。他说:“我说自己会在星期五做这件事（在选区进行筹备），用周末的时间进行整合，和斯蒂芬·帕金森见面进行严肃的讨论，但没有必要了。一眨眼就结束了。”让皮克尔斯的计划——和领导人选举——在震动中停下来的是梅对手的乌龙球，可以和戈夫对鲍里斯·约翰逊的攻击相媲美。

安德烈娅·利德索姆一直很享受领导人选举。仅仅6个月以前，她在普通大臣中相对鲜为人知，在枯燥乏味的能源与气候变化部工作。她在2010年大选中进入议会（之前她得到过Women2Win的帮助，并接受过特蕾莎·梅的指导），长期以来一直感到不满，因为和她一起进入议会的人，包括妮基·摩根、安珀·路德和萨吉德·贾伟德在内，纷纷先于她进入内阁。利德索姆因为没有机会晋升到最高级别而指责乔治·奥斯本，加入议会后她随即进入财政部特别委员会工作，奥斯本之前因为一桩财务丑闻指责工党中和他职务相当的埃德·鲍斯，利德索姆暗示奥斯本欠对方一个道歉，这让财政大臣十分尴尬。

利德索姆渴望成为公众关注的焦点，2016年脱欧公投让她尝到了这种滋味。作为一个热情的疑欧主义者，她在运动中发挥了积极的作用，代表脱欧一方参加事先安排好的电视辩论。她被视为表现良好，在获胜的运动中崭露头角，开始飞黄腾达。两名重要的保守党脱欧支持者迈克尔·戈夫和鲍里斯·约翰逊出人意料地自相残杀，这给了利德索姆一个进一步上升的机会。突然间，在公投结束之后的一系列戏剧性事件中，她已经成为保守党领导人选举最终的两名候选人之一。梅无疑是最后一轮的大热门，现在还剩下八周时间来说服保守党党员，从脱欧阵营选出一个人领导国家度过脱欧的艰难日子是明智的做法。

所以在7月8日星期五，安德烈娅·利德索姆很高兴坐下来接受《泰晤士报》记者瑞秋·西尔维斯特对她的第一次深入个人访谈。众所周知，说话轻声细语的西尔维斯特是采访政治人物的最佳人选之一，她是一个高手，善于营造轻松氛围，诱导受访者泄露自己的秘密。利德索姆很快就会发现，特蕾莎·梅长期以来一直提防这些看起来友好然而极具诱导性的采访是有道理的。相比如今利德索姆在西尔维斯特看似无害的提问诱导下陷入一片混乱，梅倾向于讨论那些“安全”话题——鞋子，食谱和假期散步——的做法突然看起来相当聪明。

周五晚上10点，《泰晤士报》在报摊上市。头版的焦点是采访利德索姆的一篇重要文章。在“成为母亲让我略胜梅一筹”的标题下，引用了利德索姆的话，她说自己会成为更出色的首相，因为与对手不同，作为一个母亲，她和这个国家的未来有“利害关系”。她想要表达对梅的同情，说出了最具破坏力的话：“我相信特蕾莎真的很遗憾自己没有孩子。”[407]在报纸的内页，整篇采访更详细地披露了她的观点：

我不希望这变成“安德烈娅有孩子，特蕾莎没有”，因为我认为这真的很可怕，但我真心觉得当一个妈妈意味着你与我们国家的未来有非常真实的利害关系，一种清晰可见的利害关系。她可能有侄女、侄子，很多很多，但我的孩子会有孩子，他们将直接成为未来的一部分。

利德索姆继续表示，母亲比没孩子的女性更具同情心，因为“你要考虑别人的问题：你担心孩子的考试结果，他们未来的职业方向，星期日我们要吃什么。”[408]

利德索姆的话立即遭到的反击证明，这个世界已经不再把梅没有子女这件事视为缺陷；利德索姆认为这个问题会影响梅担任首相，这种看法给她引来雨点般的责难。利德索姆惊恐地看到社交媒体对她采访的反应，她全力收回自己所说的话，首先声称她的话被错误地引用，随后说她的言论被抽离了语境。西尔维斯特发表采访记录，显示报道并未篡改她的话，显然利德索姆遇到麻烦了。

保守党高层议员和公众一样，立刻做出了愤怒的回应。梅的朋友，来自牛津的艾伦·邓肯发推说："我是同性恋，有民事伴侣关系。没有孩子，但有十个侄女和侄子。我与国家的未来没有利害关系吗？"在另一条推文中，安娜·苏布赖说："今天@《泰晤士报》的采访显示#安德烈娅·利德索姆不是首相的材料。她应该帮所有人一个忙，包括她自己在内，闪到一边去……"苏格兰保守党领导人露丝·戴维森说："我没有孩子。我有侄女和侄子。我相信自己——像其他人一样，与我们的国家有非常真实的利害关系。"虽然梅有尊严地保持着沉默，但是埃里克·皮克尔斯准备代表她向利德索姆讨回公道。他说："我在电视上做了一两件事，因为我刚刚看到过度的竞争正蒙蔽人的判断。我非常喜欢安德烈娅，但是这……越界了。"

本来就因为简历事件受到关注，现在更是成为焦点，利德索姆发现负面报道令人紧张和不快。周六上午，她发短信道歉，然后打电话给另一名记者，使她的忏悔更加广为人知。"有孩子与当首相没有关系。如果有人认为我有不同看法，那我非常遗憾。"她说。她的声音透露出她哭过，利德索姆补充说，她感到在"承受攻击，承受巨大的压力"，"这让人难以忍受。"[409]梅遥遥领先，而利德索姆的选举显然陷入瘫痪，利德索姆利用周末剩余的时间和家人讨论是否应该退出竞选。到星期日晚上，她已经拿定主意了。

2016年7月11日星期一上午，除家人和竞选团队之外，退出竞选这件事利德索姆第一个告诉的人就是特蕾莎·梅。在伯明翰有一座可以用来举办婚礼的会议中心，英国第二位女首相在中心的休息室里得知自己即将成为保守党和英国的领导人，她原计划在那里举行竞选活动。她的朋友利亚姆·福克斯接着讲这个故事：

安德烈娅·利德索姆打来电话说她要退出时，我正和特蕾莎在一起。那儿只有我们三个人：我、菲利普和特蕾莎。我同意在一系列的选举活动中为特蕾莎的演讲暖场。这是第一站。我想是菲奥娜进来说：

"安德烈娅·利德索姆想和你通电话。"(我)扫了一眼房间，菲利普和我面面相觑，特蕾莎说："你们介意我接个电话吗？"于是菲利普和我一起等在外面。当然，她来电话只会有一个原因——她要退出。

就这样，我们回到房间。不动声色的特蕾莎什么也没说。(我们)继续(研究)演讲。当然这时她已经知道安德烈娅要退出。我们继续做(活动)，我做了暖场，她发表演讲，就好像竞选还未结束。因为梅答应过安德烈娅，在她12点宣布之前，不向任何人透露(任何消息)。特蕾莎的演讲是在11点钟。她若无其事地完成了演讲。当然，我们猜到了。之后，当安德烈娅发表声明，特蕾莎说："真的很抱歉，但是我答应她，在她自己宣布之前，我不向任何人透露这件事。"

因为对安德烈娅有所承诺，特蕾莎甚至对自己的丈夫也没有说出即将成为首相的秘密。刚过去的90分钟对她来说无疑是前所未有的漫长。利亚姆·福克斯继续说：

在一生中最重要的时刻，她仍然愿意把保密的承诺放在绝对优先的位置。我想，"这多么具有教育意义？"而且我还想到，"多么出色的表现"。新闻界向她(提出)这样的问题："如果你成为首相……"而她心里明白第二天自己将成为首相。对我来说，这充分说明了她的诚信。即使你有这样的控制力，即使你能保守秘密，那种时候你会不假思索地说："上帝啊，我已经成为……"(而不是)"不，我承诺过，我会坚守"，这是一个非常耐人寻味的时刻。

11点30分左右，消息最终传出，利德索姆要求在中午召开新闻发布会，推特上已经开始流传她发言的内容了，梅依旧认为还不是庆祝的时候。福克斯说：

她很冷静。我给她一个大大的拥抱，说我为她感到多么高兴。她准备对(等候的媒体)说些什么，我说："我认为你应该回伦敦。你接下来……要说的话，对你来说可能前所未有的重要，你需要考虑一下自己的发言。”下一次我见到特蕾莎时她任命我进入内阁。

接下来的几个小时里事情进展的速度惊人。从伯明翰开车返回伦敦，梅一定很高兴有机会停下来喘口气，思考一下进入人生新阶段时想说些什么，这会让她置身全球舞台上，实现自己还是个年轻女孩时的一切野心。戏剧里的其他演员迅速完成了他们最后的演出。安德烈娅·利德索姆举行了一次新闻发布会，确认自己已经退出，并表示比起让选举继续拖延下去，梅立即成为首相符合国家的“最大利益”。对于梅竞选团队的部分成员来说，这是他们第一次听到这个消息。电视直播利德索姆的新闻发布会时，查理·埃尔菲克正在格雷科特街的竞选总部，那里离下院不远。他说：“这在一定程度上令人惊讶。我不认为有人能想到结果会是这样。我知道这是一个历史性的时刻。特蕾莎在伯明翰，然后安德烈娅·利德索姆退出竞选，她当选首相。”

1922委员会主席格雷厄姆·布雷迪宣布，梅将正式成为保守党的领导人。市场立即从公投后的下滑中回升。回到威斯敏斯特，梅与戴维·卡梅伦进行了短暂的会面，讨论他们的交接时间表。现在选举已经结束，比9月9日的最后截止日期提前了不少，他们同意卡梅伦在第二天举行最后一次内阁会议，然后向女王辞职。7月11日星期一，卡梅伦从唐宁街10号出来，告诉等待的世界接下来的安排。他走回唐宁街的时候，衣服翻领上还开着的麦克风捕捉到他在哼着小曲。

下午5点，梅在1922委员会和议员们见面，在那儿她被正式宣布为保守党领袖。在漫长的议会岁月里，她旁观了那么多领导人之争，胜利对她来说一定非常甜蜜。下午5点35分，她走出来，站在国会大厦的圣史蒂芬入口前面，第一次作为保守党领导人和候任首相发表演讲。在英国典型的凉爽夏日，白云下100多名热情的保守党议员争抢着位置，想进入晚间新闻的电视镜头，想让报纸登出自己的照片，成为历史的一部分，梅说新角色让自己感到“光荣和谦卑”，之后重申她会履行国家脱欧的要求。她和菲利普随后去了格雷科特街，在那里举行了一个小型庆祝活动。梅发表了演讲，对所有为她短暂选举活动工作的人表示感谢。然而，一些在场的人指出，新领导人忘了一对一感谢他们的工作。随着聚会接近尾声，梅战胜了继续庆祝的诱惑。当选首相返回下院参加了一系列深夜投票，和以往的人生时刻一样，她身上体现出牧师女儿典型的投入精神。

她的团队留下来反思过去16天里令人惊奇的一系列事件。安德鲁·格里菲斯说："这是一段不同寻常的日子。我认为我们不会再经历如此的动荡……保守党在两周内能够战胜所有阴谋诡计，与此同时工党依然（在自我）分裂。"利亚姆·福克斯认为合适的人赢得了短暂而残酷的竞争。他说：

> 有趣的是，在一个迷恋于形象、外观、名望的时代，走进唐宁街10号的是年龄最大的候选人，她是那种经验丰富、朴实无华、努力工作的人，不像某些人会训练自己在大会发言时的站姿。

第二天早上，梅以内政大臣的身份最后一次参加内阁会议，世界各国的报纸对她进行了密集报道。世界其他领导人表达了对梅首相的亲切问候。美国总统奥巴马说，美英关系在她的领导下会"取得进展"，而俄罗斯总统普京说，他期待着与梅的"建设性对话"。像英国同行过去的惯常做法一样，许多外国报纸也专注于新领导人的鞋子。西班牙《世界报》强调了她的"高跟鞋，坚定的步伐，绝对的控制，彻底的忠诚"，意大利《晚邮报》对梅的"细高跟鞋"发表了评论，而德国《图片报》也提到了她著名的豹纹鞋。在内阁会议上，戴维·卡梅伦据说几乎落泪，他的告别演说被打断了四次，当他说再见并祝福同事们的未来，大臣们纷纷敲桌子示意。梅带头致敬，告诉他在场所有人对他都怀有"友善和尊重"。

2016年7月13日，梅受到女王的接见，获准成为大不列颠及北爱尔兰的新任首相，她说在此之后，自己才完全理解这一职位的全部重要意义。一位统治者与下一位统治者之间的过渡总是经过精心策划。戴维·卡梅伦与特蕾莎·梅也不例外，即将离任的领导人带着年轻的家人，前往白金汉宫正式辞职，建议君主邀请梅组建新政府。卡梅伦与女王私下会晤后，他的妻子萨曼莎和三个孩子南希、埃文和弗洛伦斯被请进房间辞行。下午5点25分，他们被引出白金汉宫。几分钟后，特蕾莎和菲利普·梅进宫。

君主与新保守党领导人历史性会面的照片显示，所有的女人都很高兴，就在5点30分之前，女王正式邀请梅成为为自己服务的第十三位首相，只有两位女性出任过这一职务。两个人还说了什么是她们之间的秘密。白金汉宫在她们谈话时发表了一个声明："女王今晚接见了特蕾莎·梅议员阁下，并要求她组建新的政府。特蕾莎·梅阁下接受女王陛下的提议，行吻手礼，被任命为首相兼首席财政大臣。"（实际上，声明中提及的"吻手"可能是指握手。）34分钟后，菲利普·梅受邀加入两人的谈话，短暂聊上几句之后，夫妇二人乘车回到唐宁街。

在唐宁街10号的台阶上，穿着阿曼达·维克利的深蓝色海军连衣裙，搭配的外套上有一条醒目的黄色——当然还有，豹纹中跟鞋——特蕾莎·梅首次作为首相对整个国家发表演讲。她说："我领导的政府不会被少数特权人士的利益左右，而是会和你们利害与共。我们将竭尽所能帮助你们更好地掌控自己的人生。做出重大决定时，我们考虑的不是有权有势之人，而是你们。"这是一个女人的承诺，自从来到世上，她一直在学习忠于职守。

>>>

396.《"国家调查"的民调显示梅会如何将他杀出局》，西蒙·沃尔特斯，《星期日邮报》，2016年6月26日。

397.《支持率飞涨，梅是保守党党员的第一选择》，山姆·科茨，《泰晤士报》，2016年6月28日。

398.《特蕾莎·梅拒见鲍里斯·约翰逊，保守党领导人平静谈失败》，汤姆·牛顿·邓恩，thesun.co.uk，2016年6月28日。

399.《忧郁的金发》，汤姆·牛顿·邓恩，《太阳报》，2010年7月1日。

400.《世界纵览》，BBC第四频道，2016年6月30日。

401.《脱欧处决：戈夫背后捅刀约翰逊，意在唐宁街10号，愤怒的鲍里斯支持者谴责他“进十八层地狱”》，汤姆·牛顿·邓恩、哈瑞·科尔和斯蒂夫·霍克斯，《太阳报》，2016年6月30日。

402.《世界纵览》，2016年6月30日，同上。

403.《燃烧中的党，为什么梅一定会成为领导人》，《每日邮报》，2016年7月1日。

404.《特蕾莎·梅的胜面很大，60%的保守党党员说她将会是下一任首相》，戴维·伍丁，《太阳报》，2016年7月3日。

405.《有望成为首相的安德烈娅·利德索姆在选举活动中的说教好似“车祸现场”，令保守党议员目瞪口呆》，汤姆·牛顿·邓恩，《太阳报》，2016年7月5日。

406.《迈克尔·戈夫的竞选负责人为了阻止安德烈娅·利德索姆成为首相，发出失态的特别短信》，斯蒂夫·霍克斯和哈瑞·科尔，《太阳报》，2016年7月7日。

407.《成为母亲让我略胜梅一筹——利德索姆》，瑞秋·西尔维斯特和山姆·科茨，2016年7月9日。

408.《我相信特蕾莎真的很遗憾自己没有孩子……》，瑞秋·西尔维斯特，《泰晤士报》，2016年7月9日。

409.《我受到了攻击，一直痛苦不堪》，阿利森·皮尔逊，《每日电讯报》，2016年7月11日。

\>>> 19

首相

特蕾莎成为首相的那一晚，她和菲利普·梅一起进入唐宁街10号楼上私人公寓巡视自己的新家，首先引起他们注意力的是戴维·卡梅伦和他的妻子萨曼莎留下的两瓶昂贵的酒，以及孩子们绘制的彩色横幅"欢迎"。这些礼物让人想起由于政权更迭被赶走的黄金家族（尽管实际上保守党领导人选举进展如此之快，梅一家最终不得不再给前任十天时间才彻底搬完）。虽然梅表现得和蔼可亲，但从进入唐宁街10号的第一分钟开始，她的决心就再清楚不过：自己的新政府要和卡梅伦帮上层圈子统治的旧政府尽量划清界限。上任伊始，她一直推行这种做法，与前任的人事、政策和精神切割得如此决绝，以至于两个月内，感到震惊的卡梅伦就心怀厌恶地离开了议会。就在2016年7月13日星期三下午6点，梅在唐宁街新办公桌旁坐下，开始清除唐宁街10号里卡梅伦帮的一切痕迹。首先，她要任命自己的内阁。她首先清理的就是老对手乔治·奥斯本。

回到楼下，作为首相进入唐宁街还不到半个小时，梅请来了财务大臣。奥斯本走过连接唐宁街10号和11号的通道。他过去这样走过上千次，在掌权的六年时间里，已经习惯了在卡梅伦的办公室进进出出。在通道另一头迎接自己的是什么，他从未像现在这样心里没底。奥斯本当然意识到在六年的政府共事中，自己和曾经的内政大臣存在分歧，最近一次感受到这一点是她在全民公投中的低调，他认为两个人之间不是私人恩怨，意识不到梅对自己怀有强烈的反感。从11号走过通道时，虽然并未心存侥幸，但他还是乐观地认为，梅会在自己的新政府中给他一个高级职位。奥斯本的一位支持者说：

开始谈话的时候，他知道梅也许会给他工作，也许不会。他当然想设法留下来。他想去外交部。有推测说他甚至可以留在财政部。他会留下来的。考虑到事情的发展，他确实感到有责任帮一把新首相。与猜测相反，应急计划已经有了，他自然希望确保它发挥作用。所以他肯定是想留下来的。

和预想相反，在持续不超过十分钟的对话中，梅明确告知奥斯本他在新内阁中没有位置。两个人对谈话的理解有分歧。奥斯本告诉朋友说谈话是“友好的”，还确认他是被解雇而不是辞职，但除此之外，他不承认简报上说的——几乎可以肯定简报出自梅的顾问——他被狠狠训斥了一顿。这件事的另一个版本更加有趣。据说梅告诉奥斯本，他在经济上夸下海口结果难以兑现。梅甚至给了他一点小建议，如果他渴望成为首相——在遥远未来的某个时候，就要表现出更多的谦逊。无论在梅和奥斯本之间发生了什么，新首相允许这样的故事广泛流传，这件事情本身就证明了她对他多年的怨恨。接下来的几个月里，梅将会取消奥斯本制定的许多重要政策，例如发展“北方发电厂”的想法，甚至包括到2020年议会任期结束之前实现盈余的财政目标。这是对这个人的公然抛弃，也许比起政府中其他任何人，奥斯本最让梅感觉到自己被排除在核心圈子之外。

随着奥斯本被迅速解雇，梅现在做出新内阁的第一次正式任命，下午6点58分，她提名自己的朋友菲利普·哈蒙德为财政大臣。这一任命很多人都想到了，梅的下一步则大大出人意料。刚过晚上7点，一个金发蓬乱的老面孔尴尬地出现在唐宁街，让等待的电视摄影机兴奋起来。约翰逊来的时机令人吃惊，在改组最初阶段确定下来的往往是最重要的任命。两周前被迈克尔·戈夫狠狠捅了一刀，约翰逊已经变得不那么重要了，他和梅从未接近过；他没想到获得升迁——谁也没想到。梅在内阁会议室里为约翰逊准备的东西让他大吃一惊。

梅现在通知约翰逊，他被任命为她的外交大臣，这是政府中最有威望的工作之一。长期以来，约翰逊一直受到举国上下的喜爱，偶尔表现得像个小丑让他出任一个以尊严为标志的职位有些违和。不过唐宁街10号明确表示，梅认为约翰逊擅长表演的特点有助于让世界接受英国脱欧。为了在这项巨大的事业中帮助他，梅告诉约翰逊自己正在创建两个新的重要内阁职位：她任命前影子内阁大臣戴维·戴维斯为脱欧事务大臣；任命她的朋友利亚姆·福克斯为国际贸易大臣。戴维斯的脱欧部门建立在政府的核心地带，唐宁街9号，而福克斯则与约翰逊一起搬入外交部。福克斯对新的安排说：

特蕾莎对这件事的意见是非常棒的。我其实想要有一个部门处理对外贸易，在很多其他国家都有这样的部门。而特蕾莎认为我们应该把它独立出来，所以有了一个非常清晰的贸易部，我确实认为她的决定是正确的。

通过任命支持脱欧三人组监督英国脱欧，梅保护自己这个前留欧活动家免受攻击，因为有人指责她不会全心全意地监督脱欧。评论员很快指出，即使进程不顺利她也有一些保险措施；那些在公投中支持脱欧的人现在要负责收拾残局。在自己的内阁中为保守党三位主要脱欧支持者提供了重要职位，这立刻让容纳第四个人变得毫无必要：这个人就是迈克尔·戈夫。梅赢得的下一个胜利可能是她最喜欢的，但她必须等待。虽然已经开始草拟新政府的名单，但在晚上她不得不停下来参加纪念警察的聚会，这是她第一次以首相的身份出席，考虑到两年前她对警察联合会的口头攻击，这件事也许有点讽刺。

梅赶走了敌人，任命自己的朋友进入内阁，她的无情被拿来与哈罗德·麦克米伦的“长刀之夜”相比。其实它比1962年的戏剧性事件更为残酷。26位内阁大臣出席了2016年7月12日戴维·卡梅伦首相主持的最后一次内阁会议，梅上台一个星期后只有13人仍然在位。9人被解雇或下台，大部分人选择了主动离开，因为他们遭到降职处理（相比之下，麦克米伦只赶走了7名内阁大臣）。只有4位卡梅伦时期的大臣保有原来的职位。

这就是梅在第一个完整工作日对首相权力惊人又无情的展示。

在乔治·奥斯本之后，司法大臣迈克尔·戈夫是下一个被解职的人。不像奥斯本，他对在新政府中获得工作不抱任何希望。7月14日星期四上午9点50分，在司法部等候的戈夫接到唐宁街10号的电话，通知他到梅在下院的新办公室。他们的会面只持续了两分钟。“这儿不会有你的位置。”据说梅清楚地告诉戈夫，他遭到解雇是他那样对待鲍里斯·约翰逊的直接后果。“我已经和同事谈过了，在他们心里忠诚很重要。我不是说你没有办法回来，或者你永远不会在我的政府任职，但如果你能在普通议员席表现出忠诚，可能会有所帮助。”[410]梅没有提到两年前戈夫在菲奥娜·希尔离职事件中扮演的角色，也没有提到他在内阁多次让自己感到难堪，但这些事一定在梅的心里占据了最重要的位置。戈夫没有争辩。“谢谢你，首相。”他说的话很简单。[411]戈夫来下议院时坐的是大臣的捷豹车，现在不得不雇一辆私家车前往白金汉宫；作为大法官（经常兼任司法大臣），他曾是国玺的保管人，盖有国玺的国家文件表明经过了君主的许可。现在国玺必须被归还。

到午餐时间，梅又处理了文化大臣约翰·惠廷德尔、内阁办公室大臣奥利弗·莱特文、教育大臣尼基·摩根，后两位的离职几乎可以肯定是因为与戴维·卡梅伦、乔治·奥斯本的密切关系。离开梅在下院的办公室，惠廷德尔与他的前助理转而去找酒吧。“我们要一醉方休。”他宣布。[412]摩根说自己“知道（坏消息）要来了”，新任首相宣布这件事的时候相当纠结，“我不得不帮她说出那句话——所以你想‘让我走’？”[413]摩根将成为梅政府的主要批评者，但她为2016年11月自己对新首相皮裤的评论感到后悔，这些话被指控有性别歧视。菲奥娜·希尔被激怒了，她报复的手段是禁止摩根进入唐宁街10号。

就业及退休保障大臣斯蒂芬·克拉布是下一个离开内阁的人，他曾经和梅竞争领导人职位。梅向他提供了另一个职位，前提是让他考虑清楚是否要接受这份工作。报纸之前披露，这位有两个孩子的已婚父亲和一个年轻女子互发有性暗示意味的信息。经过一番考虑，克拉布认为自己更愿意多陪陪妻子和孩子们。戴维·卡梅伦的密友艾德·瓦兹伊，过去六年一直担任文化部部长，在去自己选区的途中接到电话说他被解雇了。北爱尔兰事务大臣特蕾莎·维利尔斯被安排了一个内阁以外的职位，不过她谢绝了。

许多议员震惊于梅对前同事，特别是乔治·奥斯本的冷酷无情。基思·辛普森说：

这是无礼的。无论乔治对她做了什么，我想我会这样说："对不起，乔治，你做得很好，但谁知道未来会怎么样呢。"我会在声明中宣布这件事。有人我告诉另一位大臣，另一位卡梅伦帮成员，在第四十二通电话中被解雇。

安德鲁·兰斯利更同情梅那些不太高调的受害者：

从她接手时的情况来看，而且她认为戈夫曾经很恶劣地对待自己，现在依然很恶劣，梅把他赶出自己的政府并不奇怪。但她下手如此之狠仍然让我很震惊。奥斯本并不太意外，但对尼基·摩根或艾德·瓦兹伊这样的人来说相当残酷。

不过威廉·黑格对梅的无情洗牌说得很婉转："这取决于首相。她显然下定决心要展示一个新的开始，一个几乎全新的政府。这需要相当大的变化，所以我想这是可以理解的。"

接下来几天里，雇用和解雇持续不断。也许对梅来说，和任命内阁成员一样重要的是确定了唐宁街10号的顾问阵容，尼克·蒂莫西和菲奥娜·希尔联合出任参谋长，凯蒂·皮埃尔担任通讯主管。前内政部顾问乔安娜·佩恩、斯蒂芬·帕金森、克里斯·威尔金斯和亚历克斯·道森也加入了这个团队。再回过头来看大臣们的任命。安珀·路德担任梅原来的职位内政大臣，而梅当上内政大臣后最喜爱的两位大臣，卡伦·布拉德利和詹姆斯·布罗肯希尔，都在内阁中有所收获，分别得到文化大臣和北爱尔兰事务大臣的职位。其他新人包括著名的脱欧支持者布里提·帕特尔，被任命为国际发展大臣，加文·威廉姆森因为运作梅的选举活动，得到党鞭长的位子作为酬劳。在罕见的宽宏大度之下，安德烈娅·利德索姆被邀请成为能源大臣。

新内阁成员在公立学校接受教育的人数是“二战”以来最多的，八名女性占总人数的30%，与托尼·布莱尔2007年最后一届内阁持平。除了梅和上院新领袖埃文斯女男爵，内阁中所有女性进入议会时都接受过Women2Win的帮助。安德鲁·格里菲斯表示，梅对自己顶尖团队的任命发生了根本性变化：“毫无疑问，从她的第一任内阁来看，她坐在内阁会议桌旁花费大量时间估量自己的同事，找出那些她认为合适的人选，她不会为不胜任的人提供职位。”威廉·黑格同意他的意见：“她上台后开除了很多大臣，我想这就是她的真实作风。‘我对X、A先生、B太太自有看法，解雇他们的是我，做决定的也不是其他人。’她就是这个样子。”

其他人认为梅可能已经为自己惹下了麻烦，因为唐宁街10号的大革命已经超出了内阁的范围。那些希望留下甚至获得晋升的大臣们，发现事与愿违，迎接自己的是裁员。在接下来的两天中，商务大臣安娜·苏布赖、迈克尔·戈夫的盟友多米尼克·拉布和外交副大臣詹姆斯·达德里奇陆续被解雇。离职之后，另一位外交副大臣雨果·斯威尔发推说：“对一个卡梅伦的人来说现在不是个好时候。死囚车又滚动起来了！”——他说的是法国大革命期间送被判死刑的贵族去断头台的马车。

某些有野心的议员曾经出任议会助理或自愿在梅的竞选运动中帮忙，也因为自己被忽视而感到气愤。一群议会私人秘书[1]（部长一级中的最底层）被排除在晋升之外，据说他们气得把自己的政府通行证

[1] 议会私人秘书一般由年轻有为的议员担任，协助大臣联系后座议员，同时反映议会和党派对大臣负责事务的看法。

“扔”向透露消息的党鞭。[414]梅不得不在唐宁街10号请他们喝茶加以安抚。梅对自己政府中下层的任命安排让一些人感到愤怒，他们因此指责梅的顾问尼克·蒂莫西和菲奥娜·希尔，要不就是加文·威廉姆森。作为党鞭长，威廉姆森要想办法填补更多的低级职位，不少人认为他搞砸了。威廉姆森打电话传来坏消息，而不是由梅亲自告知，查理·埃尔菲克证实他自己也是被这样对待的。“当她决定让我回到后排议席，加文·威廉姆森就是打电话给我的人。”他说。

蒂莫西和希尔也被一些人怀疑利用改组实施心胸狭隘的报复。

在旋风般成为首相的过程中，梅还忘了一件事，那就是给在竞选活动中出力的议员们送出感谢信，这是一种习以为常的简单礼节。许多议员对这一疏漏感到失望，其中一位议员说：“政客们都有强烈的自尊心，我们都是神经质和情绪化的——而且非常人性化。些许表示就很容易让我们心情愉快——感谢的话、电话、短笺。如果你不这样做，那么他们很容易觉得自己被冒犯了。”

不少保守党议员表示担忧，在梅的改组中如此多的前大臣被发配到后排议席，可能对她造成困扰。毕竟，她这个首相主持的政府在议会里只有16票的优势。几个月内，优势将下降到14票，失败的市长候选人扎克·戈德史密思[1]反对扩大希思罗机场，又在补选中失败。基思·辛普森说：“她解雇了这么多人，我笑着说，‘后座议员里的前部长比真正的后座议员还要多’。”另一位议员补充说：

目前在后座有许多大人物，例如戈夫和奥斯本。他们不会费心参加所有的投票。只多出16票（原文如此）的情况下，这会产生问题。工党目前处于混乱之中，但在某些问题上会取得一致，组织起来投票反对我们。梅的胜利是因为一场领导人选举的完美风暴。她缺少根基，奥斯本或鲍里斯有自己的支持者，而她没有“梅帮”追随。遇到困难时，忠实维护她的人不够多。

---

[1] 戈德史密斯曾代表保守党竞选伦敦市长，但最终失利。

就像不满的议员所指出的，无论如何，梅地位的不稳定被工党和英国独立党的自乱阵脚掩盖了（2015年大选后自由民主党已经被边缘化了）。梅成为首相两个月后，杰里米·科尔宾重新当选工党领导人，而大部分工党议员都反对他。与此同时，奈杰尔·法拉奇暂时重掌英国独立党，之前他的继任者黛安·詹姆斯在10月离职，仅仅在这个位置上待了18天。第二次领导人之争变成一场闹剧，最受欢迎的史蒂文·伍尔夫，在布鲁塞尔欧洲议会上与一名英国独立党欧洲议会议员发生激烈口角，显然这与他对特蕾莎·梅表达的赞赏有关。2016年11月底最后选出来的新领导人保罗·劳塔尔能否带领独立党前进还有待观察。

现在无论党内还是党外都没有真正的反对者，结果梅的蜜月期相当漫长。7月20日舆观为《太阳报》做民意调查，这也是梅上任以来的第一次民调，保守党领先工党11个百分点。2017年1月，她上任6个月后，舆观显示保守党领先工党13个百分点，政府享受着保守党自20世纪50年代以来最长的“蜜月期”。作为投票者最支持的首相，梅对科尔宾的领先优势给人留下的印象更为深刻。

梅在民意调查中获得极大的优势，她的众多保守党支持者力劝她提前举行大选。他们指出，尽管她面临重大挑战，特别是政府显然未能条理清楚地说明英国应如何脱欧，但是这些困难并未削弱她的人气。公众似乎喜欢梅这位首相，看起来愿意让她留下来。然而梅就是这样，一旦在上台之初承诺直到2020年这个任期结束之前不举行大选，她就决心履行承诺。许多人认为她坚持不提前举行大选完全不符合自己的利益。如果她提前大选，毫无疑问会大获全胜。但是令党内许多人沮丧的是，她认为提前大选的设想会干扰手头的工作——主要是脱欧。在她眼中这一举动可能会对保守党有利，但不一定有益于国家。

因此在梅成为首相的最初日子里，她没有计划提前选举，而是像往常一样工作。7月14日任命内阁成员几个小时之后，她的下一个动作是打电话给欧洲的合作伙伴，她预计在自己的首相任期里，这种伙伴关系就会结束了。第一个与她通话的外国领导人是德国总理安格拉·默克尔，随后是法国总统弗朗索瓦·奥朗德和爱尔兰总理恩达·肯尼。她明确地对这三个人说，她需要时间为脱欧做准备，很快欧洲就发出了现在已经广为人知的呼吁，希望英国以更加明确的时间和方式脱离欧盟，威斯敏斯特随后也表达了同样的愿望。

7月15日，梅首相第一次出访，她到苏格兰会见了苏格兰民族党首席部长尼古拉·斯特金。在2014年苏格兰独立公投前后，梅作为内政大臣多次发表演讲，表示相信苏格兰的安全有赖于英国的其他部分。成为首相后，她在唐宁街的演讲中重申了这一点。但是，与英国其他大部分地区不同，苏格兰投票赞成留在欧盟。斯特金和其他人呼吁梅承认苏格兰的投票结果，与众不同的是苏格兰选择留在欧盟。几个月后，苏格兰民族党争辩说，苏格兰应该被允许单独留在欧盟内，或者获准进行第二次独立投票。但现在的访问是热情友好的。会谈结束之后，斯特金在推特上发出一张自己和梅的合影："无关政治——我希望各个地方的女孩们都看看这张照片，相信自己是无所不能的。"

那天夜里，梅被迫第一次以首相身份召开眼镜蛇会议，听取法国尼斯国庆日恐怖袭击事件的报告，在这起袭击中，伊斯兰极端分子驾驶卡车杀死了89人。第二天，首相显然要花更多的时间处理国际事务，她不得不又一次停下手头的工作来应对国际上的突发事件，这次在土耳其发生了一场失败的政变。暂时抛开国际上发生的戏剧化事件，梅一家在周末返回桑宁时必定感到些许放松，7月17日星期日，他们像往常一样在圣安德鲁教堂参加了教堂礼拜。

7月19日星期二，梅上任后举行第一次内阁会议。英国正经历一波迷你热浪，她邀请在场的男士脱掉夹克。有句话几乎成了她的私人咒语，她告诉自己的新团队"快去做，继续工作"，并补充道"政治不是游戏"。她发誓自己的政府不会囿于脱欧，坚持脱欧既是挑战，也是一次"巨大的机会"。她的团队中有人曾经跻身卡梅伦的内阁，他们在这次会议上发现，情况与以往相比发生了重大变化。

利亚姆·福克斯说：

她的做事风格非常稳定但并不严苛。大量想法会不停地相互交流。很明显，我们要开很多会，因为特蕾莎喜欢对反复讨论一切，让细节顺理成章地充实起来。她的工作方式意味着除非有了结论，否则讨论会一直进行下去，而不是“我预定需要45分钟”。这种工作方式令人耳目一新，因为会有真正的辩论。她不像有些人会说：“嗯，这是我先想到的。有人敢不同意吗？”撒切尔夫人过去习惯这么做。这更接近于：“现在有个问题，大家有什么想法？”最后她进行总结。

作为“一把手”领导内阁的时间不长，梅不得不应对某些大人物和严肃的争论。通常这些都会涉及双方观念上的根本冲突，财政大臣菲利普·哈蒙德和商务大臣格雷格·克拉克认为自己有责任保护经济，而另一方，“三位脱欧支持者”鲍里斯·约翰逊、戴维·戴维斯和利亚姆·福克斯，集中注意力确保满足投票脱欧人士的诉求。在这个问题上，梅知其不可为而为之。她自己本能地不偏不倚：她是一个现实主义者和实用主义者，也意识到哈蒙德和财政部发出的警告：英国经济存在“硬”脱欧的潜在风险，会导致英国退出欧洲单一市场。但在公投前后，可能她比政府中任何一个留欧支持者都更清晰地意识到，履行英国公众如此清楚明白的指示有多么重要，如果单纯从公投结果来看，这个指示就是退出欧盟。在这一点上，她一向忠于自己的原则：信守承诺，服从人民意愿。梅的领导能力面对的考验是如何设法保护经济，同时收回对英国边界和主权的控制。这一问题是她面临的最大挑战。

尽管内阁局势紧张，但梅对大臣们的整体做法受到了好评。与此同时有些人感到恼火，按照他们的说法，唐宁街10号的新团队试图全面控制政府的对外信息发布，特别是在媒体方面——有一段时间，大臣们被告知所有演讲和访谈都要提前报批——她个人对内阁的掌控赢得了赞同。

谢里尔·吉兰曾在戴维·卡梅伦首相手下工作，对比两人之后她对梅表示赞赏：

> 她会拥有一个真正的内阁政府，而我总感觉她前任的一切决定都是在别的地方做出的，可能是在厨房吃意大利千层面的时候。那并不正常。她在内阁里坐了许多年，看到的是一种完全不一样的风格，基本上前面两个人和后排的几个人说了算。我想她会让每个人都参与进来。

7月20日星期三，梅面临上台后最大的考验之一，也是每位新首相都要应对的：她的第一次“女王致辞”。她在下院办公室和顾问小团队以及菲利普·梅一起做准备，随后菲利普从公共旁听席观看了她的第一次出场。作为经验丰富的资深议员，梅非常熟悉下院会议厅，但参加过的人士表示，这和首相问答的角斗厮杀完全无法相提并论。随后梅的表现被认为远比受伤的杰里米·科尔宾可靠，后者对工党的领导权当时仍然面临挑战。她祝他好远，说自己期待在未来数年中与科尔宾进行交流，这是一种带刺的恭维，暗示期待成真的话，科尔宾的不受欢迎有利于保守党。前工党媒体顾问阿耶莎·哈扎里卡将梅的表现描述为“出色的残酷”。[415]全部结束之后，梅抬头望着天花板，松了一口气。

处理完女王致辞之后，梅首相现在可以开始第一次海外访问，去往德国和法国。和安格拉·默克尔在一起的时候，她对德国记者开足球的玩笑，然后总结自己与总理的新关系：“我们是两个做事的女人。”在与弗朗索瓦·奥朗德共同召开的新闻发布会上，她在哀悼尼斯袭击遇害者之前讲了几句法语。轮到奥朗德讲话时，他看起来对海峡对岸政局变化之快感到惊讶：“几个星期前我和戴维·卡梅伦在一起……”在柏林和巴黎召开的闭门会议严肃地讨论了脱欧事宜。

对苏格兰、德国和法国的访问开启了令人筋疲力尽的日程表，梅在短短两个星期内飞行里程达到7000英里，进行了七次正式访问，会见了六位外国领导人、三位联合王国地方政府首脑。她访问的国家包括波兰、意大利和斯洛伐克。年底之前，她的访问名单上会增加中国和印度。

但成为首相几个月之后，她大部分国际访问的主题都是脱欧，梅刚上任的时候，政府的脱欧计划缺乏透明度——实际上有没有计划还是一个问题，这让国内外都颇为沮丧。尽管梅一贯声明英国有望在2017年3月启动《里斯本条约》第50条，开始为期两年的正式脱欧进程。那几个月里，经常有批评说她并未明确是否让英国留在欧洲单一市场，因此无法确定究竟寻求的是“硬”脱欧还是“软”脱欧。

2016年12月，梅最常说的“脱欧就是脱欧”开始引来嘲笑，她表示自己正在寻找一种量身定制的“红白蓝脱欧”，英国作为前欧盟成员处境特殊，既希望继续保持有利的贸易关系，同时还要保留对移民的控制权。到了新的一年，一些欧盟领导人表示英国不允许自由流动的话，无意让其继续留在单一市场，梅承认英国没有希望保留“一小部分”欧盟成员资格。2017年1月中旬，梅在兰开斯特府发表重要演讲，回应日渐增长的要求明确表态的呼声，她直截了当地说英国正在准备“硬”脱欧，警告说她准备完全脱离谈判，除非可以达成积极的结果。

“让我把话说清楚，我的提议意味着不能留在单一市场。”她说。“我们寻求一个新的、平等的伙伴关系——一方是独立、自治、完整的英国，另一方是我们在欧盟中的朋友和盟友。没有部分欧盟成员资格，没有欧盟准成员资格，没有任何让我们一脚门里一脚门外的东西。”

在兰开斯特府的演讲中，梅还第一次提议，鉴于她利用行政权启动《里斯本条约》第50条的初步计划几个月来饱受争议，在这种情况下，议会应对脱欧协议进行投票。2016年11月初，政府由于拒绝举行这样的投票在高等法院败诉。苏格兰和北爱尔兰投票留在欧盟，它们的领导人也谋求提出诉讼，认为他们也应该对脱欧投票。

退出欧盟尤其让北爱尔兰的地位复杂化，未来它作为英国的一部分，与依然是欧盟成员的爱尔兰共和国在陆上相邻。梅和她的新北爱尔兰事务大臣詹姆斯·布罗肯希尔，并没有说明如何解决这一地区海关控制和自由流动之类的问题，这里不想和过去的动荡年代一样设立边防检查站。2016年7月25日，新首相首次访问贝尔法斯特，会见了首席部长阿莱娜·福斯特和第一副部长马丁·麦吉尼斯。2017年1月，北爱尔兰议会因为一场丑闻陷入瘫痪，福斯特被指控在能源项目上处理不当，浪费了数额极其巨大的资金，为布罗肯希尔和梅提出了另一个挑战。

退回到2016年8月中旬，梅一家照常前往瑞士阿尔卑斯山度假，留下菲利普·哈蒙德掌管国家。有民调显示，在一年前大选中支持工党的选民，现在估计有250万人选择梅做首相，而不是杰里米·科尔宾，她有资本放松一下了。在发布的照片中，夫妇二人穿着亚特T恤衫和舒适休闲裤在散步，这让人想起有多少首相度假的照片已经成为他们整体统治风格的比喻。托尼·布莱尔在异国的艳阳下度假，交往的都是百万富翁和名流；偏执的戈登·布朗很少休息，他精心选择的居家假期别墅明显是他的媒体顾问挑选的。戴维·卡梅伦的家庭休假很放松，无论是在康沃尔郡还是在时髦的欧洲度假地，例如伊比萨岛或阿尔加维，都显示出一个男人在享受他的休闲时光。

相比之下，梅即使表面上放松，手里的事情也排得满满的。几十年来，她与菲利普度假时一直住同一家酒店，两个人在假期里一起精力充沛地散步，这种方式现在已经不流行了。到了月末，她和菲利普休息了一天，观看英格兰板球队在劳德板球场迎战巴基斯坦队。梅没有躺在日光椅上，她自己喜欢在娱乐时间也有事可做，哪怕只是看英格兰队得分。梅的朋友安妮·詹金认为，她树立的形象是一个值得信赖的工作狂，在多变的时代这颇有吸引力："人们说他们想要的是一个勤勉认真、吃苦耐劳、脚踏实地、坚持不懈的人。我们知道这些品质她都有。我们想要一个热衷于社交的议员吗？我们已经有鲍里斯·约翰逊了，他的社交生活放荡不羁。而梅是一个全心全意工作的公务员。"

夏天的假期结束之后，梅回到威斯敏斯特，在首相官方休养地契克斯庄园召集自己的内阁成员，告诉他们自己成功脱欧的决心。“这意味着没有第二次全民公投，没有走后门留在欧盟的尝试，我们必须说到做到。”她在一份公开声明中说。现在事情很清楚，脱欧的成败很大程度上将取决于政府新的贸易谈判是否顺利，谈判对象包括前欧洲和更遥远地方的贸易伙伴。考虑到这一点，梅准备迎接第二个重大的国际挑战：她将前往中国杭州，第一次参加20国集团会议。下飞机的时候，梅的样子让和她一起飞了10个小时的记者们吃了一惊。《电讯报》的斯蒂芬·斯温福德说：

她在中国穿红衣服——给我们留下了非常深刻的印象。我们都睡在飞机上，穿着相同的衣服，形象很糟糕。她看上去令人惊叹。她走下台阶，所有人都在那儿等她，这是她成为首相后的第一次重大国际之行。她看着我们大家，突然间不知道该怎么办好：“呃，我以前从没来过中国！”这真是新鲜又人性化的一幕。她的反应就是这样，她只是准确地说出了自己在那个时刻的感受。

不过和梅同行的一些领导人没那么在意。她的东道主中国人十分谨慎是有特别原因的。7月成为首相之后，梅首先就暂时叫停了法国和中国对英国核能的投资计划，两国原本准备联合投入180亿英镑，在英国萨默塞特郡建设欣克利角核电站。许多人在这件事中看见了尼克·蒂莫西的影子；他曾经写文章发表过不同意见。其他人认为梅做出所有重大决定时都会有这种拖延；她不会匆匆忙忙下结论。威廉·黑格说：

欣克利角的事情延期之后，我忍不住会心一笑……因为她的做法和担任内政大臣时一样。公务员有时不得不根据时间表下决定，但她会说“不，我还没有决定，我需要更多的信息”……她会继续掌控自己的时间表。

经过几周搁置之后，10月下旬梅下决心在希思罗机场建造第三条跑道，利亚姆·福克斯认为这和欣克利角核电站一样，与其说是优柔寡断，倒不如说是细致全面。“人们会说她犹豫不决，这不符合事实。她不会仓促做出决定。她喜欢知道背景和所有细节。”

9月晚些时候，欣克利角核电站项目最终被开了绿灯，而在20国集团首脑会议时它仍然悬而未决。而且她也发现，自己努力把英国描绘成后脱欧世界的全球领导者，想以此开启新的贸易谈判，这种做法有些问题。美国总统贝拉克·奥巴马在新闻发布会上坦白地说，与英国的贸易协议不会成为美国的重中之重。日本首相安倍晋三表达了相似的意思，甚至给了梅一份15页的报告分析脱欧的诸多负面影响——至少东京是这么看的，面对脱欧可能造成的冲击，一些重要的日本公司现在也有离开英国的可能。（10月中旬，日本汽车公司日产宣布要在桑德兰建造大型工厂，关于脱欧后公司的未来，梅私下向老板们做出了保证。政府拒绝详细介绍对日产许下何种承诺，也没说明其他海外公司是否会同样受益。）其他国家对梅设法建立贸易关系的尝试反应更为积极。澳大利亚总理、梅在牛津的老朋友马尔科姆·特恩布尔和印度的纳伦德拉·莫迪都为新贸易协议打开了大门。首脑会议也见证了梅与俄罗斯总统弗拉基米尔·普京的首次会晤，她敦促他在制止叙利亚轰炸的问题上发挥更大作用，但后者并未对此做出回应。

2016年秋天，国内问题和国外的一样棘手，包括初级医生的罢工，以及女爵士洛厄尔·戈达德辞职引发的风暴，她是儿童性虐待调查的负责人。但到目前为止，保守党在民调中依然大幅领先工党，梅个人对杰里米·科尔宾的优势进一步扩大。9月初，根据“国家调查”评级，她的评级为+34，而工党领袖为-31，差距为65点。[416]

现在新政府决定主动挑起一场战斗。9月的第一周，一名公务员成为摄影师手册里最古老花招的受害者，他赶去参加一次内阁会议，在唐宁街被拍到手里抓着一份备忘录。正确地拍摄和放大之后，这份教育部最高官员签署的备忘录显示，新上任的教育大臣贾斯汀·葛林宁正准备就扩大文法学校进行磋商。很快情况就清楚了，这个备忘录是真的，同时也反映了首相本人的愿望。下个月将召开梅领导下的第一届保守党会议，几乎可以肯定的是，梅筹划将商讨文法学校作为会议的核心议题。她多年来一直梦想创立更多的文法学校，这在连续数任保守党领导者看来只是不可能成真的幻想，他们热衷的是显示自己的平等主义观点。她最亲密的顾问之一尼克·蒂莫西抱有同样的设想。现在他们都在唐宁街10号，两个文法学校的孩子可以开始将梦想变成现实。

但是扩大文法学校规模的建议引起了极大争议，不仅仅是在政府议员席上。尼基·摩根六周前被教育大臣解雇，她带头反对这一提案，还在脸书上发表声明说："在学业选拔的基础上增加学生隔离，我认为最好的结果是分散关键性改革的精力，这些改革本应该提高标准、缩小学识差距，最坏的结果是主动破坏六年来稳步发展的教育改革。"前高等教育大臣威利茨爵士补充说，学校里的位置"往往被消息更灵通、更富裕的父母抢占"，而不是经济状况相对较差的学生。[417]梅在不列颠学院发表演讲进行回应，坚持认为自己提议的教育改革是基于扩大家长选择的原则。"政治家——他们中的许多人受益于自己接受的教育，现在他们企图阻止别人接受这种教育——多年来把自己的教条和意识形态放在普通人的利益和关切之前。"她说。"我们将为最有学习天赋的学生提供量身定制的专业支持，让他们能够发挥自己的潜力，阻碍我们并非精英体制。"磋商继续进行。

戴维·卡梅伦几乎立刻宣布离开下议院，而他曾经承诺选举之前不会辞去议员职务。他明确表示对梅的诸多决定不再抱有幻想，尤其是关于文法学校的，再加上她一再提及这个国家社会分裂时的那种腔调，曾经执掌政权的卡梅伦不想再多留片刻。"现代政治的实际情况是，很难继续留在后排议席而无成为替罪羊之忧。"他说。这是诺丁山集团的丧钟。

文法学校的事情摆上桌面，卡梅伦也离开了，梅集中精力准备自己领导下的第一次会议。会议将在10月1日梅60岁生日那天于伯明翰召开。她的演讲有意成为一周会议的重中之重。将近三十年前，撒切尔夫人宣布："没有社会这种东西。"对自己唯一女性前任的理论，梅在演讲中表示完全反对，她说得很明白，自己看到了一个积极干预的国家拥有的巨大潜力。"生活中有比个人主义和个人利益更多的东西。"她说。同时她还宣布了一项"大废除法案"，清理1972年《欧洲共同体法案》以来，从欧共体和欧盟立法中引入英国的法律。在演讲最具争议的部分，梅指责政治精英忽略了选民的担心，她称之为可以理解的忧虑，他们担忧的是移民对就业市场和公共服务的影响。

不是第一次也不是最后一次，梅在演讲中打趣了鲍里斯·约翰逊。她一开始先介绍了新政府面临的问题："我们是否有一个脱欧计划？我们有。我们准备好努力把它进行到底吗？我们准备好了。"为制造效果故意停了一下，然后她继续说："鲍里斯·约翰逊能和党保持一致整整四天吗？差不多吧。"她一个月后领取了《旁观者》年度最佳政治家奖，发表的演讲更为刻薄。当时约翰逊领取了年度复出奖，他开玩笑说觉得自己有点像赫塞尔廷爵士的狗——有点奇怪的是，在那一周，这位贵族不得不否认掐死了自己的狗——梅回嘴说："鲍里斯，狗是被安乐死的——它的主人决定不要它了。"接下来遭到挖苦的是组织聚会的乔治·奥斯本，还有前唐宁街媒体顾问、最近被封为爵士的克雷格·奥利弗，两年前他和菲奥娜·希尔发生的冲突以梅忠诚助理的辞职告终。奥利弗在自己的书里说，英国公投脱欧之后他在街上"干呕"，梅对此的评论是："我们大多数人都经历这种事。当时我们在首相离任册封名单上看到了他的名字。"公投后几个月命运的逆转是显而易见的。

《旁观者》颁奖之后不到一周，梅迎来了脱欧之后最大的外交挑战，11月8日，唐纳德·特朗普意外当选为美国总统。像英美其他政治当权者一样——看来他们无人从英国脱欧投票中吸取教训——梅相信民意调查，认为特朗普的民主党对手希拉里·克林顿会取得胜利。在美国漫长的选举周期里，她和她的特别顾问在批评特朗普方面过于轻率。尽管如此，随后发生的事情依然令人震惊：胜利之后，特朗普与埃及、爱尔兰、墨西哥、以色列、土耳其、印度、日本、澳大利亚和韩国的领导人进行了讨论，和梅通电话已经是48小时之后了。让这段开始就不顺利的关系更糟糕的是，即将离任的英国独立党领导人奈杰尔·法拉奇能轻松地联系到当选总统，他至少三次访问特朗普。特朗普用推特催促梅任命法拉奇为美国大使，这严重违反了外交礼仪，唐宁街对此并不觉得好笑。

像世界其他地方一样，梅和唐宁街10号努力接受特朗普时代新的正统观念。但在2016年12月的假期里，联系已经建立起来了，尼克·蒂莫西和菲奥娜·希尔前往美国与特朗普过渡团队的主要成员会面。这次旅行似乎已经收获了回报。尽管梅继续谴责特朗普对女性的猥亵言论，他说自己曾“一把抓住她们的下体”，梅表示这种说法是“不能接受的”，[418]但特朗普似乎并未因此讨厌她。当选总统申明了自己对“特殊关系”的承诺，和前任贝拉克·奥巴马比起来，他甚至表示自己会迅速同意与英国签署有利的新贸易协议。他还邀请梅访问白宫。

1月中旬，特朗普在接受《泰晤士报》的采访时告诉迈克尔·戈夫“我爱英国”。

我们要全力工作，快速达成（贸易协议）并做好准备。这对双方都有利。我会和（梅夫人）见面。她要求召开一次会议，我进入白宫之后就会举行……我想我们很快就会做出一些成绩。

白宫之旅暂定于2017年4月——考虑到英美两国新领导人的性格对比几乎令人发笑，这件事情十分有趣。

特蕾莎·梅在任职的前6个月已经走了很长的路。虽然国家似乎面临前所未有的挑战，但看来她下定决心的坚持让公众感觉一切尽在掌握中。进入下半年，她的位置前所未有的稳固。但她的朋友们不无担心。安妮·詹金担心她的健康。“我觉得我们的运气难以置信，她在恰当的时候出现了。某人在某处照看着我们。”她说。

但她还有很长的路要走，她的工作极为艰巨。在保证身体和精神健康不受损害的前提下，人们全速工作的时间是有极限的。我想她只需要小心自己的健康。因为这样的工作节奏是难以持续的。

其他人包括谢里尔·吉兰在内，担心保守党的状况：“我真心希望党在议会中安定下来，因为她需要支持。现在我们优势明显，没有真正的对手，所以有可能自我分裂。看起来我们自以为游刃有余。”

埃里克·皮克尔斯更加乐观。

我从不怀疑我们找到了最合适的人，她会带我们走出脱欧的困境，领导我们渡过难关。如果有一条路，她能找到它……忘掉杰里米·科尔宾，重要的是找到一条合理的路实现脱欧，让党团结在一起，让国家团结在一起。党爱死她了。我有一种感觉，她顺利步入自己的蜜月期，没有任何迹象表明这段日子会很快结束。

尽管过去与梅存在分歧，迈克尔·霍华德也同意：

她令我感到激动。我钦佩她的所作所为，我希望她一切顺利。时间会证明一切，（但是）我认为她有潜力成为一位伟大的首相。她面对许多可怕的挑战，尤其是脱欧，但从目前来看，她没有真正的挑战者，不仅工党没有，我认为目前保守党内部也没有。

特蕾莎·梅首相面对的挑战确实艰巨。即使她不必设法解决现代政治时期最为复杂的问题——通过谈判让英国脱离欧盟，在世界舞台上找到新的位置，她面对的问题仍会令人不知所措。国民健康服务接近极限；选民仍然十分关注移民问题，新政府依然承诺“数万”的目标，如何实现这一目标则毫无头绪；唐纳德·特朗普当选美国总统，而且对普京的信心不断提高，让国际局势变得不可预测与不可认知；痛苦的公投之后，公众之间的分歧依然严重，仇恨犯罪大幅增加；监狱系统处于崩溃的边缘；对儿童性虐待的调查每周都遇到更大的挫折；经济仍在波动——这只是梅和她的内阁面临的众多挑战的一部分。

然而自始至终，因为没有真正的在野党需要担心，有一件事是再清楚不过的：牧师的女儿仍然掌控全局。

>>>

410.《梅穿细高跟鞋的日子：内部故事》，克里斯托弗·霍普和蒂姆·罗斯，《星期日电讯报》，2010年7月17日。

411.同上。

412.《梅穿细高跟鞋的日子：内部故事》，霍普和罗斯，同上。

413.《佩斯顿星期日》，ITV，2016年9月18日。

414.《梅唐宁街10号平静地与“露台之怒”的保守党人谈话》，格伦·欧文，《星期日邮报》，2016年7月24日。

415.《特蕾莎·梅第一次首相问答：我们的作者给出意见》，艾雅莎·哈扎里卡，《卫报》，2016年7月20日。

416.《首相在人气调查中远超科尔宾》，《每日快报》，2016年9月3日。

417.《学校之争中的首相：特蕾莎·梅反击前教育大臣，后者声称文法学校计划将打击经济状况较差的孩子》，琳妮·戴维森和克洛伊·迈耶，《太阳报》，2016年9月8日。

418.采访，特蕾莎·梅，《索菲·里奇星期日》，天空新闻，2017年1月8日。

致 谢

这本书本来预计在2018年底甚至2019年出版。我和奥利维亚·贝蒂的谈话催生了这本书，她是我在反击出版社的编辑，谈话发生在2016年5月初，离英国脱欧公投大概还有六个星期。当时的普遍看法是，不管投票结果如何，戴维·卡梅伦至少还会再担任两年首相。嗯，不管怎么说，他自己是这么告诉我们的。奥利维亚和我非常肯定，特蕾莎·梅将是接替卡梅伦的主要候选人之一，同时觉得她是传记的好题目。我同意开始为当时的内政大臣做笔记（我刚花了四个月时间写完上一本书，工党领袖科尔宾的传记《科尔宾同志》，他似乎是在一夜之间上任的），同时期待着花上两三年时间不慌不忙地研究和写作。就在一个多月之后，卡梅伦辞职，特蕾莎·梅成为首相。突然间，这位极其神秘的政治人物的传记近日就得完成。好吧，当我准备大幅缩短时间表的时候，我想到了自己，脱欧公投预料之外的结果让人大吃一惊，政坛内外很多人的夏季计划发生了巨变，我并不孤单。

因此，我必须首先感谢奥利维亚，她第一个提议写这本书，在写作过程中，她提供了极为宝贵的帮助和支持，尤其感谢她微妙高明的编辑。我也非常感谢反击出版社的伊恩·戴尔和詹姆斯·斯蒂芬斯，梅进入唐宁街10号变得显而易见之后几个小时，他们当机立断继续完成这本传记。在反击出版社里，我还要感谢维多利亚·吉尔德、伊莎贝拉·拉尔夫斯和萨姆·琼斯，我同样非常感谢我的代理人维多利亚·霍布斯和她在A.M.希思代理的同事皮帕·麦卡锡和乔·汤普森。

撰写本书的时间缩短，对安排访谈提出了挑战，所以我特别感谢众多了解特蕾莎·梅不同生活阶段的知情者，在没有事先通知的情况下，花费时间分享他们对梅的回忆、看法和描述。许多采访对象都同意发表，其他人更倾向于匿名，特别是那些仍处于政府核心的人士。他们的慷慨对于迅速完成这本书意义重大。我非常感谢玛丽莲·尤尔丹和安·皮尔斯的帮助，他们详细描述了梅在牛津郡接受教育的两所学校的情况。

最后，我要向我的家人送去感谢和爱，特别是我的孩子：可爱、聪明、了不起的爱丽尔和某个小宝贝，他的“预计出版日期”和这本书是同一天。最重要的是，我要感谢我的丈夫康纳·汉纳，他阅读点评了每一个字，提供了宝贵的鼓励、建议和想法。在这本书的献词中，我想把康纳称为我的“菲利普·梅”，但他把这部分删掉了。

罗莎·普林斯

2017年1月

后 记

2016年7月13日，英国女王伊丽莎白二世在白金汉宫会见了一位女客人，来者身穿阿曼达·维克利深蓝色海军连衣裙，穿着醒目的豹纹鞋。随后白金汉宫发表声明说：“女王今晚接见了特蕾莎·梅议员阁下，并要求她组建新的政府。特蕾莎·梅阁下接受女王陛下的提议，行吻手礼，被任命为首相兼首席财政大臣。”伊丽莎白女王已经任命过十三位首相，但只有两位女首相，在这一刻，不知道她有没有想起将近四十年前的一幕：53岁的女王任命54岁的撒切尔夫人为英国历史上第一位女首相。如今90岁的女王又任命了60岁的特蕾莎·梅，后者成为撒切尔夫人之后英国第二位女首相。

现代议会政治发源于英国，对现代世界产生了巨大影响，所以有“英格兰是议会之母”的说法。目前活跃于英国政坛的保守党，可以追溯到18世纪英国议会中的托利党，被视为世界最古老的有组织政治团体之一。凡历史悠久的制度、组织、团体，往往循传统而趋保守。当代保守党的政治观点虽然渐趋多样和灵活，但从整体来说，保守主义依然是其主流意识形态。恰恰是在这个奉行保守主义的政党之中，先后出现了英国历史上仅有的两位女首相：撒切尔夫人和特蕾莎·梅。撒切尔夫人更是西方发达国家中第一位女性领导人，其影响恐怕只有2005年当选的德国首任女总理默克尔可以与之相提并论。传统被打破，旧规被破除，往往发生在危机和变革来临之时。

1978年底至1979年初，英国发生了一系列罢工运动，被称为“不满的冬天”，工党政府应对失措，在1979年大选中被撒切尔夫人领导的保守党赶下台。特蕾莎·梅面对的变化要比撒切尔夫人迅猛得多。2016年6月23日英国脱欧公投出人意料的结果，导致戴维·卡梅伦辞去保守党领袖，此前对特蕾莎·梅来说可望而不可即的党魁之位，突然变得似乎唾手可得，随着党内对手一系列失策，7月11日最后一位竞争对手安德烈娅·利德索姆退出，不到三周时间，特蕾莎·梅就成为了保守党领袖、新任首相。而剧烈的变动并未随着特蕾莎·梅的就任而结束。新首相面前有许多棘手的问题：尽可能平稳地建立自己的内阁班底，党内的反对势力依然具有强大的影响力，移民引起的冲突和对抗有增无减，恐怖主义的威胁从未如此严峻，教育改革引发的争议，苏格兰的离心倾向，寻找英国在世界舞台新位置的外交挑战，最后也是最重要的，英国漫长、复杂、昂贵的脱欧进程对国内经济和社会的冲击。这些问题中的任何一个都可能导致政治上的动荡乃至政府的下台。在这种情况下，这位牧师的女儿仍努力掌控全局。

2017年4月18日上午11点，特蕾莎·梅在唐宁街10号宣布将于6月8日举行新一轮大选，这一决定震惊了朝野。梅在上台之初曾经承诺2020年任期结束之前不举行大选，此次一反常态，据她自己的话说，是为了在脱欧的非常时期巩固自己“强大而稳定”的领导地位。6月9日，英国议会选举结果显示：特蕾莎·梅领导的保守党获得了650个席位中的318席，失去了此前议会中的绝对多数地位，尽管仍为议会第一大党，但不得不谋求与其他政党共同组建政府。6月9日上午10点，特蕾莎·梅在选举后发表公开讲话，明确表示自己无意辞职，保守党将寻求与北爱尔兰民主统一党建立联合政府。中午12点30分，特蕾莎·梅到白金汉宫觐见英国女王，女王同意她联合组阁。

特蕾莎·梅上任一年以来，面临的挑战有增无减，有人认为她的首相之位岌岌可危，也有人觉得她会像在内政大臣任上一样令反对者大跌眼镜。在撒切尔夫人的第一个任期，面对不断上扬的通货膨胀率、屡创新高的失业人数和严重恶化的经济形势，她曾留下“如果你想转弯就转，女士我绝不会转”的名言，坚持自己的改革方向。特蕾莎·梅具备同样的坚韧、执着和耐心完成自己的职责。早在牛津大学的时候，她就对自己的同学说："总有一天，我要成为保守党的领袖。"保守党领袖只是第一步，她的最终目标是英国第一位女首相。所以当那个叫玛格丽特·撒切尔的女人先她一步，特蕾莎·梅生气得就像是"我本来想第一个到达，结果却被她占了先"。撒切尔夫人习惯说："嗯，这是我先想到的。有人敢不同意吗？"而特蕾莎·梅会说："现在有个问题，大家有什么想法？"她更喜欢反复讨论一切问题，最后由她自己做最后总结，做事风格非常沉稳但并不像人们传说的那样严厉。

如果说玛格丽特·撒切尔的黑色手提包是其执政风格的象征，那么特蕾莎·梅的豹纹鞋给她增加了更多女性色彩。撒切尔夫人和特蕾莎·梅都不能算传统意义上的女权主义者，但后者会更积极地为女性发声，她帮助女性进入议会，促进了保守党的现代化。她不认同积极差别待遇，认为女性理应进入政界，她们不低人一等。与此同时，特蕾莎·梅的另一面是撒切尔夫人所不具有的。她出现在公众场合时，会抹上淡淡的口红，穿低胸上衣和标志性的豹纹鞋。她的鞋子曾长期占据英国报纸的大量版面；如果被扔到荒岛上，她想带上的是《VOGUE》杂志。早在13岁的时候，特蕾莎·梅就热衷于用自己在面包店打工挣的钱买衣服，包括那个时代流行的喇叭裤和吊带衫。当记者对她的低胸装口诛笔伐时，她不介意开玩笑说自己引发了"乳沟战争"。

在一个充满冲突和挑战的世界上，唯一不变的是变化本身，特蕾莎·梅得益于这种变化，更需要在今后的变化中证明自己。领导者的铁腕和女性的魅力，同等鲜明地交融在特蕾莎·梅身上，对她的种种评价与分析，仍需未来时日加以验证。